KU-426-020

ATLANTIS

M I L A N   K U N D E R A

nesmrtelnost

ROMÁN

S DOSLOVEM PHILIPPA SOLLERSE

A POZNÁMKOU AUTORA

ISBN 80-7108-066-7

NESMRTELNOST

PRVNÍ DÍL / TVÁŘ

1

Ta paní mohla mít šedesát, pětašedesát let. Díval jsem se na ni, když jsem ležel na lehátku proti bazénu v tělocvičném klubu umístěném v nejvyšším poschodí moderní budovy, odkud je vidět velkými okny celou Paříž. Čekal jsem na profesora Avenaria, s kterým se tu občas scházím, abychom si povídali. Ale profesor Avenarius nepřicházel a já jsem se díval na dámu; stála sama v bazénu, po pás ve vodě a hleděla vzhůru na mladého plavčíka v teplákách, který ji učil plavat. Dával jí povely: musila se chytit rukama za okraj bazénu a zhluboka vdechovat a vydechovat. Dělala to vážně, snaživě a bylo to, jako by se z hloubi vod ozýval hlas staré parní lokomotivy (ten idylický zvuk, dnes již zapomenutý, který se pro ty, kdo ho nepoznali, nedá popsat jinak než jako dech starší dámy, která u kraje bazénu hlasitě nadechuje a vydechuje). Díval jsem se na ni fascinován. Upoutávala mne dojemnou komičností (plavčík si jí byl také vědom, neboť mu každou chvíli zacukal koutek úst), až mne pak oslovil nějaký známý a odvedl mou pozornost. Když jsem se na ni po chvíli chtěl znovu podívat, cvičení už skončilo. Odcházela v plavkách podél bazénu. Minula plavčíka, a když byla od něho vzdálena tři, pět kroků, otočila k němu ještě hlavu, usmála se a zamávala mu. Sevřelo se mi srdce. Ten úsměv i to gesto patřily dvacetileté ženě! Její ruka se vznesla s okouzlující lehkostí. Bylo to, jako by vyhazovala do vzduchu barevný míč, aby si hrála s milencem. Ten úsměv i to gesto měly půvab i eleganci, zatímco tvář a tělo už žádný půvab neměly. Byl to půvab gesta utopený v nepůvabu těla. Ale ta žena, i když samozřejmě musela vědět, že už není krásná, na to v té chvíli zapomněla. Určitou částí své bytosti žijeme všichni mimo čas. Možná že jen ve výjimečných chvílích si uvědomujeme svůj věk a že jsme většinu času bezvěcí. Ať už je tomu jakkoli, ve chvíli, kdy se otočila, usmála a zamávala na mladého plavčíka (který to nevydržel a vyprskl), o svém věku nevěděla. Jakási esence jejího půvabu, nezávislá na čase, se tím gestem na vteřinu odhalila a oslnila mne. Byl jsem podivně dojat. A vybavilo se mi slovo Agnes. Agnes. Nikdy jsem žádnou ženu toho jména nepoznal.

2

Ležím v posteli ve sladkém polospánku. Už v šest hodin v lehkém prvním probuzení sáhnu po malém tranzistorovém rádiu, které mám u polštáře, a stisknu knoflík. Ozvou se první ranní zprávy, jsem sotva s to rozeznat jednotlivá slova a zase usínám, takže se věty hlasatelů proměňují ve sny. Je to nejkrásnější úsek spánku, nejrozkošnější část dne: dík rádiu jsem si vědom svého ustavičného usínání a probouzení, té nádherné houpačky mezi bděním a spaním, která sama o sobě je dostatečným důvodem, aby člověk nelitoval svého zrození. Zdá se mi to, nebo jsem opravdu v opeře a vidím dva zpěváky v rytířských kostýmech zpívat o tom, jaké bude počasí? Jak to že nezpívají o lásce? A pak si uvědomuju, že jsou to hlasatelé, už nezpívají, ale žertovně skáčou do řeči jeden druhému: „Bude horký den, dusno, bouřky," řekne první a druhý, koketně: „Opravdu?" První hlas stejně koketně odpoví: „Mais oui. Omlouvám se, Bernarde. Ale je to tak. Musíme to vydržet." Bernard se hlasitě směje a říká: „To je trest za naše hříchy." A první hlas: „Proč já mám, Bernarde, trpět za tvoje hříchy?" V té chvíli se Bernard rozesměje ještě mnohem víc, aby dal všem posluchačům najevo, o jaký druh hříchu se jedná, a já mu rozumím: to je naše jediná hluboká touha v životě: ať nás všichni považují za velké hříšníky! Ať jsou naše neřesti přirovnávány k lijákům, bouřím, uragánům! Až dnes Francouzi otevřou deštníky nad hlavou, ať si všichni vzpomenou na Bernardův dvojsmyslný smích a závidí mu! Otočím knoflíkem na sousední stanici, protože chci do usínání, které se blíží, přivolat zajímavější představy. Na sousední stanici ženský hlas oznamuje, že bude horký den, dusno, bouřky, a já se raduji, že máme ve Francii tolik rozhlasových stanic a na všech se přesně ve stejnou chvíli říká totéž o témže. Harmonické spojení uniformity a svobody, co si může lidstvo přát lepšího?

A tak zase otočím knoflíkem tam, kde Bernard vystavoval před chvílí své hříchy, ale místo něho slyším jiný hlas zpívat o novém typu značky Renault, otočím ještě a tam sbor ženských hlasů chválí výprodej kožešin, otočím zpátky na stanici Bernardovu, zaslechnu ještě dva poslední takty hymny na auto Renault a hned nato mluví Bernard sám. Zpěvavým hlasem napodobujícím právě ztichlou melodii reklamy oznamuje, že vyšla nová biografie Ernesta Hemingwaye, v pořadí už sto sedmadvacátá, ale tentokrát opravdu velmi významná, protože z ní vyplývá, že Hemingway neřekl celý život jediné slovo pravdy. Přeháněl počet zranění, která utrpěl v první světové válce, a předstíral, že je velký svůdce, ačkoli je dokázáno, že v srpnu 1944 a pak znovu od července 1959 byl úplný impotent. „Ach opravdu?" směje se druhý hlas a Bernard koketně odpovídá: „Mais oui..." a zase jsme všichni na scéně opery, je s námi i impotent Hemingway a pak náhle nějaký velmi vážný hlas vypráví o soudním procesu, který v posledních týdnech rozrušuje celou Francii: při zcela nevinné operaci zemřela pacientka kvůli špatně provedené narkóze. V souvislosti s tím organizace určená chránit ty, které nazývá „konzumenty", podává návrh, aby všechny operace byly napříště filmovány a archivovány. Jedině tak, tvrdí „organizace na ochranu konzumentů", je možno zaručit Francouzovi, jenž umře na operačním stole, že ho soud patřičně pomstí. Pak zase usínám.

Když jsem se vzbudil, bylo už skoro půl deváté a představoval jsem si Agnes. Leží jako já v široké posteli. Pravá strana je volná. Kdopak je asi její manžel? Zřejmě někdo, kdo v sobotu ráno odchází brzo z domu. Proto je sama a sladce se houpe mezi probouzením a snem.

Pak vstala. Naproti ní na dlouhé noze jako čáp stojí televizor. Přehodila přes něj svou košili, která přikryla obrazovku jako bílá zřasená opona. Stojí teď těsně u postele a já ji poprvé vidím nahou. Agnes, hrdinku mého románu. Nemohu spustit oči z té hezké ženy a ona, jako by cítila můj pohled, odbíhá se obléci do vedlejšího pokoje.

Kdo je Agnes?

Tak jako Eva pochází z žebra Adamova, jako se Venuše narodila z mořské pěny, povstala Agnes z gesta té šedesátileté dámy, která mávala u bazénu na plavčíka a jejíž rysy se mi již rozplývají v paměti. To gesto ve mně tehdy probudilo nesmírný a nesrozumitelný stesk a ze stesku se narodila postava ženy, kterou nazývám Agnes.

Ale není člověk, a románová postava snad ještě víc, definován jako jedinečná, neopakovatelná bytost? Jak je tedy možné, že gesto, které jsem viděl na jednom člověku, které s ním bylo spjato, charakterizovalo ho, bylo jeho osobitým půvabem, je zároveň podstatou docela jiného člověka a mého snění o něm? To stojí za úvahu:

Jestli od chvíle, co se objevil na zeměkouli první člověk, přešlo po zemi asi osmdesát miliard lidí, lze těžko předpokládat, že by každý jedinec měl svůj vlastní repertoár gest. To je prostě aritmeticky nemožné. Bez nejmenších pochyb je na světě mnohem méně gest než individuí. To zjištění nás přivede k šokujícímu závěru: gesto je individuálnější než individuum. Mohli bychom to říci formou úsloví: *mnoho lidí, málo gest.*

Řekl jsem na začátku, když jsem mluvil o dámě u bazénu, že „jakási esence jejího půvabu, nezávislá na čase, se tím gestem na vteřinu odhalila a oslnila mne". Ano, tak jsem to v té chvíli chápal, ale mýlil jsem se. Gesto neodhalilo žádnou esenci té dámy, spíš by se dalo říci, že ta dáma mi dala poznat půvab jednoho gesta. Gesto nelze totiž považovat za výraz individua, za jeho výtvor (protože žádný člověk není s to stvořit své zcela originální a jen jemu náležející gesto), ba ani ne za jeho nástroj; naopak, jsou to spíš gesta, která nás používají jako svých nástrojů, nositelů, vtělení.

Agnes už byla oblečená a odešla do předsíně. Tam se na chvíli zastavila a poslouchala. Z vedlejšího pokoje se ozývaly nejasné zvuky, podle nichž usoudila, že její dcera právě vstala. Jako by se chtěla vyhnout setkání, zrychlila krok a vyšla na chodbu. Ve výtahu stiskla knoflík označující přízemí. Výtah, místo aby se rozjel, začal sebou cukat na místě jako člověk stižený tancem svatého Víta. Nebylo to poprvé, co ji překvapil svými náladami.

Jednou začal stoupat, když chtěla jet dolů, jindy nechtěl otevřít dveře a půl hodiny ji v sobě věznil. Měla pocit, že se s ní chce o něčem domluvit, něco jí sdělit svými hrubými prostředky němého zvířete. Už několikrát si na něho stěžovala domovnici, ale protože se k ostatním nájemníkům choval slušně a normálně, domovnice považovala Agnesin spor s výtahem za její soukromou záležitost a odmítala mu věnovat pozornost. Agnes tentokrát nezbylo než vystoupit a dát se dolů pěšky. Jen co sešla několik schodů, výtah se uklidnil a sjížděl za ní.

Sobota byla pro Agnes vždycky ten nejúnavnější den. Paul, její manžel, odcházel už před sedmou a zůstával na oběd s některým z přátel, zatímco ona využívala volného dne k tomu, aby se zhostila tisíce povinností mnohem nepříjemnějších než práce v zaměstnání: musila jít na poštu a přešlapovat tam půl hodiny ve frontě, nakoupit v obchodním domě, kde se pohádala s prodavačkou a ztrácela čas čekáním před pokladnou, telefonovat instalatérovi a škemrat, aby přišel v přesně stanovenou hodinu a ona nemusila kvůli němu zůstat celý den doma. Mezi tím vším se snažila najít chvíli, aby si odpočinula v sauně, kam se v týdnu nedostala, a konec odpoledne trávila s vysavačem a prachovkou, protože uklízečka, která přicházela v pátek, pracovala čím dál nedbaleji.

Ale tato sobota se lišila od jiných: je to přesně pět let, co zemřel otec. Vybavila se jí před očima scéna: otec sedí skloněn nad kupou roztrhaných fotografií a Agnesina sestra na něho křičí: „Jak to, že trháš maminčiny fotografie!" Agnes se zastává otce a obě sestry se hádají plny náhlé nenávisti.

Nasedla do auta, které bylo zaparkováno před domem.

3

Výtah ji vyvezl do nejvyššího poschodí moderní budovy, kde byl klub s tělocvičnou, velkým bazénem na plavání, malým bazénem s podvodní masáží, saunou, tureckou lázní a výhledem na Paříž. V šatně hlučela z amplionů hudba rocku. Před deseti lety, kdy sem začala chodit, měl klub jen málo členů a byl tu klid. Pak se klub rok od roku zlepšoval: bylo v něm čím dál víc skla a osvětlovadel, umělých květin a kaktusů, víc amplionů, víc hudby a také čím dál víc lidí, kteří se nadto ještě zdvojnásobili, když je začala odrážet obrovská zrcadla, jimiž jednoho dne správa klubu dala přikrýt všechny stěny tělocvičny.

Přistoupila ke skříňce a začala se svlékat. Kousek od sebe slyšela rozhovor dvou žen. Jedna z nich si stěžovala tichým altovým a pomalým hlasem, že její manžel nechává všechny předměty pohozené na zemi: knihy, ponožky, noviny, dokonce i zápalky a dýmku. Druhá mluvila sopránem a dvakrát tak rychle; francouzský zvyk vyslovit poslední slabiku věty o oktávu výš připodobňoval spád její řeči rozhořčenému kokodání slepice: „Tak to mě zarmucuješ! To mě na tebe mrzí! To mě zarmucuješ! To mu musíš dát jasně najevo! To si přece nemůže dovolovat! To je tvoje domácnost! To mu musíš dát ostře najevo! Nemůže si dovolovat, co chce!“ Druhá, jakoby rozpolcena mezi přítelkyní, jejíž autoritu uznávala, a manželem, jehož milovala, vysvětlovala melancholicky: „Když on už je takový. On vždycky všechno házel na zem.“ „Tak s tím musí přestat! Je to tvoje domácnost! To si nemůže dovolovat! To mu musíš dát jasně najevo!“ říkala první.

Agnes se těchto rozhovorů nezúčastňovala; nikdy nemluvila špatně o Paulovi, i když věděla, že ji to poněkud odcizuje ostatním ženám. Ohlédla se po vysokém hlase: byla to mladičká dívka se světlými vlasy a s tváří anděla.

„Ne, ne! Musíš vědět, že jsi v právu! Takhle se on nesmí chovat!" pokračovala dívka a Agnes si všimla, že při těch slovech vrtí hlavou rychlými pohyby zleva doprava a zprava doleva a zároveň zvedá ramena a obočí, jako by dávala najevo pohoršený údiv nad tím, že někdo odmítá uznat lidská práva její přítelkyně. Znala to gesto: přesně tak vrtí hlavou a zvedá přitom obočí a ramena Brigita, její dcera.

Agnes se svlékla, zamkla skříňku a vešla houpacími dveřmi do vykachlíčkované haly, kde byly po jedné straně sprchy, po druhé skleněné dveře vedoucí do sauny. Na dřevěných lavicích tam seděly ženy hustě vedle sebe. Některé byly zabaleny do zvláštních obleků z plastické hmoty, které tvořily kolem jejich těla (anebo určité části těla, nejčastěji břicha a zadnice) vzduchotěsný obal, takže se kůže víc potila a ženy věřily, že rychleji zhubnou.

Vylezla na nejvyšší lavici, kde bylo ještě místo. Opřela se o zeď a zavřela oči. Sem sice nedoléhal hluk hudby, ale hovor žen, které mluvily jedna přes druhou, byl neméně silný. Do sauny vešla neznámá mladá žena a už od prahu začala všechny organizovat; nutila je, aby si sedly víc jedna k druhé, pak se sklonila k džberu a lila vodu na kamna, která začala syčet. Nahoru stoupala horká pára, takže žena sedící vedle Agnes se zašklebila bolestí a přikryla si rukama tvář. Neznámá si toho všimla, prohlásila „mám ráda horkou páru; to aspoň cítím, že jsem v sauně", vtlačila se mezi dvě nahá těla a začala hned mluvit o včerejším pořadu v televizi, kam byl pozván k diskusi slavný biolog, který právě vydal paměti. „Byl vynikající," řekla.

Jiná žena se souhlasně připojila: „Ó ano! A jak skromný!"

Neznámá řekla: „Skromný? To jste si neuvědomila, že ten člověk je nesmírně pyšný? Ale ta pýcha se mi líbí! Já zbožňuju pyšné lidi!" A obrátila se na Agnes: „Vám snad připadal skromný?"

Agnes řekla, že ten pořad neviděla, a neznámá, jako by v tom viděla zastřený nesouhlas, opakovala velmi hlasitě, dívajíc se Agnes do očí: „Nesnáším skromnost! Skromnost je pokrytectví!"

Agnes pokrčila rameny a neznámá řekla: „Já musím v sauně cítit skutečné horko. Musím se pořádně potit. Ale pak musím jít pod studenou sprchu. Studená sprcha, to zbožňuju! Nechápu lidi, kteří mohou jít po sauně pod teplou sprchu! Ostatně i doma si dávám ráno jenom studenou sprchu. Teplá sprcha je mi odporná."

Brzy se začala v sauně dusit, takže když zopakovala ještě naposledy, že nenávidí skromnost, zvedla se a odešla.

Když byla Agnes dítě, zeptala se jednou otce na jejich dlouhé procházce, zda věří v Boha. Otec odpověděl. „Věřím ve Stvořitelův computer." Ta odpověď byla tak podivná, že si ji dítě zapamatovalo. Podivné bylo nejen slovo computer, ale i slovo Stvořitel: otec totiž nikdy neřekl Bůh, ale vždycky Stvořitel, jako by chtěl omezit význam Boha jen na jeho inženýrský výkon. Stvořitelův computer: ale jak se člověk může dohovořit s computerem? Zeptala se proto otce, jestli se modlí. Řekl: „To je jako by ses modlila k Edisonovi, když ti přestane svítit žárovka."

Agnes si říká: Stvořitel dal do computeru disketu s podrobným programem a pak šel pryč. Že Bůh stvořil svět a pak ho nechal napospas opuštěným lidem, kteří obracejíce se k němu mluví do prázdna bez ozvěn, ta myšlenka není nová. Ale je něco jiného být opuštěn Bohem našich předků, a je něco jiného, opustil-li nás Bůh — vynálezce kosmického computeru. Na jeho místě je tu program, který se v jeho nepřítomnosti nezadržitelně naplňuje, aniž by na něm kdokoli mohl cokoli změnit. Dát program do computeru: to neznamená, že budoucnost je do podrobností naplánována, že je všechno napsáno „tam nahoře". V programu například nebylo udáno, že v roce 1815 bude bitva u Waterloo a že ji Francouzi prohrají, nýbrž jen to, že je člověk agresivní svou povahou, že válka je mu souzena a že technický pokrok ji bude činit čím dál strašnější. Všechno ostatní nemá z hlediska Stvořitele žádnou důležitost a je jen hrou variací a permutací obecně určeného programu, který není prorockou anticipací budoucnosti, nýbrž udává pouhé meze možností, uvnitř nichž je ponechána všechna moc náhodě.

Stejně byl projektován i člověk. V computeru nebyla naplánována žádná Agnes a žádný Paul, nýbrž jen prototyp člověka, podle kterého vznikla spousta exemplářů, které jsou odvozeniny původního modelu a nemají žádnou individuální podstatu. Tak jako ji nemá jednotlivý vůz značky Renault. Jeho podstata je uložena mimo něj, v archivu hlavní konstrukční kanceláře. Jednotlivé vozy se odlišují jen výrobním číslem. Výrobní číslo lidského exempláře je tvář, to nahodilé a neopakovatelné seskupení rysů. Nezračí se v ní ani povaha, ani duše, ani to, čemu říkáme „já". Tvář je jen číslo exempláře.

Vzpomněla si na neznámou ženu, která před chvílí všem oznámila, že nenávidí teplou sprchu. Přišla, aby mohla dát všem přítomným ženám na vědomí, že 1) má ráda horko v sauně, 2) zbožňuje pýchu, 3) nesnáší skromnost, 4) miluje studenou sprchu, 5) nenávidí teplou sprchu. Těmi pěti čarami nakreslila svůj autoportrét, těmi pěti body definovala své já a všem ho nabídla. A nenabídla ho skromně (řekla přece, že skromnost nesnáší!), ale bojovně. Používala vášnivých sloves, zbožňuju, nesnáším, je mi odporné, jako by chtěla říci, že za každou z pěti čar svého portrétu, za každý z pěti bodů své definice je s to se dát do boje.

Proč ta vášeň, ptala se Agnes a napadlo ji: Když jsme byli vyplivnuti na svět takoví, jací jsme, musili jsme se s tím vrhem kostek, s tou náhodou organizovanou božím computerem nejdřív ztotožnit: ztratit údiv nad tím, že právě *toto* (to, co vidíme naproti v zrcadle) je naše já. Bez té víry, že naše tvář vyjadřuje naše já, bez té základní iluze, prailuze nemohli bychom žít anebo přinejmenším brát život vážně. A nestačilo, abychom se sami se sebou jen ztotožnili, bylo třeba, abychom se ztotožnili *vášnivě*, na život a na smrt. Protože jen takto můžeme sami sebe považovat nikoli za jednu z variant prototypu člověk, ale za bytost, která má svou vlastní nezaměnitelnou podstatu. To je důvod, proč neznámá mladá žena potřebovala nejen nakreslit svůj portrét, ale chtěla zároveň dát všem najevo, že je v něm obsaženo cosi zcela jedinečného a nenahraditelného, za co stojí se bít, ba položit život.

Když už byla Agnes v horku sauny čtvrt hodiny, zvedla se a šla se ponořit do bazénku s ledovou vodou. Pak zůstala ležet v odpočívárně mezi jinými ženami, které ani zde nepřestávaly mluvit.

Vrtalo jí hlavou, jaké bytí naprogramoval computer po smrti.

Jsou dvě možnosti. Jestliže Stvořitelův computer má za jediné pole působnosti naši planetu a jestli závisíme jen a jen na něm, není možno po smrti počítat s ničím než s nějakou permutací toho, co bylo za života; zase se setkáme s podobnými krajinami a bytostmi. Budeme sami, nebo v davu? Ach, samota je tak málo pravděpodobná, bylo jí málo i za života, tak co teprve po smrti! Mrtvých je přece tolikrát víc než živých! V nejlepším případě se bude bytí po smrti podobat chvíli, kterou teď tráví na lehátku v odpočívárně: bude slyšet odevšad nepřetržité brebentění ženských hlasů. Věčnost jako zvuk nekonečného brebentění: upřímně řečeno, bylo by možno si představit mnohem horší věci, ale i to, že by musila slyšet hlasy žen navěky, pořád, bez přestání, je pro ni dostatečný důvod lpět zuřivě na životě a dělat vše, aby zemřela co nejpozději.

Je však druhá možnost: nad computerem naší planety jsou ještě jiné, které jsou mu nadřazeny. Pak by se ovšem bytí po smrti nemusilo nijak podobat pozemskému životu a člověk by mohl umírat s pocitem nejasné, a přece oprávněné naděje. A Agnes si představuje scénu, na kterou v poslední době často myslí: přijde je navštívit neznámý muž. Sympatický, vlídný, sedí v křesle naproti oběma manželům a vypráví si s nimi. Pod kouzlem zvláštní laskavosti, jež z návštěvníka vyzařuje, je Paul v dobré náladě, hovorný, důvěrný a přináší album rodinných fotografií. Host obrací strany, ale zdá se, že některým fotografiím nerozumí. Na jedné z nich je například Agnes a Brigita pod Eiffelovou věží a host se ptá: „Co to je?"

„To je přece Agnes!" odpovídá Paul. „A to je naše dcera, Brigita!"

„To já vím," řekne host. „Já se ptám na tuhle konstrukci."

Paul se na něho podívá udiveně: „To je Eiffelova věž!"

„Ah bon," podiví se host: „Tak to je ta Eiffelova věž," a říká to stejným tónem, jako kdybyste mu ukázali portrét dědečka a on řekl: „Tak to je tedy ten váš dědeček, o kterém jsem tolik slyšel. To jsem rád, že ho mohu konečně vidět."

Paul je udivený, Agnes mnohem méně. Ona ví, kdo je ten muž. Ví, proč přišel a na co se jich bude ptát. Právě proto je poněkud nervózní, chtěla by s ním zůstat sama, bez Paula, a neví, jak to zařídit.

4

Otec zemřel před pěti lety. Matka před šesti. Už tehdy byl otec nemocen a všichni čekali jeho smrt. Matka byla naopak zdravá, plna elánu a zdála se předurčena pro dlouhý život šťastné vdovy, takže otec byl skoro v rozpacích, když nečekaně zemřela ona a ne on. Jako by se bál, že mu to budou všichni vyčítat. Všichni, to byla rodina matky. Jeho vlastní příbuzní byli roztroušeni po celém světě a kromě nějaké vzdálené sestřenice, která žila v Německu, Agnes nikdy žádného z nich nepoznala. Zato rodina matky žila celá ve stejném městě: sestry, bratři, bratranci, sestřenice a spousta synovců a neteří. Matčin otec byl zemědělec z dřevěné chalupy v horách, který se uměl obětovat pro své děti, které všechny vystudovaly a vstoupily do manželství s dobře postavenými partnery.

Když ho matka poznala, byla do otce určitě zamilována, čemuž se nelze divit, protože byl hezký člověk a už ve třiceti letech univerzitní profesor, což v tehdejší době bylo ještě docela vážené povolání. Neměla jen radost, že má záviděníhodného muže, ještě větší radost měla, že ho může dát jako dar své rodině, s níž byla svázána tradicí staré venkovské solidarity. Ale protože otec nebyl družný a mezi lidmi většinou mlčel (nikdo neví, zda to bylo z nesmělosti nebo proto, že myslil na něco jiného, zda tedy jeho mlčení vyjadřovalo skromnost, či nezájem), všichni byli z jejího daru spíš rozpačiti než šťastni.

A jak život šel a oba stárli, matka se ke své rodině čím dál víc připoutávala už proto, že otec byl věčně zavřen v pracovně, kdežto ona měla hladovou potřebu mluvit, a tak trávila dlouhé hodiny u telefonu se sestrami, bratry, sestřenicemi, neteřemi podílejíc se čím dál víc na jejich starostech. Když na to teď Agnes myslí, zdá se jí, že se matčin život podobal kruhu: vyšla ze svého prostředí, ocitla se odvážně v docela jiném světě a pak se zase vracela zpátky: bydlila s otcem a dvěma dcerami ve vile se zahradou a několikrát v roce (na vánoce, na narozeniny) do ní zvala všechny příbuzné na velké rodinné slavnosti; představovala si, že po otcově smrti (která se už dlouho ohlašovala, takže se na něho všichni dívali vlídně jako na někoho, komu už vypršel úředně naplánovaný čas pobytu) se k ní nastěhuje sestra a neteř.

Ale pak zemřela matka a otec tu zůstal. Když za ním přijela Agnes dva týdny po pohřbu se svou sestrou Laurou, našly ho sedět u stolu nad kupou roztrhaných fotografií. Laura je vzala do ruky a pak začala křičet: „Jak to, že trháš maminčiny fotografie!"

Také Agnes se naklonila nad tu spoušť: ne, nebyly to výhradně matčiny fotografie, na většině z nich byl otec sám, jen na některých byl spolu s matkou nebo matka sama. Přistižen dcerami otec mlčel a nic nevysvětloval. Agnes zasyčela na sestru: „Nekřič na tatínka!" ale Laura křičela dál. Otec se zvedl, odešel do vedlejšího pokoje a obě sestry se pohádaly jako nikdy před tím. Laura odjela hned nazítří do Paříže a Agnes zůstala. Teprve tehdy jí otec oznámil, že si našel malý byt uprostřed města a rozhodl se prodat vilu. To bylo další překvapení. Otec se všem jevil jako nešikovný člověk, který odevzdal otěže praktického života matce. Všichni si myslili, že bez ní nemůže žít, a to nejenom proto, že si neumí nic sám zařídit, ale že ani neví, co chce, protože i svou vůli jí už dávno odevzdal. Když se však rozhodl odstěhovat, náhle, bez nejmenšího zaváhání, pár dnů po její smrti, Agnes pochopila, že uskutečňoval něco, na co již dlouho myslil, a že tedy dobře věděl, co chce. Bylo to o to pozoruhodnější, že ani on nemohl tušit, že matku přežije, a myslil tedy na malý byt ve starém městě ne jako na reálný projekt, ale jako na svůj sen. Bydlil s matkou v jejich vile, procházel se s ní po zahradě, přijímal návštěvy jejích sester a sestřenic, tvářil se, že poslouchá, co si povídají, ale přitom žil v představách sám v mládeneckém bytě; po smrti matky přesídlil jen tam, kde už dlouho v duchu bydlil.

Tehdy se jí poprvé objevil jako tajemství. Proč trhal fotografie? A proč už tak dávno snil o mládeneckém bytě? A proč nemohl uposlechnout matčina přání, aby se do vily nastěhovala její sestra a neteř? Vždyť by to bylo praktičtější: jistě by se o něho starali v jeho nemoci lépe než nějaká placená ošetřovatelka, kterou si bude musit jednoho dne najmout. Když se ho ptala po důvodech jeho stěhování, dočkala se velmi jednoduché odpovědi: „A co chceš, aby dělal jeden člověk v tak velkém domě?" Navrhnout mu, že by mohl vzít k sobě matčinu sestru a její dceru, nebylo možné, protože bylo příliš jasné, že to nechtěl. A tak jí napadlo, že se i otec vrací v kruhu, odkud vyšel. Matka: od rodiny přes manželství zpátky k rodině. On: ze samoty přes manželství zpátky do samoty.

Poprvé vážně onemocněl několik let před matčinou smrtí. Agnes si tehdy udělala volno na čtrnáct dnů, aby mohla být jen s ním. Ale nepodařilo se jí to, protože matka je nenechala ani chvíli samy. Jednou za otcem přišli na návštěvu dva kolegové z univerzity. Kladli mu mnoho otázek, ale místo něho odpovídala matka. Agnes se neudržela: „Prosím tě, nech tatínka mluvit!" Urazila se: „Copak nevidíš, že je nemocný!" Když se ke konci těch čtrnácti dnů jeho stav maloučko zlepšil, šla s ním Agnes konečně dvakrát na procházku. Ale potřetí už byla matka zase s nimi.

Rok po matčině smrti se jeho choroba prudce zhoršila. Agnes za ním přijela, zůstala s ním tři dny, čtvrtého dne ráno zemřel. Teprve během těch tří dnů s ním mohla být tak, jak s ním vždycky toužila být. Říkala si, že se měli oba rádi, ale nemohli se skutečně poznat, protože se jim nedostalo dosti příležitostí být spolu sami. Ještě nejvíc mezi jejím osmým a dvanáctým rokem, kdy se matka musila věnovat malé Lauře. Chodili tehdy spolu často na dlouhé procházky do přírody a on jí odpovídal na spoustu otázek. Tehdy jí vyprávěl o božím computeru a o mnoha jiných věcech. Z těch rozhovorů jí zůstaly jen jednotlivé výroky jako střepiny vzácných talířů, které se snažila, když byla dospělá, znovu slepit dohromady.

Jeho smrtí sladká třídenní samota ve dvou skončila. Byl pohřeb a na něm všichni matčini příbuzní. Ale protože matka tu nebyla, nikdo se nepokoušel uspořádat smuteční hostinu a všichni se rychle rozešli. Ostatně to, že otec prodal vilu a odstěhoval se do mládeneckého bytu, pochopili příbuzní jako gesto, jímž je odmítl. Teď myslili jen na to, že obě dcery zbohatnou, protože vila musila mít velkou cenu. Dověděli se však od notáře, že všechno, co měl v bance, odkázal otec vědecké společnosti matematiků, jejímž byl jedním ze zakladatelů. Tak se jim stal ještě cizejší než za života. Jako by je byl chtěl svým testamentem požádat, aby na něho laskavě zapomněli.

Brzy po jeho smrti Agnes zjistila, že na jejím bankovním kontě přibyla velká částka. Všechno pochopila. Ten nepraktický člověk, jímž se otec zdál být, jednal velmi důvtipně. Už před deseti lety, kdy se jeho život poprvé octl v nebezpečí a ona za ním přijela na čtrnáct dnů, přiměl ji, aby si zřídila ve Švýcarsku konto. Krátce před smrtí na ně převedl skoro všechny peníze a to málo, co zbylo, odkázal vědecké společnosti. Kdyby byl Agnes všechno odkázal v testamentu, zranil by tak zbytečně druhou dceru; kdyby byl na její konto převedl diskrétně všechny peníze a neurčil symbolickou sumu matematikům, všichni by zvědavě pátrali, co se vlastně s penězi stalo.

V první chvíli si řekla, že se musí podělit s Laurou. Jelikož byla o osm let starší, nemohla se vůči své sestře nikdy zbavit pocitu starostlivé odpovědnosti. Ale nakonec jí nic neřekla. Ne z lakomosti, ale protože by tím otce zradila. Svým darem jí chtěl zřejmě něco sdělit, něco naznačit, udělit radu, kterou jí nestačil dát během života a kterou teď měla střežit jako tajemství týkající se jen jich dvou.

5

Zaparkovala auto, vystoupila a dala se k široké avenue. Cítila únavu a hlad, a protože bylo smutné jíst sama v restauraci, chtěla jen něco narychlo zhltnout v prvním bistru, na které narazí. Kdysi bylo v této čtvrti mnoho milých bretonských restaurací, kde se mohly jíst v pohodlí a lacino krepy a galety zapíjené sídrem. Jednoho dne však všechny ty hospody zmizely a místo nich se tu objevily moderní jídelny nazývané truchlivým jménem *fast food*. Překonala nechuť a zamířila k jedné z nich. Viděla přes sklo lidi u stolů skloněné nad umaštěné papírové tácky. Pohled jí utkvěl na dívce s velice bledou pletí a rudě nabarvenými rty. Dojedla právě oběd, odstrčila stranou pohárek vypité koka-koly, zaklonila hlavu a vsunula hluboko do úst ukazováček; dlouho jím kroužila, obracejíc přitom oči v sloup. Muž u vedlejšího stolu téměř ležel na židli a, oči upřené na ulici, otvíral ústa. Nebylo to zívání mající začátek a konec, bylo to zívání nekonečné jak Wagnerova melodie: ústa se chvílemi zavírala, ale nikdy se nezavřela docela, nýbrž se znovu a znovu rozvírala dokořán, zatímco v protipohybu k ústům se jeho oči upřené na ulici přimhuřovaly a zase otvíraly. Ostatně i několik jiných lidí zívalo, ukazujíc zuby, plomby, korunky, protézy a nikdo z nich si nezakryl rukou ústa. Mezi stoly chodilo dítě v růžových šatech, drželo za nohu medvídka a i ono mělo otevřená ústa; bylo však zřejmé, že nezívá, nýbrž křičí. Chvílemi uhodilo medvídkem některého z hostů. Stoly byly těsně u sebe, takže i přes sklo bylo patrno, že každý z nich musí spolu s jídlem polykat i vůni potu vyvolaného na povrch sousedovy kůže teplem červnového dne. Vlna ošklivosti vizuální, čichové, chuťové (intenzívně si představila chuť mastného hamburgeru zalitého sladkou vodou) ji uhodila do tváře s takovou silou, že se odvrátila, rozhodnuta hledat nějaké jiné místo, kde by utišila hlad.

Chodník byl přeplněn a šlo se obtížně. Dvě dlouhé postavy bledých Seveřanů se žlutými vlasy si razily cestu davem před ní: muž a žena, oba vyčnívající o dvě hlavy nad zástup Francouzů a Arabů. Každému visel na zádech jeden růžový ruksak a na břichu jedno nemluvně upevněné na zvláštním řemení. Za chvíli jí zmizeli z dohledu a viděla jít před sebou ženu oblečenou do širokých kalhot sahajících těsně nad kolena, jak to bylo toho roku v módě. Její zadnice se zdála být v tom oblečení ještě tlustší a bližší zemi, a nahá, bledá lýtka se podobala venkovskému džbánu ozdobenému reliéfem křečových žil, šmolkově modrých, zkroucených jak klubko malých hadů. Agnes si řekla: ta žena mohla najít dvacet různých oblečení, která by učinila její zadnici méně obludnou a zakryla modré žíly. Proč to neudělá? Nejenom že se lidé už nesnaží být hezcí, když jdou ven mezi jiné lidi, ale oni se ani nesnaží nebýt oškliví!

Řekla si: až se jednou stane útok ošklivosti zcela nesnesitelný, koupí si v květinářství pomněnku, jedinou pomněnku, ten útlý stonek s miniaturním modrým kvítkem, vyjde s ní na ulici a bude ji držet před tváří upírajíc na ni křečovitě pohled, aby viděla jen tu jedinou krásnou modrou tečku, aby ji viděla jako to poslední, co si chce pro sebe a pro své oči ponechat ze světa, který už přestala mít ráda. Půjde takto ulicemi Paříže, lidé ji brzo začnou znát, děti za ní budou utíkat, smát se jí, házet po ní předměty a celá Paříž jí bude říkat: *bláznivá s pomněnkou...*

Pokračovala v cestě: pravým uchem zaznamenávala příboj hudby, rytmické údery bicích nástrojů, doléhající k ní z obchodů, z kadeřnictví, z restaurací, do levého ucha padaly všechny zvuky silnice: jednolitý šum aut, drtivý rachot rozjíždějícího se autobusu. Pak jí projel ostrý zvuk motocyklu. Nemohla se ubránit, aby rychle nehledala, kdo jí působí tu fyzickou bolest: dívka v džínách s dlouhými černými vlasy, které za ní vlály, seděla na malé motorce vzpřímeně jako za psacím strojem; motorka měla odstraněné tlumiče a dělala příšerný hluk.

Agnes si vzpomněla na mladou ženu, která vešla před několika hodinami do sauny, a aby uvedla své já, aby ho vnutila jiným, už od prahu na všechny volala, že nenávidí teplou sprchu a skromnost. Agnes si byla jista, že je to docela stejná pohnutka, která vedla mladou dívku s černými vlasy, aby odstranila tlumiče z motocyklu. To nebyl stroj, co působilo hluk, to bylo já černovlasé dívky; ta dívka, aby se dala slyšet, aby vstoupila do vědomí jiných, připevnila ke své duši hlučný výfuk motoru. Agnes se dívala na vlající vlasy té hlučící duše a uvědomila si, že touží intenzívně po dívčině smrti. Kdyby se teď srazila s autobusem a zůstala v krvi na asfaltu, Agnes by nepocítila ani hrůzu ani zármutek, jen zadostiučinění.

Vzápětí nato se poděsila své nenávisti a řekla si: svět se dostal na pokraj jakési hranice; když ji přestoupí, všechno se může proměnit v šílenství: lidé budou chodit po ulici s pomněnkou v ruce anebo se budou na potkání zabíjet. A bude stačit málo, jedna kapka vody, pro kterou přeteče sklenice: třeba že bude na ulici o jedno auto, o jednoho člověka nebo o jeden decibel víc. Je tu nějaká kvantitativní hranice, která nesmí být překročena, jenomže nikdo ji nestřeží a možná nikdo ani neví, že existuje.

Šla dál po chodníku a bylo na něm čím dál víc lidí a žádný jí neuhýbal z cesty, takže sešla do jízdní dráhy a pokračovala v cestě mezi okrajem chodníku a jedoucími auty. Byla to její stará zkušenost: lidé jí nevyhýbali. Věděla o tom, cítila to jako svůj neblahý úděl a často se ho pokoušela zlomit: snažila se sebrat odvahu, jít statečně vpřed, neuhnout ze své dráhy a donutit protijdoucího, aby uhnul on, ale nikdy se jí to nepodařilo. V této každodenní, banální zkoušce sil byla vždycky ona tím poraženým. Jednou šlo proti ní asi sedmileté dítě, Agnes se snažila neustoupit, ale nakonec jí nic jiného nezbylo, nechtěla-li se s dítětem srazit.

Vybavila se jí vzpomínka: bylo jí asi deset let, když šla jednou s oběma rodiči na procházku do hor. Na široké lesní cestě se proti nim rozkročili dva vesničtí kluci: jeden z nich držel v rozpažené ruce hůl ve vodorovné poloze, aby jim bránila v cestě: „To je soukromá cesta! Tady se platí mýto!" volal a dorážel holí tak, že se lehce dotýkal otcova břicha.

Byla to pravděpodobně dětská legrace a stačilo chlapce prostě odstrčit. Nebo to byl způsob žebroty a stačilo vytáhnout z kapsy frank. Ale otec se otočil a zvolil raději jinou cestu. Upřímně řečeno, bylo to úplně lhostejné, protože šli nazdařbůh a nezáleželo jim na tom, kam jdou, ale matka se přesto na otce zlobila a nezdržela se, aby neřekla: „Ustoupí i před dvanáctiletými kluky!" I Agnes byla tehdy trochu zklamána otcovým jednáním.

Nový nápor hluku přerušil vzpomínku: muži s helmami na hlavách se opírali ručními vrtačkami do asfaltu vozovky. Do toho rachotu se náhle ozvala odněkud shora, jakoby z nebes, na klavír hraná Bachova fuga. Zřejmě někdo v nejvyšším poschodí otevřel okno a pustil přístroj naplno, aby přísná Bachova krása zněla jako hrozivá výstraha světu, který se dal špatnou cestou. Jenomže Bachova fuga nebyla s to se postavit účinně vrtačkám a autům, naopak auta a vrtačky si přivlastnily Bachovu fugu jako součást své vlastní fugy, takže si Agnes přitiskla dlaně na uši a takto pokračovala v cestě.

V té chvíli chodec, který šel v protějším směru, se na ni podíval nenávistným pohledem a plácl se rukou do čela, což v řeči gest všech zemí znamená, že chceme někomu říci, že je blázen, ťuklý nebo slabý duchem. Agnes zachytila ten pohled, tu zášť, a vstoupil do ní zběsilý hněv. Zastavila se. Chtěla se na toho člověka vrhnout. Chtěla ho udeřit. Ale nemohla, dav ho již unášel dál a do ní někdo vrazil, protože na chodníku nebylo možno se zastavit déle než na tři vteřiny.

Musila jít dál, ale nemohla na něho přestat myslit: šli oba ve stejném hluku, a on přesto považoval za nutné dát jí na srozuměnou, že nemá žádný důvod a snad ani žádné právo si zakrývat uši. Ten člověk ji volal k pořádku, který porušila svým gestem. To byla rovnost sama, která jí v jeho osobě udělovala důtku nepřipouštějíc, aby nějaký jedinec odmítal podstoupit to, co musejí podstoupit všichni. To sama rovnost jí zakazovala nesouhlasit se světem, v kterém všichni žijeme.

Touha zabít toho muže nebyla jen prchavou reakcí. I když bezprostřední rozrušení pominulo, ta touha v ní zůstala, připojil se k ní jen údiv nad tím, že je schopna takové zášti. Obraz člověka, který se plácá do čela, plaval v jejích útrobách jako jedem naplněná ryba, která se zvolna rozkládá a kterou není možno vyvrhnout.

Vrátila se jí vzpomínka na otce. Od té doby, co ho viděla ustupovat před dvěma dvanáctiletými kluky, představovala si ho často v této situaci: je na potápějící se lodi; záchranných člunů je málo a nebude v nich místa pro všechny; proto je na palubě zuřivá tlačenice. Otec utíká nejdřív s ostatními, ale když vidí, jak do sebe všichni vrážejí, ochotni se ušlapat, a když posléze nějaká rozlícená dáma ho uhodí pěstí, protože jí překáží v cestě, zastaví se a pak odstupuje docela stranou. A nakonec se už jen dívá, jak čluny přeplněné řvoucími a klejícími lidmi se pomalu spouštějí do rozbouřených vln.

Jak pojmenovat otcův postoj? Zbabělost? Ne. Zbabělci se bojí o život, a proto se o něj umějí zuřivě bít. Ušlechtilost? Dalo by se o ní mluvit, kdyby otce vedly ohledy k bližnímu. Ale o to podle Agnes nešlo. O co tedy šlo? Neuměla na to odpovědět. Jen jedno se jí zdálo vždycky jisté: na lodi, která se potápí a kde je třeba se bít s jinými lidmi o přístup do záchranných člunů, byl by otec předem odsouzen k smrti.

Ano, to bylo jisté. Otázka, kterou si teď kladla, byla tato: cítil otec k těm lidem na lodi nenávist, jako ji ona cítila k motocyklistce anebo k muži, který se jí vysmíval, že si zakrývá uši? Ne, Agnes si neumí představit, že by otec uměl nenávidět. Ošidnost nenávisti je v tom, že nás svazuje s protivníkem do těsného objetí. V tom je obscénnost války: intimita vzájemně promíšené krve, lascivní blízkost dvou vojáků, kteří se probodávají a dívají se sobě do očí. Agnes je si jista, že právě této intimity se otec štítil. Hnusil si tlačenici na lodi tak, že dal přednost utopení. Být v tělesném doteku s lidmi, kteří se snaží odstrčit jeden druhého a poslat každý každého na smrt, mu připadalo mnohem horší než skončit život sám v čisté ryzosti vod.

Vzpomínka na otce ji začala osvobozovat od nenávisti, které byla ještě před chvílí plna. Jedovatý obraz muže, který si plácá rukou na čelo, jí zvolna mizel z mysli, kterou zaplnila tato věta: nemohu je nenávidět, protože s nimi nejsem spojena; nemám s nimi nic společného.

6

Za to, že není Němka, vděčí Agnes tomu, že Hitler prohrál válku. Poprvé v dějinách nebyla ponechána poraženému žádná, ale žádná sláva: ani bolestná sláva ztroskotání. Vítěz se nespokojil jen vítězstvím, ale rozhodl se poraženého soudit a soudil celý národ, takže nebylo tehdy vůbec příjemné mluvit německy a být Němcem.

Agnesini prarodiče z maminčiny strany byli zemědělci žijící na hraničním území mezi německou a francouzskou částí Švýcarska; proto, i když byli administrativně vzato francouzští Švýcaři, mluvili stejně dobře oběma jazyky. Otcovi rodiče byli Němci žijící v Maďarsku. Otec studoval jako mladík v Paříži, kde se naučil obstojně francouzsky; když se oženil, společnou řečí manželů se stala nicméně zcela přirozeně němčina. Teprve po válce si matka vzpomněla na úřední řeč svých rodičů a Agnes byla poslána do francouzského gymnázia. Otci bylo povoleno jen jediné potěšení Němce: recitovat před starší dcerou v originálu Goethovy verše.

Toto je nejznámější ze všech německých básní, co byly kdy napsány a kterou se musí učit nazpaměť všechny německé děti:

Na všech kopcích
Je klid,
Ve všech vrcholcích stromů
Neuslyšíš
Ani dech.
Ptáci mlčí v lese.
Počkej jen, brzy
Ty si také odpočneš.

Myšlenka básně je prostá: v lese všechno spí, ty budeš spát též. Smysl poezie není oslnit nás překvapující myšlenkou, ale učinit jeden okamžik bytí nezapomenutelný a hodný nesnesitelného stesku.

Doslovným překladem ztratí báseň vše. Poznáte, jak je krásná, jen když si ji přečtete v němčině:

Über allen Gipfeln
Ist Ruh,
In allen Wipfeln
Spürest du
Kaum einen Hauch.
Die Vögelein schweigen im Walde.
Warte nur, balde
Ruhest du auch.

Každý verš má jiný počet slabik, střídají se tu trocheje, jamby, daktyly, šestý verš je podivně delší než ostatní, a i když jde o dvě čtyřverší, první gramatická věta končí asymetricky v pátém verši, což vytváří melodii, která nikdy nikde předtím neexistovala než v této jediné básni, stejně nádherné jako úplně obyčejné.

Otec se ji naučil ještě v Maďarsku, kam chodil do německé obecné školy, a Agnes ji od něho poprvé slyšela, když byla stejně stará jako on tehdy. Recitovali ji na společných procházkách a to tak, že zdůrazňovali neúměrně všechny přízvuky a snažili se pochodovat do rytmu básně. Vzhledem k nepravidelnosti metra to nebylo vůbec jednoduché, a teprve v posledních dvou verších se jim to podařilo: war — te nur — bal — de — ru — hest du — auch! Poslední slovo vždycky vykřikli, že ho bylo slyšet na kilometr dokola: auch!

Naposledy jí otec tu básničku říkal v jednom z těch posledních tří dnů před svou smrtí. Nejdřív si myslila, že se tím vrací k mateřskému jazyku a do dětství; pak viděla, že se jí dívá do očí výmluvným a důvěrným pohledem, a napadlo ji, že jí chce připomenout štěstí jejich dávných procházek; teprve nakonec si uvědomila, že ta báseň mluví o smrti: chtěl jí říci, že umírá a že to ví. Nikdy předtím si nepomyslila, že by ty nevinné veršíky, dobré pro školní mládež, mohly mít tento význam. Otec ležel, čelo se mu potilo v horečce a ona ho chytila za ruku; přemáhajíc pláč, šeptala spolu s ním: *warte nur, balde ruhest du auch.* Brzo si taky odpočneš. A poznávala již hlas blížící se otcovy smrti: bylo to ticho mlčících ptáků ve vrcholcích stromů.

Po jeho smrti se opravdu rozhostilo ticho a to ticho bylo v její duši a bylo krásné; řeknu to ještě jednou: bylo to ticho mlčících ptáků ve vrcholcích stromů. A čím šel čas dál, tím zřetelněji se do toho ticha ozýval, jako lovecká trubka znějící z hloubi lesů, otcův poslední vzkaz. Co jí chtěl říci svým darem? Aby byla svobodná. Aby žila tak, jak chce žít, šla tam, kam chce jít. On sám se toho nikdy neodvážil. Proto dal všechny prostředky své dceři, aby se odvážila ona.

Od chvíle, co se Agnes vdala, ztratila radosti samoty: v zaměstnání byla denně osm hodin v jedné místnosti s dvěma kolegy; pak se vracela domů, do čtyřpokojového bytu. Jenomže žádný pokoj nebyl její: byl tam velký salón, ložnice pro manžele, pokoj pro Brigitu a malá pracovna Paulova. Když si stěžovala, Paul jí nabídl, aby považovala salón za svůj pokoj, a sliboval jí (s nepochybnou upřímností), že ji tam nebude on ani Brigita rušit. Ale jak se mohla cítit dobře v pokoji s jídelním stolem a osmi židlemi zvyklými na večerní hosty?

Je teď snad již jasnější, proč se cítila toho rána tak šťastna v posteli, kterou právě před chvílí opustil Paul, a proč šla tak tiše předsíní v obavách, aby neupoutala pozornost Brigity. Měla ráda dokonce i kapriciózní výtah, protože jí dopřával několik okamžiků samoty. I do auta se těšila, protože tam na ni nikdo nemluvil a nikdo se na ni nedíval. Ano, nejdůležitější bylo, že se na ni nikdo nedíval. Samota: sladká nepřítomnost pohledů. Jednou oba její kolegové onemocněli a ona pracovala čtrnáct dnů sama v místnosti. Zjistila překvapeně, že je večer mnohem méně unavená. Od té doby věděla, že pohledy jsou jako závaží, která ji srážejí k zemi, anebo jako polibky, které z ní vysávají sílu; že vrásky, které má na tváři, jí tam vyryly jehly pohledů.

Ráno při probuzení slyšela v rozhlase zprávu o tom, že při nějaké nevinné operaci zemřela na operačním stole mladá pacientka kvůli nedbale provedenému uspání. Tři lékaři jsou proto pohnáni před soud a organizace na ochranu konzumentů podává návrh, aby všechny operace bez výjimky byly napříště filmovány a filmy uloženy do archivů. Všichni tleskají tomu návrhu! Jsme denně probodáváni tisícem pohledů, ale to nestačí: ještě navíc tu bude jeden institucionalizovaný pohled, který nás ani na chvíli neopustí, aby nás sledoval na ulici, v lese, u lékaře, na operačním stole, v posteli; obraz našeho života bude beze zbytku archivován, aby ho bylo možno kdykoli použít v případech soudního sporu anebo když si to vyžádá zájem veřejné zvědavosti.

Ty myšlenky v ní vyvolaly znovu touhu po Švýcarsku. Ostatně od otcovy smrti tam odjížděla každý rok dvakrát nebo třikrát. Paul a Brigita to nazývali se shovívavým úsměvem její hygienicko-sentimentální potřebou: jezdí zametat listí z otcova hrobu a nadýchat se čerstvého vzduchu u dokořán otevřeného okna alpského hotelu. Mýlili se: i když tam neměla milence, Švýcarsko byla její jediná hluboká a systematická nevěra, kterou se na nich proviňovala. Švýcarsko: zpěv ptáků ve vrcholcích stromů. Snila o tom, zůstat tam jednou a už se nevrátit. Došla tak daleko, že si několikrát prohlížela v Alpách byty ke koupi a k pronajmutí, a dokonce v duchu nastylizovala dopis, v němž oznámí dceři i manželovi, že je sice nepřestala mít ráda, ale rozhodla se žít sama, bez nich. Prosí je jen o to, aby jí dali občas zprávu, jak žijí, protože chce mít jistotu, že se jim neděje nic zlého. A to právě bylo tak obtížné vyjádřit a vysvětlit: že má potřebu vědět, jak se jim daří, i když zároveň vůbec netouží je vidět a být s nimi.

To všechno byly ovšem jen sny. Jak by mohla rozumná žena opustit šťastné manželství? Přesto se do jejího manželského míru ozýval z dálky svůdný hlas: byl to hlas samoty. Zavřela oči a poslouchala zvuk lovecké trubky znějící z hloubi dalekých lesů. V těch lesích byly cesty a na jedné z nich stál otec, usmíval se a zval ji za sebou.

7

Agnes seděla v křesle a čekala na Paula. Měli před sebou ještě večeři, to, čemu se ve Francii říká „diner en ville", což znamená, že lidé, kteří se spolu málo znají anebo docela neznají, budou musit žvýkajíce konverzovat tři nebo čtyři hodiny. Protože celý den nejedla, cítila se unavena, a aby si odpočinula, listovala tlustým časopisem. Neměla sílu číst text, prohlížela si jen fotografie, které byly barevné a bylo jich mnoho. Uprostřed časopisu byla reportáž o katastrofě, která se udála během letecké exhibice. Do zástupu diváků se zřítilo hořící letadlo. Fotografie byly veliké, každá z nich zabírala obě strany rozevřeného magazínu a bylo na nich vidět všemi směry prchající zděšené lidi, ohořelé šaty, spálenou kůži, plameny zvedající se z těl; Agnes nemohla odtrhnout pohled a myslila na to, jakou divokou radost musil zažít fotograf, který se nudil při banální podívané a najednou viděl, jak mu v podobě hořícího avionu padá z nebe štěstí!

Obrátila pár listů a uviděla nahé lidi na pláži, velký titulek *Prázdninové fotografie, které nenajdete ve vzpomínkovém albu Buckinghamu* a krátký text se závěrečnou větou: „...a byl tam fotograf, takže se ještě jednou princezna octne v popředí scény vinou svých styků." A byl tam fotograf. Všude je fotograf. Fotograf schovaný za křovím. Fotograf převlečený za chromého žebráka. Všude je oko. Všude je objektiv.

Agnes si vzpomněla, jak kdysi jako dítě byla oslněna myšlenkou, že Bůh ji vidí a vidí ji nepřetržitě. Tehdy snad poprvé zažila tu rozkoš, tu podivnou slast, kterou člověk zakouší, když je viděn, viděn proti své vůli, viděn ve chvílích intimity, kdy je znásilňován pohledem. Matka, která byla věřící, jí říkala „Bůh tě vidí", a chtěla ji tak odnaučit lhát, kousat si nehty a dloubat se v nose, ale stalo se něco jiného: právě když se oddávala svým zlozvykům anebo ve stydkých chvílích představovala si Agnes Boha a předváděla mu, co dělá.

Myslila na sestru anglické královny a řekla si, že dnes je Boží oko nahrazeno kamerou. Oko jednoho je nahrazeno očima všech. Život se změnil v jeden jediný partúz, jak se říká ve Francii orgiím, v partúz, na kterém se všichni podílejí. Všichni mohou vidět nahou anglickou princeznu slavící na subtropické pláži narozeniny. Kamera se zdánlivě zajímá jen o slavné lidi, ale stačí, aby nedaleko od vás spadlo letadlo, z vaší košile se zvedly plameny, a rázem jste i vy slavní a zahrnuti do všeobecného partúzu, který nemá nic společného s rozkoší a dává jen všem slavnostně na vědomí, že se nemají kam schovat a jsou dáni napospas každý každému.

Jednou měla schůzku s nějakým mužem a ve chvíli, kdy ho políbila v hale velkého hotelu, objevil se před ní nečekaně chlapík s plnovousem, v džínách, kožené bundě a pěti brašnami, které mu visely kolem krku a přes ramena. Přidřepl si a přiložil k oku fotografický aparát. Začala mávat rukou před tváří, ale muž se smál, drmolil cosi špatnou angličtinou, uskakoval před ní pozpátku jako blecha a cvakal spouští. Byla to bezvýznamná epizoda. V hotelu se odbýval právě nějaký kongres a fotograf z veřejné služby byl najat, aby vědci, přijedší sem z celého světa, si mohli nazítří koupit na památku své fotografie. Ale Agnes nesnesla představu, že někde zůstane dokument svědčící, že se zná s mužem, s nímž se tu setkala; vrátila se do hotelu příští den, skoupila všechny své fotografie (byla na nich po boku muže a ruku měla napřaženu před svou tváří) a snažila se získat i negativy; ale ty, uloženy v archivech fotografické služby, byly už nedosažitelné. I když žádné nebezpečí nehrozilo, zůstala v ní úzkost, že jedna vteřina jejího života, místo aby se proměnila v nicotu, jak to dělají všechny ostatní vteřiny života, zůstane vytržena z běhu času, a bude-li si to někdy nějaká blbá náhoda přát, oživne jako špatně pohřbený mrtvý.

Vzala do ruky jiný týdeník, který se zabýval víc politikou a kulturou. Žádné katastrofy ani nudistické pláže s princeznami tam nebyly, zato tváře, samé tváře. I vzadu, kde byly kritiky knih, byla u každého článku fotografie kritizovaného autora. Protože spisovatelé byli často neznámí, fotografie se dala vysvětlit jako užitečná informace, ale jak ospravedlnit pět fotografií prezidenta republiky, jehož bradu i nos znají všichni dávno nazpaměť? I autor úvodníku byl vypodoben na malé fotografii nad svým textem, zřejmě na stejném místě jako každý týden. V reportáži o astronomii byly zvětšené úsměvy astronomů a i na všech reklamách, na psací stroje, na nábytek, na mrkev, byly tváře, samé tváře. Prohlížela časopis znovu od první stránky do poslední; napočítala: dvaadevadesát fotografií, na nichž byla pouhá tvář; jednačtyřicet fotografií, kde byla tvář i s postavou; devadesát tváří na třiadvaceti fotografiích, kde byly skupiny postav, a jen jedenáct fotografií, kde hráli lidé podružnou roli anebo byli zcela nepřítomni. Dohromady bylo v časopise dvě stě třiadvacet tváří.

Pak se vrátil domů Paul a Agnes mu vyprávěla o svých počtech.

„Ano," přisvědčil. „Čím je člověk lhostejnější k politice, k zájmům jiných, tím je posedlejší vlastní tváří. Individualismus našeho času."

„Individualismus? Co to má společného s individualismem, když tě kamera fotografuje ve chvíli agonie? To naopak znamená, že individuum už samo sobě nepatří, že je zcela a naprosto majetkem jiných. Víš, já si vzpomínám na své dětství: když tehdy chtěl někdo někoho vyfotografovat, ptal se ho na dovolení. I když jsem byla dítě, tak se mě dospělí ptali, holčičko, můžeme si udělat snímek? A pak se jednoho dne přestali ptát. Právo kamery bylo povýšeno nad všechna ostatní práva, a tím se všechno, úplně všechno změnilo."

Rozevřela znovu časopis a řekla: „Když položíš vedle sebe fotografie dvou různých tváří, udeří tě do oka všechno, čím se jedna od druhé liší. Ale když máš vedle sebe dvě stě třiadvacet tváří, pochopíš najednou, že to všechno je jen jedna tvář v mnoha variantách a že žádné individuum nikdy neexistovalo."

„Agnes," řekl Paul a jeho hlas byl najednou vážný. „Tvoje tvář se nepodobá žádné jiné."

Agnes nepostřehla tón Paulova hlasu a usmála se.

Paul řekl: „Neusmívej se. Myslím to vážně. Když někoho miluješ, miluješ jeho tvář, a ta se tak stane naprosto nepodobná jiným."

„Ano, ty mě znáš podle mé tváře, ty mě znáš jako tvář a nikdy jsi mě neznal jinak. Nemohlo tě tedy ani napadnout, že moje tvář, to nejsem já."

Paul odpověděl s trpělivou starostlivostí starého lékaře: „Jak to, že tvoje tvář nejsi ty? Kdo je za tvou tváří?"

„Představ si, že bys žil ve světě, kde nejsou zrcadla. Snil bys o své tváři a představoval si ji jako vnější odraz toho, co je uvnitř tebe. A potom, až by ti bylo čtyřicet, někdo by ti poprvé v životě nastavil zrcadlo. Představ si ten úlek! Viděl bys úplně cizí tvář. A věděl bys jasně to, co nejsi s to chápat: tvoje tvář nejsi ty."

„Agnes," řekl Paul a vstal z křesla. Stál teď těsně u ní. Viděla v jeho očích lásku a v jeho rysech jeho matku. Podobal se jí, jako se jeho matka podobala pravděpodobně svému otci, který se také někomu podobal. Když Agnes viděla jeho matku poprvé, její podobnost s Paulem jí byla trapně nepříjemná. Když se později milovali, jakási zlomyslnost jí tu podobnost připomínala a jí se chvílemi zdálo, že na ní leží stará žena s tváří zkřivenou rozkoší. Ale Paul dávno zapomněl, že má ve tváři otisk své matky, a byl přesvědčen, že jeho tvář není nikdo jiný než on.

„Jméno jsme také dostali náhodou," pokračovala. „Nevíme, kdy vzniklo a jak k němu nějaký dávný předek přišel. Vůbec svému jménu nerozumíme, neznáme jeho historii, a přesto ho nosíme s exaltovanou věrností, splýváme s ním, líbí se nám, jsme na ně směšně hrdi, jako bychom ho snad byli sami vymysleli ve chvíli nějaké geniální inspirace. Tvář je jako jméno. Bylo to zřejmě někdy na konci dětství: tak dlouho jsem se dívala do zrcadla, až jsem nakonec uvěřila, že to, co vidím, jsem já. Vzpomínám si jen docela matně na tu dobu, ale vím, že objevovat já musilo být opojné. Jenomže pak přijde chvíle, kdy stojíš před zrcadlem a říkáš si: toto jsem já? a proč? proč jsem se solidarizovala s *tímhletím*? co je mi po té tváři? A v té chvíli se všechno začne hroutit. Všechno se začne hroutit."

„Co se začne hroutit? Co je s tebou, Agnes? Co je s tebou v poslední době?“

Pohlédla na něho a zase sklopila hlavu. Nenapravitelně se podobal své mrtvé matce. Podobá se jí ostatně čím dál víc. Podobá se čím dál víc staré ženě, kterou byla jeho matka.

Chytil ji oběma rukama a zvedl. Podívala se na něho a on si teprve teď všiml, že má oči plny slz.

Přitiskl ji k sobě. Pochopila, že ji má velice rád, a přišlo jí toho najednou líto. Bylo jí líto, že ji má tolik rád, a chtělo se jí plakat.

„Měli bychom se jít oblékat, budeme musit za chvíli jít,“ řekla a vymanila se mu z náručí. Odběhla do koupelny.

8

Píšu o Agnes, představuju si ji, nechávám ji sedět na lavici v sauně, chodit po Paříži, listovat časopisem, mluvit s manželem, ale na to, co bylo na počátku všeho, na gesto dámy mávající u bazénu plavčíkovi, jako bych zapomněl. Což Agnes nikdy nikomu tímto způsobem nemává? Ne. I když je to zvláštní, zdá se mi, že už dávno ne. Kdysi, když byla velice mladá, ano, tehdy tak mávala.

Bylo to v době, kdy ještě žila ve městě, za nímž se rýsují vrcholky Alp. Bylo jí šestnáct let a šla se spolužákem do kina. Ve chvíli, kdy zhasla světla, chytil ji za ruku. Brzy se jim začaly potit dlaně, ale chlapec se neodvažoval pustit ruku, kterou tak odvážně uchopil, protože by to znamenalo přiznat, že se potí a že se za to stydí. Tak máčeli hodinu a půl ruce v horkém vlhku a pustili se, až se začala rozsvěcovat světla.

Snažil se pak ještě prodloužit schůzku, vedl ji do uliček starého města a výš ke starému klášteru, jehož nádvoří se hemžilo turisty. Zřejmě měl všechno dobře promyšleno, protože ji poměrně rychlým krokem vedl do opuštěné chodby pod dosti hloupou záminkou obrazu, který jí chce ukázat. Došli až na konec chodby, ale obraz tam žádný nebyl, jen hnědě natřené dveře a na nich nápis WC. Chlapec nápis neviděl a zastavil se. Věděla dobře, že ho obrazy málo zajímají a že jen hledá osamělé místo, kde by ji políbil. Chudáček, nenašel nic lepšího než špinavý kout u záchodu! Rozesmála se, a aby si nemyslil, že se směje jemu, ukázala mu nápis. Zasmál se také, ale upadl do beznaděje. Na pozadí těch písmen bylo nemožné se k ní sklonit a políbit ji (tím spíš, že to měl být jejich první, to jest nezapomenutelný polibek), a nezbylo mu tedy, než se s trpkým pocitem kapitulace vrátit do ulic.

Šli mlčky a Agnes se hněvala: proč ji nepolíbil docela klidně uprostřed ulice? proč ji místo toho vedl do zastrčené chodby se záchodem, na kterém se vyprazdňovaly generace starých, ošklivých a páchnoucích mnichů? Jeho rozpačitost jí lichotila, protože byla známkou jeho zmatené zamilovanosti, ale ještě víc ji popuzovala, protože svědčila o jeho nedospělosti; chodit se stejně starým chlapcem přijímala jako diskvalifikaci: zajímali ji jen starší. Ale snad právě proto, že ho v duchu zrazovala a zároveň věděla, že ji má rád, nějaký cit pro spravedlnost ji nabádal, aby mu v jeho milostném snažení pomohla, podepřela ho, zbavila dětinských rozpaků. Rozhodla se, že když nenašel odvahu on, najde ji ona.

Doprovázel ji domů a ona se chystala, že až dojdou k brance vily, rychle ho obejme a políbí a on se nebude moci pohnout z místa, jak bude ohromen. Ale v poslední chvíli k tomu ztratila chuť, protože jeho tvář byla nejenom smutná, ale i nepřístupná, ba nepřátelská. Podali si tedy jen ruce a ona odcházela po chodníčku, který vedl mezi záhony ke dveřím domu. Cítila, že chlapec nehnutě stojí a dívá se za ní. Znovu jí ho přišlo líto, pocítila k němu soucit starší sestry a v té chvíli učinila něco, o čem ještě před vteřinou neměla tušení. Otočila v chůzi hlavu dozadu k němu, usmála se a vyhodila do vzduchu vesele pravou paži, lehce, plavně, jako by vyhazovala do výše barevný míč.

Ta chvíle, kdy Agnes, náhle, bez přípravy, zvedla ruku do výše plavným a lehkým pohybem, je zázračná. Jak je možné, že v jediném zlomku vteřiny a hned napoprvé našla pohyb těla a paže tak dokonalý, vybroušený, podobný ukončenému uměleckému dílu?

Za Agnesiným otcem chodívala tehdy asi čtyřicetiletá dáma, sekretářka fakulty, aby mu předkládala nějaké papíry k podpisu a aby jiné zase odnášela. Přestože jejich důvod byl bezvýznamný, ty návštěvy byly provázeny tajemným napětím (matka se stávala nemluvnou) probouzejícím Agnesinu zvědavost. Vždycky když byla sekretářka na odchodu, Agnes utíkala k oknu, aby se na ni nenápadně dívala. Jednou, když sekretářka odcházela z domu směrem k brance (šla tedy právě opačným směrem, než půjde o něco později Agnes sledovaná pohledem nešťastného spolužáka), otočila se, usmála a vyhodila do vzduchu paži nečekaným pohybem, lehkým a plavným. Bylo to nezapomenutelné: chodník posypaný pískem se v paprscích slunce třpytil jako zlatý potok a po obou stranách branky kvetly dva keře jasmínu. Gesto směřující vzhůru jako by chtělo ukázat tomu zlatému kusu země směr, kterým má vzlétnout, a bílé keře jasmínu se už začaly proměňovat v křídla. Otce nebylo vidět, ale z gesta ženy vyplývalo, že stojí ve dveřích vily a dívá se za ní.

To gesto bylo tak nečekané a krásné, že zůstalo v Agnesině paměti jako otisk blesku; zvalo ji do dálek prostoru i času a probouzelo v šestnáctileté dívence nejasnou a nesmírnou touhu. Ve chvíli, kdy potřebovala náhle sdělit něco důležitého svému chlapci a neměla pro to slov, to gesto v ní ožilo a řeklo za ni, co sama neuměla říci.

Nevím, jak dlouho ho používala (či přesněji jak dlouho ono používalo jí), jistě až do toho dne, kdy si všimla, že její o osm let mladší sestra hází do vzduchu paži, když se loučí s malou kamarádkou. Když viděla své gesto v provedení sestry, která ji od nejranějšího dětství obdivovala a ve všem napodobovala, pocítila jakousi nevolnost: dospělé gesto se k jedenáctileté holčičce nehodilo. Ale hlavně ji napadlo, že to gesto je dáno k použití všem, a že jí tedy nepatří: když mává rukou, dopouští se vlastně krádeže či padělku. Od té doby se začala tomu gestu vyhýbat (není lehké odvyknout gestům, která si na nás zvykla) a stala se nedůvěřivá ke všem gestům. Snažila se je omezit jen na ta nejnezbytnější (říci hlavou „ano" nebo „ne", ukázat na předmět, který její společník nevidí), na ta, která nepředstírají, že jsou jejím originálním projevem. A tak se stalo, že gesto, které ji okouzlilo na otcově sekretářce odcházející po zlaté cestě (a které mne okouzlilo, když jsem viděl dámu v plavkách loučit se s plavčíkem), v ní docela usnulo.

Až jednou se probudilo. Bylo to, když zůstala před matčinou smrtí dva týdny ve vile s nemocným otcem. Když se s ním loučila poslední den, věděla, že se spolu dlouho neuvidí. Matka nebyla doma a otec ji chtěl doprovodit na ulici k autu. Zakázala mu, aby s ní šel dál než k prahu dveří, a odcházela pak sama k brance po zlatém písku mezi záhony. Svíralo se jí hrdlo a měla nesmírnou touhu říci otci něco krásného, co slovy nelze vyjádřit, a tak náhle, nevěděla ani, jak k tomu došlo, otočila hlavu a s úsměvem vyhodila paži do výše, lehce, plavně, jako by mu říkala, že je před nimi ještě dlouhý život a že se spolu ještě mnohokráte uvidí. Vteřinu poté si vzpomněla na čtyřicetiletou dámu, která na otce před pětadvaceti lety na stejném místě stejným způsobem zamávala. Byla z toho rozrušena a zmatena. Bylo to, jako by se náhle v jedné vteřině setkaly dva vzdálené časy, jako by se v jednom gestu setkaly dvě různé ženy. Proběhla jí hlavou myšlenka, že ty dvě ženy byly možná jediné, které miloval.

9

V salónu, kde všichni seděli po večeři v křeslech, se sklenkou koňaku nebo polovypitým šálkem kávy, se zvedl první odvážný host a uklonil se s úsměvem před paní domu. Ostatní se rozhodli pochopit to jako povel a spolu s Paulem a Agnes vyskakovali z křesel a spěchali do svých aut. Paul řídil a Agnes vnímala neutišitelný ruch vozidel, blikání světel, zbytečnost ustavičného neklidu velkoměstské noci neznající spočinutí. A tehdy měla zase ten zvláštní silný pocit, který se jí zmocňoval čím dál častěji: nemá nic společného s těmi bytostmi na dvou nohách, s hlavou na krku a ústy ve tváři. Kdysi byla zaujata jejich politikou, jejich vědou, jejich vynálezy, považovala se za malou část jejich velkého dobrodružství, až pak jednoho dne se v ní narodil pocit, že k nim nepatří. Ten pocit byl podivný, bránila se mu, věděla, že je absurdní i amorální, ale nakonec si řekla, že nemůže poručit svým citům: není s to se trápit myšlenkou na jejich války ani se těšit z jejich slavností, protože je proniknuta vědomím, že to není její věc.

Znamená to, že má chladné srdce? Ne, se srdcem to nemá co dělat. Ostatně nikdo snad nerozdá žebrákům tolik peněz jako ona. Nemůže je minout nepovšimnuty a oni, jako by to věděli, obracejí se na ni, poznávajíce ji okamžitě a z dálky mezi sto jinými chodci jako tu, která je vidí a slyší. — Ano, to je pravda, jenomže k tomu musím dodat toto: i její obdarovávání žebráků mělo *negativní* základ: obdarovávala je ne proto, že žebráci patří také k lidstvu, ale proto, že k němu nepatří, že jsou z něho vyřazeni a pravděpodobně stejně nesolidární s lidstvem jako ona.

Nesolidarita s lidstvem: to je její postoj. Jen jedna věc by ji z něho mohla vytrhnout: konkrétní láska k jednomu konkrétnímu člověku. Kdyby někoho skutečně milovala, nemohl by jí být osud ostatních lidí lhostejný, protože její milovaný by na tom osudu závisel, byl by jeho částí, a ona by pak nemohla mít pocit, že to, čím se lidé trápí, jejich války a prázdniny, není její věc.

Ulekla se své poslední myšlenky. Což je pravda, že nemá nikoho ráda? A co Paul?

Vzpomněla si, jak před několika hodinami, než odjeli na večeři, k ní přistoupil a objal ji. Ano, něco se s ní děje: v poslední době ji pronásleduje myšlenka, že za její láskou k Paulovi není než pouhá vůle: pouhá vůle mít ho ráda; pouhá vůle mít šťastné manželství. Kdyby na chvíli v té vůli polevila, láska by uletěla jako pták, kterému otevřeli klec.

Je jedna hodina v noci, Agnes a Paul se svlékají. Kdyby měli říci, jak se ten druhý svléká, jak se přitom pohybuje, upadli by do rozpaků. Už dávno se na sebe nedívají. Přístroj paměti je vypjat a nezaznamenává nic z jejich společných večerních chvil, které předcházejí ulehnutí do manželské postele.

Manželská postel: oltář manželství; a kdo říká oltář, říká tím: oběť. Zde se obětují jeden pro druhého: oba usínají s obtížemi a dech druhého je budí; tisknou se proto ke kraji postele nechávajíce uprostřed širokou volnou prostoru; předstírají, že spí, protože si myslí, že takto ulehčí usínání svému partnerovi, který se bude moci obracet z boku na bok bez obav, že ruší. Bohužel partner toho nevyužije, protože i on (ze stejných důvodů) bude předstírat, že spí, a bude se bát pohnout.

Nemoci usnout a nesmět se pohnout: manželská postel.

Agnes leží natažena na zádech a hlavou jí jdou představy: je u nich zase ten podivný laskavý muž, který o nich všechno ví, a přitom netuší, co je Eiffelova věž. Dala by všechno za to, aby s ním mohla mluvit o samotě, ale on si vybral schválně chvíli, kdy jsou doma oba dva. Agnes přemýšlí marně, jakou lstí dostat Paula z bytu. Sedí všichni tři v křeslech kolem nízkého stolku u tří šálků kávy a Paul se snaží hosta bavit. Agnes jen čeká, kdy host začne mluvit o tom, proč přišel. Ona to totiž ví. Ale jen ona, Paul ne. Konečně host přerušuje Paulovo povídání a přistupuje k věci: „Vy, myslím, tušíte, odkud přicházím.“

„Ano," říká Agnes. Ví, že host přichází z jiné, velice vzdálené planety, která má ve vesmíru důležité postavení. A hned dodává s plachým úsměvem: „Je to tam lepší?"

Host jen pokrčí rameny: „Agnes, vy přece víte, kde žijete."

Agnes říká: „Možná že smrt musí být. Ale copak se to nedalo vymyslit nějak jinak? Copak je nutné, aby po člověku zůstalo tělo, které se musí zahrabat do země nebo hodit do ohně? Vždyť to všechno je hrůza!"

„To se všude ví, že Země je hrůza," říká host.

„A ještě něco," říká Agnes. „Vám se ta otázka bude zdát hloupá. Ti, co žijí tam u vás, mají tvář?"

„Nemají. Tvář neexistuje než zde, u vás."

„A ti, co tam žijí, čím se tedy od sebe liší?"

„Všichni jsou tam svým vlastním dílem. Každý, abych tak řekl, sám sebe vymyslí. Ale o tom se těžko mluví. To nemůžete pochopit. Jednou to pochopíte. Přišel jsem totiž proto, abych vám řekl, že v příštím životě se už na zem nevrátíte."

Agnes věděla ovšem předem, co jim host řekne, a nemohla být překvapena. Zato Paul zůstal užaslý. Díval se na hosta, díval se na Agnes a ta nemohla než říci: „A Paul?"

„Ani Paul tu už nezůstane," řekl host. „Přišel jsem vám to oznámit. Vždycky to oznamujeme lidem, které jsme vybrali. Chci se vás jen zeptat: v příštím životě chcete zůstat spolu, anebo se už nesetkat?"

Agnes věděla, že ta otázka přijde. To byl důvod, proč chtěla být s hostem sama. Věděla, že v Paulově přítomnosti je neschopna říci: „Nechci už být s ním." Nemůže to před ním říci a on to nemůže říci před ní, i když je pravděpodobné, že i on by dal přednost zkusit příští život jinak, a tedy bez Agnes. Jenomže říci nahlas jeden před druhým: „My už nechceme zůstat v příštím životě spolu, my už se nechceme setkat", je totéž, jako by řekli: „Žádná láska mezi námi neexistovala a neexistuje". A to je právě nemožné vyslovit nahlas, protože celý jejich společný život (už víc než dvacet let společného života) je založen na iluzi lásky, iluzi, kterou oba starostlivě pěstují a opatrují. A tak vždycky, když si představuje tuto scénu a dojde až k hostově otázce, ví, že bude kapitulovat a že řekne proti svému přání, proti své touze: „Ano. Samozřejmě. Chci, abychom i v příštím životě byli spolu.“

Ale dnes si byla poprvé jista, že najde i v Paulově přítomnosti odvahu říci, co chce, co opravdu a v hloubi duše chce; byla si jista, že tu odvahu najde i za cenu, že by se mezi nimi všechno zhroutilo. Slyšela vedle sebe hlasité oddechování. Paul už opravdu spal. Jako by nasadila do promítacího přístroje znovu stejný kotouč filmu, odvíjela ještě jednou před očima celou scénu: mluví s hostem, Paul se na ně udiveně dívá, a host říká: „V příštím životě chcete zůstat spolu, anebo se už nesetkat?“

(Je to zvláštní: i když má o nich všechny informace, pozemská psychologie je mu nesrozumitelná, pojem lásky neznámý, takže netuší, do jaké obtížné situace je přivede takovou upřímnou, praktickou a dobře míněnou otázkou.)

Agnes sbírá všechnu vnitřní sílu a odpovídá pevným hlasem: „Dáme přednost tomu se už nesetkat.“

Ta slova jsou zaklapnutím dveří za iluzí lásky.

DRUHÝ DÍL / NESMRTELNOST

1

13. září 1811. Už třetí týden je mladá novomanželka, Bettina rozená Brentano, ubytována se svým chotěm, básníkem Achimem von Arnim, u manželů Goethových ve Výmaru. Bettině je dvacet šest let, Arnimovi třicet, Goethově ženě Christiáně devětačtyřicet; Goethovi je dvaašedesát a nemá už ani jeden zub. Arnim miluje svou mladou ženu, Christiána miluje svého starého pána a Bettina nepřestává ani po svatbě ve svém flirtu s Goethem. Toho dne dopoledne zůstává Goethe doma a Christiána doprovází mladé manžele na výstavu (pořádá ji přítel rodiny, dvorní rada Mayer), kde jsou obrazy, o nichž se Goethe pochvalně vyjádřil. Paní Christiána obrazům nerozumí, ale pamatuje si, co o nich říkal Goethe, takže teď může pohodlně vydávat jeho názory za své. Arnim slyší silný Christiánin hlas a vidí brýle na nose Bettiny. Ty brýle každou chvíli poskočí, jak Bettina (na způsob králíků) pokrčí nos. A Arnim dobře ví, co to znamená: Bettina je vydrážděna k zuřivosti. Jako by tušil bouřku v ovzduší, vzdálil se nenápadně do vedlejšího sálu.

Jen co odešel, Bettina Christiánu přerušuje: ne, nesouhlasí s ní! vždyť tyhle obrazy jsou docela nemožné!

I Christiána je podrážděná, a to ze dvou příčin: jednak se tato mladá patricijka, i když je vdaná a těhotná, nestydí koketovat s jejím mužem, jednak oponuje jeho názorům. Co chce? Být první mezi těmi, kdo se předhánějí v oddanosti Goethovi, a zároveň první mezi těmi, kdo se proti němu bouří? Christiána je rozrušena každou tou příčinou zvlášť a navíc tím, že jedna vylučuje logicky druhou. Prohlašuje proto velmi hlasitě, že je nemožné prohlašovat tak znamenité obrazy za nemožné.

Na což Bettina reaguje: nejenom že je možné je prohlásit za nemožné, ale je třeba říci, že ty obrazy jsou k smíchu! ano, jsou k smíchu, a uvádí na podporu svého tvrzení další a další argumenty.

Christiána poslouchá a zjišťuje, že vůbec nerozumí, co jí to ta mladá žena povídá. Čím víc se Bettina rozčiluje, tím víc používá slov, jimž se naučila od svých vrstevníků, kteří prošli posluchárnami univerzit, a Christiána ví, že jich používá právě proto, že Christiána jim nerozumí. Dívá se jí na nos, kde poskakují brýle, a zdá se jí, že ta nesrozumitelná řeč a ty brýle patří dohromady. Opravdu, bylo pozoruhodné, že Bettina měla na nose brýle! Všichni přece věděli, že Goethe nošení brýlí na veřejnosti odsuzuje jako nevkus a výstřednost! Jestli je Bettina přesto nosí ve Výmaru, je to proto, že chce dát drze a vyzývavě najevo, že patří k mladé generaci, právě k té, která se vyznačuje romantismem a brýlemi. A my víme, co tím chce člověk říci, když se pyšně a demonstrativně hlásí k mladé generaci: chce říci, že bude žít ještě v době, kdy ti druzí (v Bettinině případě Christiána a Goethe) budou už dávno směšně ležet pod drnem.

Bettina mluví, je čím dál rozrušenější a Christiánina ruka vyletí najednou směrem k její tváři. V poslední chvíli si uvědomí, že není vhodné dávat políček někomu, kdo je její host. Zarazí se, takže ruka jen sklouzne po Bettinině čele. Brýle padají na zem a roztříští se. Kolem se otáčejí lidé, trnou v rozpacích; z vedlejší místnosti přibíhá chudák Arnim, a protože neví, co by chytřejšího udělal, dřepá si a sbírá střepy, jako by je chtěl slepit.

Několik hodin čekají všichni napjatě na verdikt Goethův. Koho se zastane, až se o všem doví?

Goethe se zastává Christiány a oběma manželům zakazuje jednou provždy vstup do svého domu.

Když se rozbije sklenice, znamená to štěstí. Když se rozbije zrcadlo, můžete čekat sedm let neštěstí. A když se rozbijí brýle? To je válka. Bettina prohlašuje ve všech výmarských salónech, že se to „tlusté jelito zbláznilo a pokousalo ji". Výrok koluje od úst k ústům a celý Výmar se popadá za břicho. Ten nesmrtelný výrok, ten nesmrtelný smích znějí až do našich dnů.

2

Nesmrtelnost. Goethe se nebál toho slova. Ve své knize *Z mého života* označené slavným podtitulem *Báseň a pravda* píše o oponě, na kterou se dychtivě díval v novém lipském divadle, když mu bylo devatenáct let. Byl na ní znázorněn v dálce (cituji Goetha) „der Tempel des Ruhmes", chrám slávy, a okolo něho velcí divadelní autoři všech dob. Volným středem mezi nimi, aniž jim věnoval pozornost, šel „jakýsi muž v lehkém kabátci přímo k tomu chrámu; bylo ho vidět zezadu a nebylo na něm nic zvláštního. Měl to být Shakespeare, jenž jsa bez předchůdců a o vzory se nestaraje, kráčel na vlastní pěst vstříc nesmrtelnosti."

Nesmrtelnost, o které mluví Goethe, nemá ovšem nic společného s náboženskou vírou v nesmrtelnou duši. Jde o jinou, zcela pozemskou nesmrtelnost těch, co zůstanou po své smrti v paměti potomků. Každý člověk může dosáhnout větší či menší, kratší či delší nesmrtelnosti a už od mládí se jí obírá v myšlenkách. O starostovi jedné moravské vesnice, kam jsem jako chlapec často chodil na výlety, se říkalo, že měl doma otevřenou rakev a ve šťastných chvílích, kdy se cítil být mimořádně spokojen sám se sebou, uléhal do ní a představoval si svůj pohřeb. Nic krásnějšího ve svém životě nepoznal než tyhle zasněné chvíle v rakvi: dlel ve své nesmrtelnosti.

Co se týče nesmrtelnosti si lidé ovšem nejsou rovni. Musíme rozeznávat tak zvanou *malou nesmrtelnost*, památku člověka v mysli těch, co ho znali (což byla nesmrtelnost, o níž snil starosta moravské vesnice), a *velkou nesmrtelnost*, která znamená památku člověka v myslích těch, s nimiž se osobně neznal. Jsou životní dráhy, které postaví člověka hned od počátku tváří v tvář takové velké nesmrtelnosti, nejisté sice, ba nepravděpodobné, nicméně nepopiratelně možné: jsou to životní dráhy umělců a státníků.

Ze všech evropských státníků naší doby ten, kdo se pravděpodobně nejvíc obíral myšlenkou na nesmrtelnost, byl François Mitterrand: pamatuji si nezapomenutelnou ceremonii, která následovala jeho zvolení prezidentem v roce 1981. Náměstí Panthéonu bylo naplněno nadšeným davem a on se od něho vzdaloval: šel sám vzhůru po širokých schodech (úplně stejně jako šel Shakespeare k chrámu slávy na oponě, o níž psal Goethe) a měl v ruce tři stonky růží. Pak zmizel zrakům lidu a byl už jen sám a sám mezi náhrobky šedesáti čtyř velikých mrtvých, sledován ve své zamyšlené samotě jen zrakem kamery, filmového štábu a několika milionů Francouzů, kteří měli oči upřené na obrazovky, z nichž bouřila Beethovenova Devátá. Položil ty růže postupně na hroby tří mrtvých, jež vybral mezi všemi. Byl jako zeměměřič, který zabodává tři růže jako tři kolíky do nesmírného staveniště věčnosti, aby tak vymezil trojúhelník, v jehož středu má být vztyčen jeho palác.

Valéry Giscard d'Estaing, který byl prezidentem před ním, pozval v roce 1974 na svou první snídani do Elysejského paláce popeláře. To bylo gesto sentimentálního buržoy, který toužil po lásce prostých lidí a chtěl, aby věřili, že je jedním z nich. Mitterrand nebyl tak naivní, aby se chtěl podobat popelářům (takový sen se žádnému prezidentovi splnit nemůže!), chtěl se podobat mrtvým, což bylo mnohem moudřejší, protože smrt a nesmrtelnost jsou jako nerozlučná dvojice milenců, a ten, jehož tvář nám splývá s tvářemi mrtvých, je nesmrtelný už zaživa.

Americký prezident Jimmy Carter mi byl vždycky sympatický, ale pocítil jsem k němu téměř lásku, když jsem ho viděl na televizní obrazovce v teplácích běžet se skupinou svých spolupracovníků, trenérů a goril; náhle se mu začal perlit pot na čele, jeho tvář se stáhla v křeči, spoluběžci se k němu nakláněli, chytali ho a podpírali: byl to malý srdeční záchvat. Jogging se měl stát příležitostí ukázat národu prezidentovo věčné mládí. Proto byli pozváni kameramani a nebyla to jejich vina, že místo zdravím kypícího atleta nám musili ukázat stárnoucího muže, který má smůlu.

Člověk touží být nesmrtelný a kamera nám jednoho dne ukáže ústa stažená do smutné grimasy jako to jediné, co si z něho zapamatujeme, co nám po něm zůstane jako parabola celého jeho života. Vstoupí do nesmrtelnosti, kterou nazýváme *směšnou.* Tycho de Brahe byl velký astronom, ale dnes o něm víme jen to, že se při slavnostní večeři na pražském císařském dvoře styděl odejít na záchod, takže mu praskl močový měchýř a on odešel mezi směšné nesmrtelné jako martyr studu a moče. Odešel mezi ně stejně jako Christiána Goethová proměněná navěky ve vzteklé jelito, co kouše. Není romanopisec, který by mi byl dražší než Robert Musil. Zemřel jednoho rána, když zvedal činky. Když já sám je zvedám, pozoruju úzkostně tep svého srdce a mám strach ze smrti, protože zemřít s činkou v ruce stejně jako můj zbožňovaný autor, to by bylo epigonství tak neuvěřitelné, tak zuřivé, tak fanatické, že by mi okamžitě zajistilo směšnou nesmrtelnost.

3

Představme si, že by už za časů císaře Rudolfa existovaly kamery (ty, které učinily nesmrtelným Cartera) a filmovaly hostinu na císařském dvoře, při níž se Tycho de Brahe ošíval na židli, bledl, křížil nohu přes nohu a obracel oči v sloup. Kdyby si byl nadto vědom, že se na něho dívá několik milionů diváků, jeho útrapa by ještě vzrostla a smích, který se odráží v chodbách jeho nesmrtelnosti, by zněl ještě hlasitěji. Lid by si jistě vyžádal, aby film o slavném hvězdáři, který se stydí močit, byl vysílán každého roku na Silvestra, kdy se lidé chtějí smát a nemají většinou čemu.

Tato představa ve mně probouzí otázku: mění se charakter nesmrtelnosti v epoše kamer? Nezaváhám s odpovědí: v podstatě ne; neboť fotografický objektiv tu byl už dávno předtím, než byl vynalezen; byl tu jako svá vlastní nematerializovaná podstata. I když na ně žádný objektiv nemířil, lidé už se chovali, jako by byli fotografováni. Kolem Goetha nikdy žádný houf fotografů nepobíhal, ale pobíhaly kolem něho stíny fotografů vrhané k němu z hloubi budoucnosti. Tak tomu bylo například během jeho slavné audience u Napoleona. Tehdy, na vrcholu své dráhy, císař Francouzů shromáždil na konferenci v Erfurtu všechny evropské panovníky, kteří měli vyslovit souhlas s rozdělením moci mezi ním a císařem Rusů.

V tom byl Napoleon pravý Francouz, že mu ke spokojenosti nestačilo poslat na smrt statisíce lidí, ale že chtěl být navíc obdivován spisovateli. Zeptal se svého poradce pro kulturu, které jsou nejvýznamnější duchovní autority současného Německa, a dověděl se, že je to především jakýsi pan Goethe. Goethe! Napoleon se ťukl do čela. Autor Utrpení mladého Werthera! Když byl na egyptském tažení, zjistil jednou, že jeho důstojníci jsou začteni do té knihy. Protože ji sám znal, strašně se rozčílil. Vynadal důstojníkům, že čtou takové sentimentální blbiny, a jednou provždy jim zakázal vzít do rukou román. Jakýkoli román! Ať čtou historické spisy, to je mnohem užitečnější! Tentokrát však, spokojen, že ví, kdo je Goethe, rozhodl se ho k sobě pozvat. Udělal to dokonce docela rád, protože ho poradce informoval, že Goethe je proslulý především jako divadelní autor. Napoleon pohrdal románem, ale divadlo uznával, protože mu připomínalo bitvy. A protože on sám byl jedním z největších autorů bitev, a navíc jejich nepřekonatelným režisérem, byl si v hloubi duše jist, že je zároveň největším tragickým básníkem všech dob, větším než Sofokles, větším než Shakespeare.

Kulturní poradce byl kompetentní muž, ale přece si často leccos popletl. Goethe se sice velice zabýval divadlem, ale jeho sláva s tím měla málo co společného. Napoleonovu poradci splýval zřejmě se Schillerem. Ježto byl Schiller velice spjat s Goethem, nebyla to konec konců ani tak velká chyba udělat z obou přátel jednoho básníka; možná dokonce, že poradce jednal zcela vědomě, veden chvályhodným didaktickým záměrem, když pro Napoleona vytvořil syntézu německého klasicismu v postavě Friedricha Wolfganga Schilloetha.

Když Goethe (netuše, že je Schilloethem) dostal pozvání, pochopil hned, že ho musí přijmout. Scházel mu přesně rok k šedesátce. Smrt se blíží a se smrtí i nesmrtelnost (neboť, jak jsem řekl, smrt a nesmrtelnost tvoří neodlučný pár krásnější než Marx a Engels, než Romeo a Julie, krásnější než Laurel a Hardy) a Goethe nemohl brát na lehkou váhu, že ho zve k audienci nesmrtelný. I když byl tehdy velice zaujat prací na *Teorii barev*, kterou pokládal za vrchol svého díla, opustil svůj psací stůl a odjel do Erfurtu, kde došlo 2. října 1808 k nezapomenutelnému setkání nesmrtelného vojevůdce s nesmrtelným básníkem.

4

Obklopen neklidnými stíny fotografů, Goethe stoupá po širokém schodišti. Doprovází ho Napoleonův pobočník, vede ho dalším schodištěm a dalšími chodbami do velkého salónu, kde vzadu u kulatého stolu sedí Napoleon a snídá. Kolem dokola se motají muži v uniformách a podávají mu různá hlášení, na která on žvýkaje odpovídá. Teprve po několika minutách se mu pobočník odváží ukázat Goetha, který stojí nehnutě opodál. Napoleon na něho pohlédne a vsune si pravou ruku pod vestu, takže se jeho dlaň dotýká posledního levého žebra. (Kdysi to tak dělal, protože trpěl bolestmi žaludku, ale později se mu v tom gestu zalíbilo a automaticky se k němu uchyloval, když kolem sebe viděl fotografy.) Rychle spolkne sousto (není dobré být fotografován, když je tvář deformována žvýkáním, protože v novinách zlomyslně publikují právě takové fotografie!) a řekne hlasitě, aby to všichni slyšeli: „Voilà un homme! Hle, muž!"

Ta krátká věta, to je přesně to, čemu se dnes ve Francii říká „une petite phrase". Politikové pronášejí dlouhé projevy, v kterých opakují beze studu dokola to samé, vědouce, že je úplně jedno, zda se opakují či ne, protože široká veřejnost se stejně doví jen těch pár slov, co žurnalisté budou z jejich projevů citovat. Aby jim ulehčili jejich práci a poněkud je usměrnili, vsouvají politikové do svých čím dál stejnějších řečí jednu nebo dvě krátké věty, které dosud nikdy neřekli, což je samo o sobě tak nečekané a ohromující, že se „krátká věta" stane rázem slavná. Celé umění politiky netkví dnes v řízení *polis* (ta se řídí sama logikou svého temného a nekontrolovatelného mechanismu), ale ve vymýšlení „petites phrases", podle nichž bude politik viděn a chápán, plebiscitován v sondážích veřejného mínění a také zvolen, či nezvolen v příštích volbách. Goethe ještě nezná termín „petite phrase", ale, jak víme, věci existují ve své podstatě ještě dříve, než jsou materiálně uskutečněny a pojmenovány. Goethe chápe, že to, co právě řekl Napoleon, byla vynikající „petite phrase", která přijde oběma ohromně vhod. Je spokojen a přistoupí o krok blíž k Napoleonově stolu.

Můžete si říkat co chcete o nesmrtelnosti básníků, vojevůdci jsou ještě nesmrtelnější, takže je to plným právem Napoleon, kdo klade otázky Goethovi a ne naopak. „Kolik je vám let?" ptá se ho. „Šedesát," odpoví Goethe. „Na ten věk vypadáte dobře," řekne Napoleon uznale (je mu o dvacet let méně) a Goethe z toho má radost. Když mu bylo padesát, byl už strašně tlustý, měl podbradek a bylo mu to jedno. Avšak tak, jak léta přibývala, čím dál častěji mu přicházela na mysl myšlenka na smrt a on si uvědomil, že by mohl vstoupit do nesmrtelnosti s ohavným panděrem. Rozhodl se proto zhubnout a stal se z něho záhy štíhlý muž, který, i když už nebyl krásný, mohl alespoň vyvolávat vzpomínky na svou někdejší krásu.

„Jste ženat?" ptá se Napoleon pln upřímného zájmu. „Ano," odpovídá Goethe a mírně se přitom ukloní. „A máte děti?" „Jednoho syna." V té chvíli se k Napoleonovi naklání nějaký generál a oznamuje mu důležitou zprávu. Napoleon se zamyslí. Vytáhne ruku zpod vesty, nabodne kus masa na vidličku, nese ji k ústům (ta scéna už není fotografována) a žvýkaje odpovídá. Teprve po chvíli si vzpomene na Goetha. Pln upřímného zájmu mu položí otázku: „Jste ženat?" „Ano," odpoví Goethe a mírně se přitom ukloní. „A máte děti?" „Jednoho syna," odpoví Goethe. „A co Karl August," vypálí náhle Napoleon jméno Goethova vládce, knížete Výmarského státu, a z tónu hlasu je zřejmé, že toho člověka nemá rád.

Goethe nemůže mluvit špatně o svém pánu, ale také nemůže oponovat nesmrtelnému, a tak řekne pouze s diplomatickou vyhýbavostí, že Karl August vykonal mnoho pro vědy a umění. Zmínka o vědách a umění se stane pro nesmrtelného vojevůdce příležitostí, aby přestal žvýkat, vstal od stolu, vsunul si ruku pod vestu, udělal pár kroků směrem k básníkovi a rozhovořil se před ním o divadle. V té chvíli se rozšumí neviditelný houf fotografů, aparáty začnou cvakat a vojevůdce, který si vzal básníka stranou k důvěrnému rozhovoru, musí zvýšit hlas, aby ho všichni v místnosti slyšeli. Navrhuje Goethovi, aby napsal hru o erfurtské konferenci, která zajistí konečně mír a štěstí lidstvu. „Divadlo," říká pak velice hlasitě, „by se mělo stát školou lidu!" (To je už druhá krásná „petite phrase", která by se měla objevit příští den jako velký titulek nad dlouhými novinovými články.) „A bylo by znamenité," dodává tišším hlasem, „kdybyste tu hru věnoval císaři Alexandrovi!" (Neboť o toho šlo na erfurtské konferenci! toho potřeboval Napoleon získat!) Pak ještě uštědřuje Schilloethovi malou přednášku o literatuře; během ní je přerušen hlášením pobočníků a ztratí nit svých myšlenek. Aby ji našel, opakuje ještě dvakrát, bez souvislosti a bez přesvědčení slova „divadlo — škola lidu" a pak (ano! konečně! už našel nit!) se zmiňuje o Voltairově *Césarově smrti.* To je podle Napoleona příklad toho, jak dramatický básník minul příležitost stát se učitelem lidu. Měl ve hře ukázat, jak velký vojevůdce pracoval pro blaho lidstva a jak jen krátkost času vyměřeného jeho životu znemožnila, aby uskutečnil své záměry. Poslední slova zněla melancholicky a vojevůdce se dívá básníkovi do očí: „Hle, velké téma pro vás!"

Ale pak je znovu přerušen. Do místnosti vstoupili vysocí důstojníci, Napoleon vytahuje ruku zpod vesty, usedá ke stolu, nabodává maso na vidličku a žvýká poslouchaje hlášení. Stíny fotografů zmizely z místnosti. Goethe se rozhlíží. Prohlíží si obrazy na stěnách. Pak jde k pobočníkovi, který ho sem přivedl, a ptá se ho, zda má považovat audienci za skončenu. Pobočník přikyvuje, Napoleonova vidlička nese k ústům kus masa a Goethe odchází.

5

Bettina byla dcerou Maxmiliány La Roche, ženy, do níž byl Goethe zamilován, když mu bylo třiadvacet let. Nepočítáme-li pár cudných polibků, byla to láska netělesná, ryze sentimentální a nezanechala žádných následků už proto, že Maxmiliánina matka dceru zavčas provdala za bohatého italského kupce Brentana, který když viděl, že mladý básník hodlá dále flirtovat s jeho ženou, vyhodil ho ze svého domu a zakázal mu, aby se tam kdykoli objevil. Maxmiliána pak porodila dvanáct dětí (ten pekelný italský samec jich za svůj život udělal dvacet!) a jednomu z nich dala jméno Elisabeth; to byla Bettina.

Goethe přitahoval Bettinu od jejího raného mládí. Jednak proto, že na očích celého Německa kráčel k chrámu slávy, jednak proto, že se dověděla o lásce, kterou choval k její matce. Začala se vášnivě obírat tou dávnou láskou, o to čarovnější, oč byla vzdálenější (můj bože, odehrávala se třináct let před jejím narozením!), a pomalu v ní rostl pocit, že má na velkého básníka jakési tajné právo, neboť v metaforickém smyslu slova (a kdo jiný by měl brát metafory vážně než básník) se považovala za jeho dceru.

Je obecně známo, že muži mají neblahý sklon vyhýbat se otcovským povinnostem, neplatit alimenty a nehlásit se ke svým dětem. Nechtějí pochopit, že podstatou lásky je dítě. Ano, podstatou každé lásky je dítě a vůbec nezáleží na tom, bylo-li počato a narodilo-li se. V algebře lásky je dítě znakem magického součtu dvou bytostí. I když miluje ženu, aniž se jí dotkl, musí muž počítat s tím, že z lásky může vzejít plod a přijít na svět i třináct let po posledním setkání zamilovaných. Něco podobného si Bettina říkala, než se konečně osmělila přijet do Výmaru a ohlásit se u něho. Bylo to na jaře roku 1807. Bylo jí dvaadvacet let (jako Goethovi, když se dvořil její matce), ale cítila se být stále dítětem. Ten pocit ji tajemně chránil, jako by dětství bylo jejím štítem.

Nosit před sebou štít dětství, to byla její celoživotní lest. Lest, ale i přirozenost, protože už jako dítě si zvykla hrát si na dítě. Byla vždycky trochu zamilovaná do svého staršího bratra básníka Clemense Brentana a s velkým potěšením si mu sedala na klín. Už tehdy (bylo jí čtrnáct let) uměla vychutnat tu trojznačnou situaci, v níž byla zároveň dítětem, sestrou i lásky potřebnou ženou. Je možno odehnat dítě z klína? Ani Goethe to nebude s to udělat.

Sedla si mu na klín už v roce 1807 v den jejich prvního setkání, můžeme-li věřit tomu, jak je sama popsala: seděla proti Goethovi nejdřív na pohovce; mluvil konvenčně posmutnělým hlasem o vévodkyni Amelii, která zemřela před několika dny. Bettina řekla, že o tom nic neví. „Jak to?" podivil se Goethe. „Vás nezajímá život ve Výmaru?" Bettina řekla: „Mne zajímáte jen vy." Goethe se usmál a řekl mladé ženě tuto osudnou větu: „Vy jste roztomilé dítě." Jak uslyšela slovo „dítě", ztratila trému. Prohlásila, že se jí špatně sedí, a vyskočila z pohovky. „Posaďte se tak, aby vám bylo dobře," řekl Goethe a Bettina mu skočila kolem krku a posadila se mu na klín. Sedělo se jí tam tak krásně, že přitulena k němu za chvíli usnula.

Těžko říci, zda se to tak opravdu stalo anebo nás Bettina mystifikuje, ale jestli nás mystifikuje, je to ještě lepší: prozrazuje nám, jakou chce, abychom ji viděli, a popisuje metodu svého přístupu k mužům: na způsob dítěte byla drze upřímná (prohlásila, že smrt výmarské vévodkyně je jí lhostejná a že se jí špatně sedí na pohovce, i když tam před ní vděčně seděly desítky jiných návštěvníků); na způsob dítěte mu skočila kolem krku a sedla si mu na klín; a co je vrchol všeho: na způsob dítěte mu tam usnula!

Zaujmout postavení dítěte, nic není výhodnější: dítě si může dovolit, co chce, protože je nevinné a nezkušené; nemusí dodržovat pravidla společenského chování, protože ještě nevstoupilo do světa, kde vládne forma; smí dát najevo svůj cit bez ohledu na to, je-li to vhodné či ne. Lidé, kteří odmítali vidět v Bettině dítě, říkali o ní, že je potrhlá (jednou tančila samou radostí, spadla a rozbila si hlavu o roh stolu), nevychovaná (ve spolenosti si sedala na zem místo na židli) a hlavně katastrofálně nepřirozená. Naproti tomu ti, kteří byli ochotni ji vnímat jako věčné dítě, byli okouzleni její spontánní přirozeností.

Goethe byl dítětem dojat. Vzpomínal v duchu na své mládí a věnoval Bettině darem krásný prsten. Do svého deníku si ten večer stručně poznamenal: *Mamsel Brentano.*

6

Kolikrát se spolu za celý život setkali ti slavní milenci, Goethe a Bettina? Přijela za ním ještě téhož roku 1807 na podzim a zůstala ve Výmaru deset dní. Pak ho viděla až po třech letech: přijela na tři dny do českých lázní Teplic, kde, aniž to tušila, se Goethe právě léčil v tamních blahodárných vodách. A o další rok později došlo už k té osudné návštěvě Výmaru, kde jí po čtrnáctidenním pobytu shodila Christiána na zem brýle.

A kolikrát zůstali spolu opravdu sami, tváří v tvář? Třikrát, čtyřikrát, sotva víc. Oč méně se vídali, o to více si psali, anebo přesněji: o to více mu psala. Napsala mu dvaapadesát dlouhých dopisů, v nichž mu tykala a nemluvila než o lásce. Kromě laviny slov však nedošlo vlastně k ničemu jinému a můžeme se ptát, proč se jejich milostný příběh stal tak slavný.

Odpověď je tato: stal se tak slavný, protože v něm šlo od samého počátku o něco jiného než o lásku.

Goethe to začal brzy tušit. Poprvé zneklidněl, když mu Bettina prozradila, že už dlouho před její první návštěvou ve Výmaru se velice sblížila s jeho starou matkou, která jako ona žila ve Frankfurtu. Bettina se jí vyptávala na jejího syna, a maminka, potěšena i polichocena, jí po celé dny vyprávěla desítky vzpomínek. Bettina si myslila, že její přátelství s matkou jí otevře Goethův dům i jeho srdce. Ten výpočet nebyl docela přesný. Adorativní láska maminky připadala Goethovi poněkud komická (nikdy se za ní nepřijel z Výmaru ani podívat) a ve spojenectví extravagantní dívky s naivní matkou cichal nebezpečí.

Když mu Bettina vyprávěla příhody, které se o něm od staré paní Goethové dověděla, představuju si, že zažíval pocity velmi smíšené. Nejdřív byl samozřejmě polichocen zájmem, který o něj mladá dívka projevovala. Její vyprávění v něm probouzelo mnoho dřímajících vzpomínek, které ho těšily. Ale záhy mezi nimi nacházel i anekdoty, které se stát nemohly anebo v nichž si připadal tak směšný, že se stát neměly. Navíc nabývalo jeho dětství i mládí v ústech Bettiny určitého zabarvení a smyslu, které mu nebyly vhod. Ne snad že by Bettina chtěla vzpomínek na jeho dětství zneužít proti němu, ale spíš proto, že člověku (každému člověku, nejenom Goethovi) je protivné slyšet vyprávět svůj život v jiné interpretaci než ve své vlastní. Takže se Goethe pocítil ohrožen: ta dívka, která se pohybuje v prostředí mladých intelektuálů romantického hnutí (Goethe pro ně neměl nejmenší sympatii), je nebezpečně ctižádostivá a považuje se (se samozřejmostí, která nemá daleko k nestydatosti) za budoucí spisovatelku. Jednoho dne mu to ostatně řekla přímo: chtěla by ze vzpomínek jeho matky napsat knihu. Knihu o něm, o Goethovi! V té chvíli zahlédl za projevy lásky hrozivou agresivitu pera a začal se mít na pozoru.

Ale právě proto, že se měl před ní na pozoru, dělal všechno, aby nebyl nepříjemný. Byla příliš nebezpečná, než aby si mohl dovolit udělat z ní nepřítele; dal přednost tomu držet ji pod stálou a vlídnou kontrolou. Ale zároveň věděl, že ani vlídnost nesmí přehnat, protože sebemenší gesto, které by si mohla vyložit jako projev milostné přízně (a ona byla připravena si vyložit i jeho kýchnutí jako vyznání lásky), by ji učinilo ještě smělejší.

Jednou mu napsala: „Nepal mé dopisy, netrhej je; to by ti mohlo ublížit, protože láska, kterou v nich vyjadřuju, je spojena s tebou pevně, opravdově, a živoucně. Ale nikomu je neukazuj. Chraň je ukryty jako tajnou krásu.“ Nejdřív se shovívavě usmál jistotě, s níž Bettina považuje své dopisy za krásu, ale pak ho upoutala tato věta: „Ale nikomu je neukazuj!“ Proč mu to říká? Copak měl snad nejmenší chuť je někomu ukazovat? Imperativem *neukazuj!* na sebe Bettina prozradila svou tajnou chuť *ukázat*. Nemohl pochybovat o tom, že dopisy, které jí občas píše, budou mít i jiné čtenáře, a věděl, že je v postavení obžalovaného, jemuž soudce oznámil: všechno, co od této chvíle řeknete, může být použito proti vám.

Snažil se proto mezi vlídností a odměřeností vyměřit pečlivě střední cestu: na její extatické dopisy odpovídal psaními, která byla zároveň přátelská i zdrženlivá, a na její tykání reagoval dlouho vykáním. Pokud se spolu octli v jednom městě, byl k ní otcovsky vlídný, zval ji do domu, ale snažil se, aby se spolu viděli vždycky v přítomnosti jiných lidí.

O co tedy vlastně mezi nimi šlo?

V roce 1809 mu Bettina píše: „Mám pevnou vůli tě milovat na věčnost.“ Čtěte pozorně tuto zdánlivě banální větu. Mnohem důležitější než slovo „milovat“ jsou v ní slova „věčnost“ a „vůle“.

Už vás nebudu dále napínat. To, oč mezi nimi šlo, nebyla láska. Byla to nesmrtelnost.

7

V roce 1810, během těch tří dnů, kdy se ocitli náhodou oba dva v Teplicích, přiznala se mu, že se brzy vdá za básníka Achima Arnima. Řekla mu to pravděpodobně v jistých rozpacích, protože si nebyla jista, zda Goethe nebude považovat její sňatek za zradu na lásce, kterou mu vášnivě vyznávala. Nebyla dostatečným znalcem mužů, aby mohla předvídat, jakou tichou radost mu tím způsobí.

Hned po jejím odjezdu píše do Výmaru dopis Christiáně a v něm veselou větu: „Mit Arnim ists wohl gewiss." S Arnimem je to docela jisté. Ve stejném dopise se raduje, že Bettina byla tentokrát „opravdu hezčí a milejší než jindy", a my tušíme, proč mu taková připadala: byl si jist, že existence manžela ho bude od nynějška chránit před jejími extravagancemi, které mu až dosud bránily, aby ocenil její půvaby rád a v dobrém rozpoložení.

Abychom pochopili situaci, nesmíme zapomenout na jednu důležitou věc: Goethe byl od svého nejranějšího mládí svůdce, v době, kdy poznal Bettinu, byl jím tedy nepřetržitě už čtyřicet let; za tu dobu se v něm vytvořil mechanismus svůdcovských reakcí a gest, který se dával do pohybu při nejmenším popudu. Až dosud ho musil před Bettinou držet vždycky s ohromnou námahou v klidu. Když však pochopil, že „s Arnimem je to jisté", řekl si s úlevou, že jeho opatrnost je nadále zbytečná.

Přišla večer do jeho pokoje a tvářila se zase jako dítě. Povídala o něčem něco rozkošně nezdvořilého, a zatímco on zůstal ve svém křesle, sedla si proti němu na zem. Jsa v dobré náladě („s Arnimem je to jisté!"), sklonil se k ní a pohladil ji po tváři, jako hladíme dítě. V té chvíli dítě ztichlo ve svém povídání a zvedlo k němu oči plné ženské touhy a náročnosti. Vzal ji za ruce a zvedl ze země. Nezapomeňme tu scénu: seděl, ona stála proti němu a v okně zapadalo slunce. Dívala se mu do očí, on se díval do očí jí, svůdcovský stroj byl uveden do pohybu a on tomu nebránil. Hlasem o něco hlubším než jindy a nepřestávaje se jí dívat do očí ji vyzval, aby si odhalila ňadra. Nic neřekla, nic neudělala; zčervenala. Vstal z křesla a sám jí rozepjal na prsou šaty. Dívala se mu pořád do očí a večerní červánky se mísily na její kůži s ruměncem, který jí polil od tváře až k žaludku. Položil jí ruku na prs: „Ještě nikdo se nedotkl tvého prsu?" zeptal se jí. „Ne," odpověděla. „A je to tak zvláštní, když se mě dotýkáš," a pořád se mu dívala do očí. Nespouštěje ruku z jejího prsu, díval se jí do očí též a dlouze a lačně pozoroval na jejich dně stud dívky, jejíhož prsu se ještě nikdo nedotkl.

Přibližně tak zaznamenala Bettina sama tuto scénu, která s největší pravděpodobností neměla už žádného dalšího pokračování a svítí uprostřed jejich příběhu, spíš rétorického než erotického, jako jediný a nádherný šperk sexuálního vzrušení.

8

Když odjela, zůstala v nich dlouho stopa té čarovné chvíle. V dopise, který následoval po jejich setkání, ji Goethe nazýval *allerliebste*, nejdražší ze všech. Kvůli tomu však nezapomněl na to, oč šlo, a hned v příštím dopise jí sděloval, že začíná psát paměti, *Z mého života, Dichtung und Wahrheit*, a že potřebuje její pomoc: jeho matka už není mezi živými a nikdo jiný mu nemůže vyvolat jeho mládí. Bettina však strávila dlouhý čas v její přítomnosti: ať sepíše, co stará paní vyprávěla, a ať mu to pošle!

Cožpak nevěděl, že Bettina chtěla sama vydat knihu vzpomínek na Goethovo dětství? Že už o tom dokonce jednala s nakladatelem? Samozřejmě, že o tom věděl! Vsadím se, že ji žádal o tu službu ne proto, že ji potřeboval, ale jen proto, aby ona sama o něm nemohla nic publikovat. Oslabena okouzlením z jejich posledního setkání i obavou, že sňatek s Arnimem jí Goetha odcizí, poslechla. Podařilo se mu ji zneškodnit, jako se zneškodňuje časovaná bomba.

A pak přijela v září 1811 do Výmaru; přijela se svým mladým manželem a byla těhotná. Nic není veselejšího než setkání se ženou, které jsme se báli a která odzbrojena už nenahání strach. Jenomže i když těhotná, i když vdaná, i když bez možnosti napsat knihu o jeho mládí, Bettina se necítila odzbrojená a nemínila vzdát svůj boj. Rozumějte dobře: ne boj o lásku; boj o nesmrtelnost.

Že myslil na nesmrtelnost Goethe, to se dá vzhledem k jeho situaci předpokládat. Ale je možné, že na ni myslila i neznámá dívka Bettina a v tak mladém věku? Samozřejmě že ano. Na nesmrtelnost se myslí od dětství. Bettina patřila kromě toho ke generaci romantiků a ti byli oslněni smrtí už od chvíle, kdy uviděli poprvé světlo světa. Novalis se nedožil třiceti let, a přesto, navzdory mládí, nic ho nikdy neinspirovalo víc než smrt, čarodějka smrt, smrt přepodstatněná v alkohol poezie. Všichni žili v transcendenci, přesahovali sami sebe, vzpínali ruce do dálek, až na konec svých životů a daleko za svoje životy, do dálek nebytí. A jak už jsem řekl, tam, kde je smrt, je i nesmrtelnost, její družka, a romantici jí tykali stejně dovoleně jako Bettina tykala Goethovi.

Ta léta mezi rokem 1807 a 1811 byla nejkrásnějším úsekem jejího života. V roce 1810 navštívila ve Vídni, neohlášena, Beethovena. Znala se náhle s dvěma nejnesmrtelnějšími Němci, nejenom s krásným básníkem, ale i s ošklivým skladatelem a s oběma flirtovala. Ta dvojí nesmrtelnost ji opájela. Goethe byl už stár (v té době byl šedesátník považován za starce) a nádherně zralý pro smrt; Beethoven, i když mu bylo teprve čtyřicet, byl, aniž to tušil, smrti ještě o pět let blíž než Goethe. Bettina mezi nimi stála jak něžný anděl mezi dvěma obrovskými černými náhrobky. Bylo to tak krásné, že jí vůbec nevadila Goethova téměř bezzubá ústa. Naopak, čím byl starší, tím byl přitažlivější, protože čím blíž byl smrti, tím blíž byl též nesmrtelnosti. Jen mrtvý Goethe ji bude s to vzít pevně za ruku a vést ke chrámu slávy. Čím blíž byl smrti, tím méně byla ochotna se ho vzdát.

Proto v tom fatálním září roku 1811, i když vdaná a těhotná, hrála si na dítě ještě víc než kdykoli předtím, mluvila nahlas, sedala si na zem, na stůl, na okraj prádelníku, na lustr, lezla na stromy, chodila tančíc, zpívala, když všichni ostatní se unášeli vážným rozhovorem, pronášela vážné věty, když ostatní chtěli zpívat, a snažila se stůj co stůj zůstat s Goethem sama. To se jí však podařilo za celé dva týdny jen jedinkrát. Podle toho, co se o tom vypráví, odehrálo se to přibližně takto:

Byl večer, seděli u okna v jeho pokoji. Začala mluvit o duši a pak o hvězdách. V té chvíli se Goethe podíval oknem vzhůru a ukázal Bettině velikou hvězdu. Ale Bettina byla krátkozraká a nic neviděla. Goethe jí podal dalekohled: „Máme štěstí! To je Merkur! Tento podzim je ho krásně vidět." Bettina však chtěla mluvit o hvězdách milenců, ne o hvězdách astronomů, proto když přiložila dalekohled k oku, schválně nic neviděla a prohlásila, že ten dalekohled je na ni příliš slabý. Goethe odešel trpělivě pro dalekohled se silnějšími skly. Znovu ji donutil, aby si ho přiložila k oku, a ona opět prohlásila, že nic nevidí. Což byl důvod, aby se rozhovořil o Merkuru, o Marsu, o planetách, o slunci, o Mléčné dráze. Mluvil dlouho, a když skončil, omluvila se, a sama, z vlastní vůle, odešla spát. O několik dnů později prohlásila na výstavě, že všechny vyvěšené obrazy jsou nemožné, a Christiána jí shodila na zem brýle.

9

Den rozbitých brýlí, den třináctého září, prožila Bettina jako velkou porážku. Nejdřív na ni reagovala bojovně, prohlašujíc po celém Výmaru, že ji kouslo vzteklé jelito, ale brzo pochopila, že její zloba by způsobila, že už Goetha nikdy neuvidí, což by proměnilo její velkou lásku k nesmrtelnému v pouhou epizodu určenou k zapomenutí. Proto donutila dobrého Arnima, aby napsal Goethovi dopis a snažil se ji omluvit. Ale dopis zůstal bez odpovědi. Manželé opustili Výmar a v lednu 1812 se v něm znovu zastavili. Goethe je nepřijal. V roce 1816 umřela Christiána a brzy poté poslala Bettina Goethovi dlouhý dopis plný pokory. Goethe nereagoval. V roce 1821, tedy deset let po jejich posledním setkání, přijela do Výmaru a dala se ohlásit u Goetha, který toho večera přijímal hosty a nemohl zabránit, aby vstoupila do domu. Nepromluvil s ní jediné slovo. Napsala mu ještě v prosinci téhož roku. Nedostala žádnou odpověď.

V roce 1823 se frankfurtští radní usnesli vztyčit Goethovi pomník a objednali ho u jistého sochaře Raucha. Když uviděla model, nelíbil se jí; pochopila hned, že jí osud nabídl příležitost, kterou si nesmí dát ujít. Přestože neuměla kreslit, dala se ještě téže noci do práce a načrtla vlastní návrh sochy: Goethe seděl v pozici antického hrdiny; v ruce držel lyru; mezi koleny mu stála dívenka představující Psyché; jeho vlasy se podobaly plamenům. Poslala kresbu Goethovi a stalo se něco docela překvapujícího: v Goethově oku se objevila slza! A tak po třinácti letech (bylo to v červenci 1824, měl pětasedmdesát a ona devětatřicet let) ji přijal u sebe, a přestože se choval upjatě, dal jí najevo, že je všechno odpuštěno a doba pohrdavého mlčení je za nimi.

Zdá se mi, že v této fázi příběhu došli oba protagonisté ke chladně jasnozřivému pochopení situace: věděli oba, oč každému z nich jde, a každý věděl, že ten druhý to ví. Svou kresbou pomníku označila Bettina poprvé nedvojsmyslně to, co bylo od počátku ve hře: nesmrtelnost. Bettina to slovo nevyslovila, jen se ho němě dotkla, jako když se dotkneme struny a ta pak tiše a dlouze zní. Goethe uslyšel. Nejdřív byl jen hloupě polichocen, ale postupně (když už si utřel slzu) začal chápat pravý (a méně lichotivý) smysl Bettinina vzkazu: dává mu vědět, že stará hra pokračuje; že se nevzdala; že to bude ona, kdo mu ušije slavnostní rubáš, v němž bude ukazován potomstvu; že jí v tom ničím nezabrání a nejméně svým trucovitým mlčením. Připomněl si znovu, co už dávno věděl: Bettina je nebezpečná, a je proto lépe držet ji pod vlídným dohledem.

Bettina věděla, že Goethe ví. Vyplývá to z jejich dalšího setkání na podzim téhož roku; sama ho popisuje v dopise zaslaném své neteři: těsně po přivítání, píše Bettina, se Goethe „nejdřív začal hádat, pak mne zase hladil slovy, aby znovu získal mou přízeň“.

Jak bychom mu mohli nerozumět! Pocítil s brutální naléhavostí, jak mu jde na nervy, a dostal na sebe vztek, že přerušil to nádherné třináctileté mlčení. Začal se s ní hádat, jako by jí chtěl vyčíst jedním rázem všechno, co proti ní kdy měl. Ale vzápětí se napomenul: proč je upřímný? proč jí říká, co si myslí? Důležité je přece jen to, co si předsevzal: neutralizovat ji; pacifikovat ji; držet ji pod dohledem.

Aspoň šestkrát během jejich rozhovoru, vypráví dále Bettina, odešel Goethe pod různými záminkami do vedlejší místnosti, kde pil tajně víno, což poznala podle jeho dechu. Nakonec se ho ve smíchu zeptala, proč chodí tajně pít, a on se urazil.

Zajímavější než Goethe odcházející pít, zdá se mi Bettina: nejednala jako vy nebo já, kteří bychom Goetha pobaveně pozorovali a přitom diskrétně a uctivě mlčeli. Říci mu, co by jiní nevyslovili („cítím alkohol z tvých úst! proč jsi pil? a proč tajně?“), byl pro ni způsob, jak mu vyrvat silou kus jeho intimity, jak se s ním octnout v těsném doteku. V agresivitě její indiskrece, na kterou si osobovala odevždycky právo dovolávajíc se své masky dítěte, uviděl Goethe náhle tu Bettinu, kterou se rozhodl před třinácti lety už nikdy v životě nevidět. Mlčky vstal a vzal do ruky lampu; bylo to znamení, že návštěva je u konce a on teď vyprovodí návštěvnici temnou chodbou ke dveřím.

V té chvíli, pokračuje Bettina ve svém dopise, aby mu zabránila vyjít, klekla si na práh, čelem do místnosti, a řekla: „Chci vidět, zda jsem s to tě zadržet a zda jsi duch dobra či duch zla, jako byla Faustova krysa; líbám a blahořečím práh, který dennodenně překračuje největší ze všech lidí a můj největší přítel."

A co udělal Goethe? Cituji zase doslova Bettinu. Řekl prý: „Nepošlapu tebe ani tvou lásku, abych mohl vyjít; tvá láska je mi příliš drahá; co se týče tvého ducha, proklouznu kolem něho," (a opravdu, opatrně obešel její klečící tělo) „protože jsi příliš lstivá a je lépe zůstat s tebou v dobrém srozumění!"

Věta, kterou mu Bettina vložila do úst, shrnuje, zdá se mi, všechno, co jí Goethe během jejich setkání v duchu říkal: Vím, Bettino, že kresba pomníku byla tvoje geniální lest. Ve své politováníhodné senilitě jsem se dal dojmout, že vidím své vlasy proměněné v oheň (ah, mé ubohé, prořídlé vlasy!), ale vzápětí jsem pochopil, že cos mi chtěla ukázat, nebyla kresba, ale pistole, kterou držíš v ruce, abys mohla střílet do dálek mé nesmrtelnosti. Ne, neuměl jsem tě odzbrojit. Proto nechci žádnou válku. Chci mír. Ale nic víc než mír. Obejdu tě opatrně a nedotknu se tě, neobejmu, nepolíbím. Jednak na to nemám chuť a jednak vím, že všechno, co udělám, proměníš ve střelivo pro svou pistoli.

10

Dva roky poté Bettina přijela znovu do Výmaru; téměř denně se viděla s Goethem (měl tehdy sedmdesát sedm let) a na konci pobytu, když se pokusila dostat se na dvůr Karla Augusta, dopustila se nějaké ze svých roztomilých drzostí. A tehdy se přihodilo něco neočekávaného. Goethe vybuchl. „Ten otravný ovád (diese leidige Bremse)," napsal knížeti, „kterého mi odkázala moje matka, je značně obtížný už několik let. Nyní se zase vrátila ke staré hře, která jí slušela, když byla mladá; mluví o slavících a cvrliká jako kanárek. Jestli mi to Jeho Výsost nařídí, zakážu jí do budoucna všechno další obtěžování. Jinak Jeho Výsost nebude nikdy bezpečna před její dolézavostí."

O šest let později se ještě jednou ohlásila ve Výmaru, ale Goethe ji nepřijal. Přirovnání k otravnému ovádovi zůstalo už jeho posledním slovem za celým příběhem.

Zvláštní věc. Od té doby, co dostal kresbu pomníku, přikázal si udržovat s ní mír. I když byl alergický na pouhou její přítomnost, snažil se tehdy udělat všechno (i za cenu, že mu páchl z úst alkohol), aby s ní strávil večer až do konce „v dobrém srozumění". Jak to, že je najednou ochoten proměnit všechnu snahu v dým? Tolik si dával pozor, aby neodešel do nesmrtelnosti s pomačkanou košilí, jak to tedy, že najednou napsal tu strašnou větu o otravném ovádu, kterou mu budou vyčítat ještě za sto, za tři sta let, když už nikdo nebude číst ani *Fausta* ani *Utrpení mladého Werthera*?

Jest třeba rozumět ciferníku života:

Až do určité chvíle je pro nás naše smrt čímsi příliš dalekým, než abychom se jí obírali. Je neviděná a neviditelná. To je první, šťastné období života.

Pak ale najednou začneme svou smrt vidět před sebou a nemůžeme se už zbavit myšlenky na ni. Je s námi. A protože nesmrtelnost se drží smrti jako Hardy Laurela, můžeme říci, že je s námi též naše nesmrtelnost. Od chvíle, kdy víme, že je s námi, začneme se o ni horečně starat. Necháme pro ni šít smoking, kupujeme pro ni kravatu ve strachu, že by jí šaty i kravatu vybrali jiní a vybrali špatně. To je chvíle, kdy se Goethe rozhodne psát své paměti, svou slavnou *Báseň a pravdu*, kdy k sobě povolává oddaného Eckermanna (zvláštní shoda dat: stane se to téhož roku 1823, kdy mu Bettina pošle návrh na pomník) a nechává ho psát *Rozhovory s Goethem*, ten krásný portrét napsaný pod laskavou kontrolou portrétovaného.

Za tímto druhým obdobím života, kdy člověk neumí odtrhnout oči ze smrti, přichází ještě třetí období, nejkratší a nejtajemnější, o kterém se málo ví a málo mluví. Sil ubývá a člověka se zmocňuje odzbrojující únava. Únava: tichý most vedoucí z břehu života na břeh smrti. Smrt je tak blízko, že pohled na ni se již stal nudný. Stala se znovu neviditelná a neviděná: neviděná, jako jsou neviděné předměty příliš důvěrně známé. Unavený muž se dívá z okna, vidí koruny stromů a vyslovuje v duchu jejich jména: kaštan, topol, javor. A ta jména jsou krásná jako bytí samo. Topol je vysoký a podobá se atletu, který vzpažil ruku k nebi. Anebo se podobá plameni, který vytryskl a zkameněl. Topol, ó topol. Nesmrtelnost je směšnou iluzí, prázdným slovem, větrem chytaným do síťky na motýly, srovnáme-li ji s krásou topolu, na nějž se unavený muž dívá z okna. Nesmrtelnost unaveného starého muže už vůbec nezajímá.

A co udělá unavený starý muž dívající se na topol, když se náhle ohlásí žena, která si chce sedat na stůl, klekat na práh a pronášet sofistikované věty? S pocitem nevyslovitelné radosti a za náhlého přílivu vitality ji nazve otravným ovádem.

Myslím na chvíli, kdy Goethe psal slova „otravný ovád“. Myslím na potěšení, které přitom zakoušel, a představuju si, že tehdy náhle pochopil: nikdy v životě nejednal, jak jednat chtěl. Považoval se za správce své nesmrtelnosti a ta odpovědnost ho svazovala a dělala z něho upjatého muže. Bál se výstředností, i když ho silně přitahovaly, a pokud se kdy nějaké dopustil, snažil se ji dodatečně upravit tak, aby nevybočovala z oné usměvavé uměřenosti, kterou někdy ztotožňoval s krásou. Slova „otravný ovád“ se nehodila ani do jeho díla, ani do jeho života, ani do jeho nesmrtelnosti. Ta slova byla ryzí svobodou. Mohl je napsat jen ten, kdo se už octl v třetím období života, kdy člověk přestane spravovat svou nesmrtelnost a nepovažuje ji za vážnou věc. Ne každý člověk dospěje až k této nejzazší hranici, ale kdo k ní dospěje, ví, že teprve tam a jenom tam je pravá svoboda.

Tyhle myšlenky prolétly Goethovou myslí, ale vzápětí je zapomněl, protože byl starý a unavený a měl už špatnou paměť.

11

Vzpomeňme si: poprvé za ním přišla v podobě dítěte. Po pětadvaceti letech, v březnu 1832, když se dověděla, že Goethe vážně onemocněl, poslala za ním okamžitě své vlastní dítě: osmnáctiletého syna Sigmunda. Nesmělý chlapec zůstal ve Výmaru podle pokynů matky šest dnů a nevěděl vůbec, oč jde. Ale Goethe věděl: poslala za ním svého vyslance, který mu měl dát vědět pouhou svou přítomností, že smrt přešlapuje za dveřmi a Bettina bere od této chvíle Goethovu nesmrtelnost do svých rukou.

Pak smrt vstoupila do dveří, po týdenním boji s ní, 22. března, Goethe umírá a o několik dnů později píše Bettina Goethovu testamentárnímu vykonavateli, kancléři Müllerovi: „Goethova smrt na mne zapůsobila bezpochyby nesmazatelným dojmem, ale ne dojmem smutku. Nemohu vystihnout slovy přesnou pravdu, ale zdá se mi, že se jí mohu co nejvíc přiblížit, řeknu-li, že je to dojem slávy."

Zaznamenejme pečlivě toto Bettinino upřesnění: nikoli smutek, ale sláva.

Brzy nato žádá téhož kancléře Müllera, aby jí poslal všechny dopisy, co kdy Goethovi napsala. Když je přečetla, pocítila zklamání: celý její příběh s Goethem se jevil jako pouhá skica, skica k veledílu sice, ale přesto jen skica, a velmi nedokonalá. Bylo třeba se dát do práce. Po tři léta opravovala, přepisovala, připisovala. Byla-li nespokojena s vlastními dopisy, Goethovy ji uspokojovaly ještě méně. Když si je teď znovu četla, byla uražena jejich stručností, rezervovaností, ba někdy jejich impertinencí. Jako by vzal doslova její masku dítěte, psal jí někdy, jako by dával vlídně shovívavé lekce školákovi. Proto musila změnit jejich tón: tam, kde ji nazýval „milá přítelkyně", změnila to na „moje drahé srdce", jeho pokárání zmírnila lichotivými dovětky a přidala věty, které měly svědčit o tom, že měla nad okouzleným básníkem moc inspirátorky a Múzy.

Ještě radikálněji přepisovala ovšem své vlastní dopisy. Ne, tón neměnila, tón byl správný. Ale měnila například jejich data (aby zmizely dlouhé pauzy uprostřed jejich dopisování, které by popíraly stálost jejich vášně), vyřadila mnoho nevhodných pasáží (například tu, v níž prosila Goetha, aby nikomu neukazoval její dopisy), jiné pasáže přidala, dramatizovala popsané situace, rozvinula do větší hloubky své názory na politiku, na umění, zejména na hudbu a na Beethovena.

Knihu dopsala v roce 1835 a vydala pod názvem *Goethe's Briefwechsel mit einem Kinde.* Korespondence Goetha s dítětem. Nikdo nezapochyboval o pravosti korespondence až do roku 1921, kdy byly původní dopisy objeveny a vydány.

Ach, proč je včas nespálila?

Představte si, že jste na jejím místě: není to lehké spálit intimní dokumenty, které jsou vám drahé; je to jako byste si přiznali, že už tu dlouho nebudete, že zítra umřete; a tak odkládáte akt zničení ze dne na den a jednoho dne je již pozdě.

Člověk počítá s nesmrtelností a zapomene počítat se smrtí.

12

Dnes už se to snad můžeme osmělit říci z odstupu, který nám umožnil konec našeho století: Goethe je postava umístěná přesně doprostřed evropských dějin. Goethe: veliký střed. Nikoli střed, bázlivý bod, který uhýbá opatrně extrémům, ne, pevný střed, který drží oba extrémy v podivuhodné rovnováze, kterou už pak Evropa nikdy nepozná. Goethe studuje ještě jako mladý muž alchymii a je později jedním z prvních moderních vědců. Goethe je největší ze všech Němců, a zároveň antipatriot a Evropan. Goethe je kosmopolita, a zároveň se celý život téměř nehne ze své provincie, svého malého Výmaru. Goethe je muž přírody, ale i muž dějin. V lásce je libertin i romantik. A ještě něco:

Vzpomeňme si na Agnes ve výtahu, který se třásl, jako by měl tanec svatého Víta. I když byla znalkyní kybernetiky, naprosto si neuměla vysvětlit, co se děje v technické hlavě toho stroje, který jí byl stejně cizí a neprůhledný jako mechanismus všech předmětů, s nimiž denně přicházela do styku, od malého computeru postaveného u telefonu až k pračce na nádobí.

Goethe naproti tomu žil v té krátké chvíli dějin, jejíž technická úroveň už dávala životu jistou pohodlnost, ale kdy vzdělaný člověk mohl ještě rozumět všem nástrojům, jichž používal. Goethe věděl, z čeho a jak je postaven dům, v němž bydlil, věděl, proč svítí petrolejová lampa, znal princip dalekohledu, kterým se díval s Bettinou na Merkura; neuměl sice sám operovat, ale asistoval u několika operací, a když byl sám nemocen, mohl se domluvit s lékařem slovníkem znalce. Svět technických předmětů byl pro něho srozumitelný a zcela odkrytý jeho zraku. To byla velká Goethova vteřina uprostřed evropských dějin, vteřina, po níž zůstane jizva stesku v srdci člověka uvězněného ve výtahu, který se svíjí a tančí.

Beethovenovo dílo začíná tam, kde končí Goethův střed. Je umístěno do chvíle, kdy svět začíná postupně ztrácet svou průhlednost, temní, je čím dál nesrozumitelnější, řítí se do neznáma, zatímco člověk, zrazen světem, se utíká do sebe sama, do svého stesku, do svých snů, do své revolty a nechává se ohlušit hlasem svého bolavého nitra do té míry, že už neslyší hlasy, které se k němu obracejí zvenčí. Ten křik nitra zněl Goethovi jako nesnesitelný rámus. Goethe nenáviděl hluk. To je známo. Nesnesl ani štěkot psa ze vzdálené zahrady. Říká se, že neměl rád hudbu. To je omyl. Co neměl rád, byl orchestr. Měl rád Bacha, protože ten ještě pojímal hudbu jako průzračnou kombinaci samostatně vedených hlasů, z nichž každý lze rozeznat. Ale v Beethovenových symfoniích se jednotlivé hlasy nástrojů rozpouštěly v zvukovém amalgamu křiku a nářku. Goethe nesnášel řev orchestru stejně, jako nesnášel hlasitý pláč duše. Mladá generace Bettininých druhů viděla, jak se na ně božský Goethe dívá s nechutí a zacpává si uši. To mu nemohli odpustit a napadali ho jako nepřítele duše, revolty a citu.

Bettina byla sestrou básníka Brentana, ženou básníka Arnima, a uctívala Beethovena. Patřila ke generaci romantiků, ale byla zároveň přítelkyní Goetha. Takové postavení neměl nikdo jiný: byla jako královna vládnoucí ve dvou královstvích.

Její kniha byla velkolepou poctou Goethovi. Všechny její dopisy nebyly než jediným *zpěvem* lásky k němu. Ano, ale protože všichni věděli o brýlích, které jí paní Goethová shodila na zem, a o tom, že tehdy Goethe hanebně zradil milující dítě ve prospěch vzteklého jelita, je ta kniha zároveň (a mnohem víc) *lekcí* lásky udělenou mrtvému básníkovi, který se tváří v tvář velikému citu choval jako zbabělý šosák a obětoval vášeň mizernému klidu manželství. Bettinina kniha byla zároveň poctou i výpraskem.

13

Toho roku, co Goethe umřel, vyprávěla Bettina v dopise svému příteli, hraběti Hermannu von Pückler-Muskau, co se stalo v létě před dvaceti lety. Znala to prý přímo od Beethovena. Přijel v roce 1812 (deset měsíců po černých dnech rozbitých brýlí) na několik dnů do Teplic, kde se tehdy poprvé setkal s Goethem. Jednoho dne si s ním vyšel na procházku. Šli spolu lázeňskou alejí a najednou se proti nim objevila císařovna s rodinou a dvorem. Goethe, když je uviděl, přestal poslouchat, co mu Beethoven vypráví, ustoupil k okraji cesty a smekl klobouk. Zato Beethoven si vrazil svůj klobouk ještě hlouběji do čela, zamračil se, takže mu jeho husté obočí povyrostlo o pět centimetrů, a šel dál nezpomaluje krok. Byli to proto oni, šlechta, kdo se zastavili, ustoupili, zdravili. Teprve až byl kus od nich, obrátil se, aby počkal na Goetha. A řekl mu všechno, co si myslil o jeho poníženém chování lokaje. Vynadal mu jako soplákovi.

Stala se skutečně tato scéna? Vymyslil si ji Beethoven? Se vším všudy? Anebo ji jen přibarvil? Anebo ji přibarvila Bettina? Anebo vymyslila sama se vším všudy? To už se nikdy nikdo nedoví. Jisto však je, že když psala dopis Pückler-Muskauovi, pochopila, že ta historka je nedocenitelná. Teprve ona byla s to odhalit pravý smysl příběhu její lásky s Goethem. Ale jak ji uvést ve známost? „Líbí se ti ta historka?" ptá se v dopise Hermanna von Pückler. „Kannst Du sie brauchen? Můžeš ji použít?" Hrabě ji použít nemínil, a tak se Bettina zabývala myšlenkou vydat svou korespondenci s hrabětem; ale pak ji napadlo něco mnohem lepšího: uveřejnila v roce 1839 v časopise *Athenäum* dopis, v němž jí ten stejný příběh vypráví Beethoven sám! Originál toho dopisu obdařeného datem roku 1812 se nikdy nenašel. Zůstala jen kopie psaná Bettininou rukou. Je tam několik detailů (například datum dopisu), které svědčí o tom, že Beethoven ten dopis nikdy nenapsal, anebo, přinejmenším, že ho nenapsal tak, jak ho Bettina opsala. Ale ať už je dopis podvrh či polopodvrh, anekdota všechny okouzlila a stala se slavnou. A všechno bylo náhle jasné: jestliže dal Goethe přednost jelitu před velkou láskou, nebyla to náhoda: zatímco Beethoven je bouřlivák jdoucí vpřed s kloboukem vraženým hluboko do čela a s rukama založenýma za zády, Goethe je služebník poníženě se uklánějící na okraji aleje.

14

Bettina sama studovala hudbu, dokonce napsala pár skladeb, a měla tedy jisté předpoklady, aby pochopila, co bylo na Beethovenově hudbě nové a krásné. Přesto však kladu otázku: zaujala ji Beethovenova hudba sebou samou, svými notami, anebo spíš tím, co *reprezentovala*, jinými slovy svou mlhavou příbuzností s myšlenkami a postoji, které Bettina sdílela se svými generačními druhy? Existuje vůbec láska k umění a existovala kdy? Není to klam? Když Lenin prohlašoval, že miluje nade vše Beethovenovu *Apassionatu*, co vlastně miloval? Co slyšel? Hudbu? Anebo vznešený rámus, který mu připomínal pompézní hnutí jeho duše toužící po krvi, po bratrství, po popravách, po spravedlnosti a po absolutnu? Radoval se z tónů, anebo ze snění, do něhož ho tóny uváděly a které nemělo nic společného ani s uměním ani s krásou? Vraťme se k Bettině: přitahoval ji Beethoven hudebník, anebo Beethoven, veliký Anti-Goethe? Milovala jeho hudbu tichou láskou, jaká nás poutá k jedné čarokrásné metafoře či dvěma barvám sousedícím na obraze? Anebo spíš onou dobyvačnou vášní, s jakou se hlásíme k politické straně? Ať tomu bylo jakkoli (a my nebudeme nikdy vědět, jak tomu opravdu bylo), Bettina poslala do světa obraz Beethovena kráčejícího vpřed s kloboukem hluboko vraženým do čela a ten obraz šel pak už sám staletími.

V roce 1927, sto let po Beethovenově smrti, obrátila se slavná německá revue *Die literarische Welt* na nejvýznamnější současné skladatele, aby řekli, co pro ně znamená Beethoven. Redakce netušila, jaká to bude posmrtná poprava toho zamračeného muže s kloboukem vraženým do čela. Auric, člen pařížské Šestky, prohlásil jménem celé své generace: Beethoven je jim lhostejný do té míry, že jim ani nestojí za to proti němu něco namítat. Že by byl jednoho dne zase objeven a znovu oceněn jako před sto lety Bach? Vyloučeno. K smíchu! Janáček také potvrdil, že ho Beethovenovo dílo nikdy nenadchlo. A Ravel to shrnul: nemá rád Beethovena, protože jeho sláva je založena nikoli na jeho hudbě, která je očividně nedokonalá, ale na literární legendě vytvořené kolem jeho života.

Literární legenda. Spočívá v našem případě na dvou kloboucích: jeden je hluboko naražený do čela a trčí pod ním obrovské obočí; druhý je v ruce hluboko se uklánějícího muže. Kouzelníci rádi pracují s kloboukem. Nechávají v něm mizet předměty anebo z něho vypouštějí ke stropu hejno holubic. Bettina vypustila z Goethova klobouku ošklivé ptáky jeho poníženosti a nechala zmizet v Beethovenově klobouku (a to si určitě nepřála!) jeho hudbu. Chystala pro Goetha to, čeho se dostalo Tycho de Brahemu a Carterovi: směšnou nesmrtelnost. Ale směšná nesmrtelnost číhá na všechny a pro Ravela byl Beethoven s kloboukem naraženým až na obočí směšnější než Goethe, který se hluboko klaněl.

Plyne z toho, že i když je možno nesmrtelnost předem modelovat, manipulovat, připravovat, ona se nikdy neuskuteční tak, jak byla plánována. Beethovenův klobouk se stal nesmrtelným. V tom se plán zdařil. Ale jaký bude smysl nesmrtelného klobouku, se předem určit nedalo.

15

„Víte, Johanne," řekl Hemingway, „mě také pořád obžalovávají. Místo aby četli mé knihy, píšou teď knihy o mně. O tom, že jsem neměl rád své manželky. Že jsem se dost nevěnoval svému synovi. Že jsem dal po hubě jednomu kritikovi. Že jsem lhal. Že jsem nebyl upřímný. Že jsem byl pyšný. Že jsem byl macho. Že jsem prohlásil, že mám dvě stě třicet zranění, a měl jsem jich jen dvě stě deset. Že jsem onanoval. Že jsem zlobil maminku."

„To je nesmrtelnost," řekl Goethe. „Nesmrtelnost je věčný soud."

„Když je to věčný soud, tak tam má být pořádný soudce. A ne omezená učitelka obecné školy s rákoskou v ruce."

„Rákoska v ruce omezené učitelky, to je věčný soud. Co jste si představoval jiného, Erneste?"

„Nepředstavoval jsem si nic. Doufal jsem, že budu moci aspoň po smrti žít v klidu."

„Dělal jste všechno, abyste byl nesmrtelný."

„Nesmysl. Psal jsem knihy. To je všechno."

„Však právě!" smál se Goethe.

„Já nemám nic proti tomu, aby moje knihy byly nesmrtelné. Psal jsem je tak, aby z nich nikdo nemohl odstranit ani jediné slovo. Aby vzdorovaly všemu nečasu. Ale já sám, jako člověk, jako Ernest Hemingway, já na nesmrtelnost kašlu!"

„Já vám moc dobře rozumím, Erneste. Ale měl jste být opatrnější, když jste byl živý. Teď už je pozdě."

„Opatrnější? To je narážka na mou chlubivost? Já vím, když jsem byl mladý, hrozně rád jsem se chvástal. Předváděl jsem se ve společnosti. Měl jsem radost z anekdot, které se o mně vyprávěly. Ale věřte mi, nebyl jsem takové monstrum, abych přitom myslil na nesmrtelnost! Když jsem jednoho dne pochopil, že jde o ni, zmocnila se mě panika. Tisíckrát jsem od té doby prohlásil, že mají všichni nechat můj život na pokoji. Ale čím víc jsem to prohlašoval, tím to bylo horší. Odstěhoval jsem se na Kubu, abych jim zmizel z očí. Když jsem dostal Nobelovu cenu, odmítl jsem jet do Stockholmu. Říkám vám, kašlal jsem na nesmrtelnost, a řeknu vám teď ještě víc: když jsem si jednoho dne uvědomil, že mě drží v objetí, měl jsem z ní větší hrůzu než ze smrti. Člověk si může vzít život. Ale člověk si nemůže vzít nesmrtelnost. Jakmile vás nesmrtelnost nalodí na palubu, už nemůžete vystoupit, a i když se zastřelíte, zůstanete na palubě i se svou sebevraždou a to je hrůza, Johanne, to je hrůza. Ležel jsem na palubě mrtvý a kolem sebe jsem viděl své čtyři ženy, seděly na bobku a všechny psaly všechno, co o mně věděly, a za nimi byl můj syn a ten také psal, a babice Gertruda Steinová tam byla a psala a všichni moji přátelé tam byli a vyprávěli nahlas všechny indiskrece a pomluvy, které o mně kdy slyšeli, a stovka žurnalistů se za nimi tlačila s mikrofony a armáda univerzitních profesorů po celé Americe to všechno třídila, analyzovala, rozváděla a sestavovala do článků a knih.“

16

Hemingway se třásl a Goethe ho chytil za ruku: „Erneste, utište se! Utište se, příteli. Já vám rozumím. Co vyprávíte, mi připomíná můj sen. Byl to můj poslední sen, pak se mi už žádné nezdály anebo byly zmatené a neuměl jsem je už odlišit od skutečnosti. Představte si malý divadelní sál loutkového divadla. Já jsem za scénou, vodím loutky a sám recituji text. Je to představení Fausta. Mého Fausta. Víte, že Faust je nejkrásnější jako loutkové divadlo? Proto jsem byl tak šťasten, že se mnou nebyli žádní herci a jen já sám jsem recitoval verše, které toho dne zněly krásněji než kdy jindy. A pak jsem se najednou podíval do sálu a vidím, že je prázdný. To mě zmátlo. Kde jsou diváci? Což je můj Faust tak nudný, že šli všichni domů? To jsem jim nestál ani za to, aby mě vypískali? Ohlédl jsem se v rozpacích dozadu a ustrnul jsem: předpokládal jsem je v sále, a oni byli v zákulisí a dívali se na mě velikýma, zvědavýma očima. Jak se můj pohled setkal s jejich, začali tleskat. A já jsem pochopil, že můj Faust je vůbec nezajímá a že divadlo, které chtěli vidět, nebyly loutky, které jsem vodil po scéně, ale já sám! Ne Faust, ale Goethe! A tehdy se mě zmocnila hrůza velice podobná té, o které jste před chvílí mluvil. Cítil jsem, že chtějí, abych něco řekl, ale nemohl jsem. Měl jsem zaškrcené hrdlo, položil jsem loutky, takže zůstaly ležet na osvětlené scéně, na kterou se nikdo nedíval. Snažil jsem se zachovat důstojný klid, šel jsem mlčky k věšáku, na kterém visel můj klobouk, nasadil jsem si ho na hlavu, a aniž jsem se ohlédl po všech těch zvědavcích, vyšel jsem z divadla a šel domů. Snažil jsem se nedívat ani napravo ani nalevo a hlavně se neohlížet dozadu, protože jsem věděl, že jdou za mnou. Odemkl jsem dům a rychle za sebou zabouchl těžké dveře. Našel jsem petrolejovou lampu a rozsvítil ji. Vzal jsem ji do třesoucí se ruky a šel jsem do své pracovny, abych u sbírky kamenů zapomněl na tu nepříjemnou příhodu. Ale dřív než jsem stačil postavit lampu na stůl, padl mi pohled k oknu. Byly tam natlačené jejich tváře. Tehdy jsem pochopil, že se jich už nikdy nezbavím, už nikdy, nikdy, už nikdy. Uvědomil jsem si, že lampa vrhá světlo na mou tvář, viděl jsem to podle jejich velikých očí, které si mě prohlížely. Zhasl jsem, a zároveň jsem věděl, že jsem zhášet neměl; teď pochopili, že se před nimi skrývám, že mám před nimi strach, a budou o to divočejší. Ale ten strach byl už silnější než můj rozum a já jsem utíkal do své ložnice a strhl jsem z postele přikrývku a hodil si ji přes hlavu a stoupl si do rohu místnosti přitisknut ke zdi…“

17

Hemingway a Goethe se vzdalují po cestách onoho světa a vy se mne ptáte, co je to za nápad, svést dohromady právě ty dva. Vždyť k sobě vůbec nepatří, vždyť nemají nic společného! A co má být? S kým si myslíte, že by Goethe chtěl trávit čas na onom světě? S Herderem? S Hölderlinem? S Bettinou? S Eckermannem? Vzpomeňte si na Agnes. Jakou hrůzu jí naháněla představa, že by na onom světě musila opět slyšet šum ženských hlasů, které slyší každou sobotu v sauně! Netouží být po smrti ani s Paulem ani s Brigitou. Proč by měl Goethe toužit po Herderovi? Řeknu vám dokonce, i když je to skoro rouhání, že netouží ani po Schillerovi. Nikdy by si to nebyl za života přiznal, protože by to byla smutná bilance nemít v životě ani jediného velkého přítele. Schiller mu byl nepochybně ze všech nejdražší. Ale slovo nejdražší znamená jen to, že mu byl dražší než všichni jiní, kteří mu, upřímně řečeno, tak příliš drazí nebyli. Byli to jeho současníci, nevybral si je. Ani Schillera si nevybral. Když si jednoho dne uvědomil, že je bude celý život mít kolem sebe, sevřelo se mu hrdlo úzkostí. Co dělat, musil se s tím smířit. Měl ale nějaký důvod být s nimi i po smrti?

Je to proto jen z nejupřímnější lásky k němu, že jsem mu po jeho boku vysnil někoho, kdo ho velice zajímá (jestli jste to zapomněli, připomenu vám, že Goethe byl za svého života Amerikou fascinován!) a nepřipomíná mu bandu romantiků s bledými tvářemi, kteří se ke konci jeho života docela zmocnili Německa.

„Víte, Johanne," řekl Hemingway, „je to pro mě veliké štěstí, že tu mohu být s vámi. Lidé se před vámi třesou úctou, takže se mi všechny moje manželky i se starou Gertrudou Steinovou zdaleka vyhýbají." Pak se začal smát: „Není-li to ovšem proto, že jste tak neuvěřitelně nahastrošený!"

Aby byla Hemingwayova slova srozumitelná, musím vysvětlit, že nesmrtelní si mohou na onom světě vzít na své procházky tu podobu ze svého života, kterou chtějí. A Goethe si zvolil intimní podobu svých posledních let; tak ho kromě jeho nejbližších nikdo neznal: na čele měl průhlednou zelenou destičku přivázanou šňůrkou kolem hlavy, protože ho pálily oči; na nohou pantofle; a kolem krku tlustou vlněnou strakatou šálu, protože se bál nachlazení.

Když slyšel, že je neuvěřitelně nahastrošený, šťastně se rozesmál, jako by mu Hemingway právě řekl velkou pochvalu. Pak se k němu naklonil a řekl tiše: „Nahastrošil jsem se takhle hlavně kvůli Bettině. Všude kudy chodí, mluví o své velké lásce ke mně. Tak chci, aby lidé viděli objekt té lásky. Když mě z dálky zahlédne, utíká pryč. A já vím, že dupe vztekem, že se tu promenuji v téhle podobě: bezzubý, plešatý a s touhle směšnou věcí nad očima."

TŘETÍ DÍL / BOJ

SESTRY

Rozhlasová stanice, kterou poslouchám, patří státu, proto na ní není žádná reklama a zprávy jsou prokládány nejnovějšími šlágry. Vedlejší stanice je soukromá, takže hudba je tam nahrazena reklamami, ale ty se podobají nejnovějším šlágrům do té míry, že nikdy nevím, kterou stanici poslouchám, a vím to o to méně, že pořád znovu a znovu usínám. V polospánku se dovídám, že od konce války bylo v Evropě dva miliony mrtvých na silnicích, ve Francii každý rok průměrně deset tisíc mrtvých a tři sta tisíc zraněných, celá armáda beznohých, bezrukých, bezuchých, bezokých. Poslanec Bertrand Bertrand (to jméno je krásné jako ukolébavka) rozhořčen tou strašnou bilancí cosi znamenitého udělal, ale to už jsem docela usnul a dověděl jsem se to až o půl hodiny později, kdy stejnou zprávu opakovali: poslanec Bertrand Bertrand, jehož jméno je krásné jako ukolébavka, podal v parlamentu návrh na zákaz reklamy na pivo. Byla z toho v poslanecké sněmovně velká bouřka, mnoho poslanců se postavilo proti návrhu podporováno zástupci rádia a televize, které by zákaz reklamy připravil o peníze. Pak je slyšet hlas samotného Bertranda Bertranda: mluví o boji proti smrti, o boji za život. Slovo boj se během krátkého projevu opakovalo asi pětkrát a to mi okamžitě připomnělo mou starou vlast, Prahu, prapory, plakáty, boj za mír, boj za štěstí, boj za spravedlnost, boj za budoucnost, boj za mír; boj za mír až do zničení všech všemi, dodával moudrý český lid. Ale to už zase spím (pokaždé když někdo vysloví jméno Bertranda Bertranda, upadám do sladkého spánku), a když se probudím, slyším komentář o zahrádkářství, takže rychle otočím knoflíkem na vedlejší stanici. Tam je řeč o poslanci Bertrandu Bertrandovi a o zákazu reklamy na pivo. Pomalu začínám chápat logické souvislosti: lidé se zabíjejí v autech jako na bitevním poli, ale auta nelze zakázat, protože jsou pýchou moderního člověka; určité procento neštěstí je působeno tím, že jsou šoféři opilí, ale víno také nelze zakázat, protože je odvěkou slávou Francie; určité procento opilství je zaviněno pivem, ale ani pivo nelze zakázat, protože by to odporovalo všem mezinárodním dohodám o svobodném obchodu; určité procento těch, co pijí pivo, jsou k tomu pohnuti reklamou a tady je Achillova pata nepřítele, tady se rozhodl udeřit pěstí statečný poslanec! Ať žije Bertrand Bertrand, říkám si, ale protože to slovo na mne působí jako ukolébavka, hned zase usínám a probudí mne teprve svůdný sametový hlas, ano, poznávám ho, je to Bernard, hlasatel, a jako by se všechny události dnes týkaly jen dopravních neštěstí, sděluje tuto zprávu: nějaká dívka si sedla této noci na silnici zády ke směru, v němž jela auta. Tři vozy, jeden po druhém, se jí stačily v poslední chvíli vyhnout a skončily rozmláceny v příkopu s mrtvými a zraněnými. Sebevražedkyně, když pochopila svůj nezdar, odešla z místa neštěstí beze stop a jen shodná svědectví zraněných svědčila o její existenci. Ta zpráva mi připadá hrozná a nemohu už usnout. Nezbývá mi než vstát, posnídat a sednout si k psacímu stolu. Ale ještě dlouho nejsem s to se soustředit, vidím tu dívku, jak sedí na noční silnici, skrčená, s čelem přitisknutým ke kolenům, a slyším křik zvedající se z příkopu. Musím odehnat násilím tu představu, abych mohl pokračovat v románu, který, jestli si ještě pamatujete, začal tím, že jsem čekal na plovárně na profesora Avenaria a viděl jsem přitom jakousi neznámou dámu mávat na rozloučenou plavčíkovi. To gesto jsme znovu viděli, když se Agnes loučila u domu s nesmělým spolužákem. Používala pak toho gesta pokaždé, když ji nějaký chlapec doprovodil po schůzce k brance zahrady. Její sestřička Laura skryta za keřem čekala, až se bude Agnes vracet; chtěla vidět polibek a sledovat sestru, jak půjde sama ke dveřím vily. Čekala na to, až se Agnes ohlédne a vyhodí do vzduchu paži. V tom pohybu byla pro ni zakleta mlhavá představa lásky, o níž nic nevěděla, ale která v ní zůstane navždycky spojena s obrazem její půvabné a něžné sestry.

Když Agnes přistihla Lauru, jak si vypůjčila její gesto, aby mávala svým kamarádkám, nelíbilo se jí to, a jak víme, loučila se od té doby se svými milenci střídmě a bez vnějších projevů. V tom krátkém příběhu gesta můžeme rozeznat mechanismus, jemuž byly podrobeny vztahy obou sester: mladší napodobovala starší, natahovala po ní ruku, ale Agnes vždycky v poslední chvíli unikla.

Po maturitě odešla Agnes do Paříže na univerzitu. Laura jí měla za zlé, že opustila kraj, který měly rády, ale i ona po maturitě odešla studovat do Paříže. Agnes se věnovala matematice. Když skončila studia, všichni předvídali, že má před sebou velkou vědeckou dráhu, ale Agnes, místo aby pokračovala v bádání, vzala si za muže Paula, přijala dobře placené, ale banální místo, kde žádné slávy dojít nemohla. Laura toho litovala, a když sama studovala na pařížské konzervatoři, předsevzala si, že napraví sestřin neúspěch a bude slavná za ni.

Jednoho dne jí Agnes představila Paula. Už v té první vteřině, když ho Laura uviděla, slyšela, že jí někdo neviditelný říká: „Hle, muž! Skutečný muž. Jediný muž. Neexistuje žádný jiný." Kdo byl ten neviditelný, kdo jí to říkal? Byla to snad Agnes sama? Ano. Byla to ona, kdo ukazoval cestu mladší sestře a zároveň ji hned zabavoval pro sebe.

Agnes i Paul byli na Lauru milí a starali se o ni tak, že si v Paříži připadala doma jako kdysi v rodném městě. Štěstí, že je stále v náručí rodiny, bylo zabarveno melancholickým vědomím, že jediný muž, kterého by mohla mít ráda, je zároveň ten jediný, o něhož nemůže a nesmí nikdy usilovat. Když trávila s oběma manželi společné chvíle, střídaly se v ní nálady štěstí se záchvaty smutku. Zmlkala, její pohled se ztrácel v prázdnu a Agnes ji v té chvíli brávala za ruce a říkala: „Co je ti, Lauro? Co je ti, moje sestřičko?" Někdy ji ve stejné situaci a z podobných pohnutek bral za ruce i Paul a všichni tři se potápěli do rozkošné lázně namíchané z mnoha různých citů: sourozeneckých i milostných, soucitných i smyslných.

Pak se vdala. Agnesině Brigitě bylo deset let a Laura se rozhodla, že jí dá dárkem malého bratrance či sestřenici. Prosila manžela, aby ji přivedl do jiného stavu, což se sice snadno podařilo, ale s výsledkem, který je zarmoutil: Laura potratila a lékaři jí oznámili, že chce-li mít další dítě, neobejde se to bez značných lékařských intervencí.

ČERNÉ BRÝLE

Agnes si oblíbila černé brýle, ještě když chodila na gymnázium. Ne ani tak proto, aby jí chránily oči proti slunci, ale že si v nich připadala hezká a tajemná. Brýle se staly jejím koníčkem: jako mívají někteří muži skříň plnou kravat, jako si některé ženy kupují desítky prstenů, Agnes měla sbírku černých brýlí.

V životě Laury začaly hrát černé brýle velkou roli po jejím potratu. Nosila je tehdy skoro nepřetržitě a omlouvala se přátelům: „Nezlobte se na mě pro mé brýle, ale jsem ubrečená a nemůžu se bez nich ukázat." Černé brýle se pro ni od té doby staly znakem smutku. Nasazovala si je, ne aby zakryla pláč, ale aby dala vědět, že pláče. Brýle se staly náhražkou slz a oproti skutečným slzám měly tu výhodu, že neškodily víčkům, nečinily je zarudlými a oteklými, a dokonce jí slušely.

Jestliže si Laura oblíbila černé brýle, byla zase, jako již tolikrát, inspirována svou sestrou. Ale příběh brýlí ukazuje navíc, že vztah sester nelze zredukovat na zjištění, že mladší napodobovala starší. Ano, napodobovala, ale zároveň ji též opravovala: dávala černým brýlím hlubší obsah, závažnější smysl, takže, abych tak řekl, Agnesiny černé brýle se musily před Lauřinými brýlemi červenat pro svou frivolitu. Pokaždé, když se v nich Laura objevila, znamenalo to, že trpí, a Agnes měla pocit, že by si měla své vlastní brýle z jemnosti a skromnosti sundat z očí.

Ještě něco jiného vyjevuje příběh brýlí: Agnes se v něm jeví jako ta, jíž osud nadržuje, a Laura jako osudem nemilovaná. Obě sestry uvěřily, že si tváří v tvář Štěstěně nejsou rovny, a Agnes tím snad trpěla ještě víc než Laura. „Mám sestřičku, která je do mě zamilována a má v životě smůlu," říkávala. Proto ji s radostí přivítala v Paříži; proto jí představila Paula a prosila ho, aby měl Lauru rád; proto jí našla sama pěknou garsoniéru a zvala k sobě na návštěvu pokaždé, když ji podezírala, že se trápí. Ale ať dělala co dělala, pořád zůstávala tou, které osud neprávem nadržuje, a Laura tou, kterou Štěstěna nechce znát.

Laura měla velké nadání pro hudbu; hrála výborně na klavír, přesto se však paličatě rozhodla studovat na konzervatoři zpěv. „Když hraju na klavír, sedím proti cizímu, nepřátelskému předmětu. Hudba mi nepatří, patří tomu černému nástroji proti mně. Kdežto když zpívám, mé vlastní tělo se mění ve varhany a já se stávám hudbou." Nebyla to její vina, že měla slabý hlas, na kterém všechno ztroskotalo: nestala se sólistkou a z hudební kariéry jí pro zbytek života zůstal jen amatérský pěvecký sbor, do něhož chodila dvakrát týdně na zkoušky a několikrát za rok s ním koncertovala.

Její manželství, do něhož vložila veškeru dobrou vůli, se po šesti letech zhroutilo též. Je pravda, že její velmi bohatý manžel jí musil ponechat krásný byt a platit vysoké alimenty, takže si pořídila módní obchod, v němž prodávala kožešiny s komerčním talentem, který všechny překvapil; tento přízemní, příliš materiální úspěch však nebyl s to napravit křivdu, která se jí děla ve vyšší, spirituální a sentimentální rovině.

Rozvedená Laura střídala milence, měla pověst vášnivé milenky a tvářila se, že ty lásky jsou kříž, který nese životem. „Poznala jsem mnoho mužů," říkala často melancholicky a pateticky, jako by žalovala na osud.

„Závidím ti," odpovídala jí Agnes a Laura si na znamení smutku nasazovala černé brýle.

Obdiv, který naplnil Lauru v dětství, kdy se dívala za Agnes loučící se u branky s chlapcem, ji nikdy neopustil, a když jednoho dne pochopila, že její sestra nedělá žádnou oslňující vědeckou kariéru, nemohla skrýt své zklamání.

„Co mi vyčítáš?" bránila se Agnes. „Ty, místo abys zpívala v opeře, prodáváš kožichy, a já, místo abych jezdila po mezinárodních konferencích, mám příjemně bezvýznamné místo v podniku, kde se vyrábějí computery."

„Jenomže já jsem dělala všechno možné, abych mohla zpívat. Kdežto tys zanechala vědecké dráhy z vlastní vůle. Já jsem byla poražena. Ty ses vzdala."

„A proč bych měla dělat kariéru?“

„Agnes! Život je jen jeden! Musíš ho naplnit! Chceme tu přece po sobě něco zanechat!“

„Něco zanechat?“ řekla Agnes s údivem plným skepse.

Laura reagovala hlasem téměř bolestného nesouhlasu: „Agnes, ty jsi negativní!“

Tuto výčitku adresovala Laura své sestře často, ale jen v duchu. Nahlas ji vyslovila jen dvakrát či třikrát. Naposledy tehdy, když viděla otce po matčině smrti sedět u stolu a trhat fotografie. To, co otec dělal, bylo pro ni nepřijatelné: ničil kus života, kus společného života, svého i maminčina; trhal obrazy, trhal vzpomínky, které nepatřily jen jemu, ale celé rodině a zejména dcerám; dělal něco, na co neměl právo. Začala na něho křičet a Agnes se otce zastala. Když osaměly, obě sestry se poprvé v životě pohádaly, vášnivě a zle. „Ty jsi negativní! Ty jsi negativní!“ křičela Laura na Agnes a pak si nasadila černé brýle a v pláči a hněvu odjela.

TĚLO

Slavný malíř Salvador Dalí a jeho žena Gala, když už byli velmi staří, měli ochočeného králíka, který s nimi žil, na krok se od nich nehnul a kterého měli moc rádi. Jednou se měli vydat na dalekou cestu a diskutovali dlouho do noci, co s králíkem udělat. Bylo obtížné brát ho s sebou a bylo také těžké ho někomu svěřit, protože králík měl nedůvěru k lidem. Příštího dne uvařila Gala oběd a Dalí se těšil vynikající krmí až do chvíle, kdy pochopil, že jí králičí maso. Zvedl se od stolu a utíkal na záchod, kde vyzvracel do mísy milované zvířátko, věrného přítele svých pozdních dnů. Zato Gala byla šťastna, že ten, koho milovala, vstoupil do jejích vnitřností, laskal se s nimi a stal se tělem své paní. Neexistovalo pro ni dokonalejší naplnění lásky než milovaného sníst. Proti tomuto splynutí těl jí sexuální akt připadal jen jako směšné šimrání.

Laura byla jako Gala. Agnes byla jako Dalí. Bylo mnoho lidí, které měla ráda, žen i mužů, ale kdyby dík nějaké kuriózní smlouvě bylo stanoveno jako podmínka přátelství, že se bude musit starat o jejich nos a dávat je pravidelně vysmrkat, dala by přednost tomu žít bez přátel. Laura, která znala sestřinu štítivost, ji napadala: „Co znamená sympatie, kterou k někomu cítíš? Jak můžeš z té sympatie vyloučit tělo? Je člověk, od něhož odečteš tělo, ještě člověk?“

Ano, Laura byla jako Gala: dokonale ztotožněna s vlastním tělem, v němž se cítila jako v nádherně zařízeném příbytku. A tělo nebylo jen to, co je vidět v zrcadle, to nejcennější bylo uvnitř. Proto se jména vnitřních tělesných orgánů i procesů stala oblíbenou součástí jejího slovníku. Když chtěla říci, do jakého zoufalství ji dovedl včera milenec, řekla: „Jen co odešel, musila jsem zvracet.“ Přestože často mluvila o svém zvracení, Agnes si nebyla jista, zda její sestra vůbec kdy zvracela. Zvracení nebyla Lauřina pravda, ale poezie: metafora, lyrický obraz bolesti a znechucení.

Jednou si šly obě sestry něco koupit do obchodu s dámským prádlem a Agnes viděla Lauru, jak něžně hladí podprsenku, kterou jí prodavačka nabídla. To byla jedna z těch chvil, kdy si Agnes uvědomila, co ji od sestry dělí: pro Agnes patřila podprsenka do kategorie předmětů, které mají napravit nějaký tělesný nedostatek jako třeba obvaz, protéza, brýle nebo kožený obojek, který nemocný nosí po úrazu krčních obratlů. Podprsenka má podepřít něco, co je vinou špatného výpočtu těžší, než mělo být, a musí být proto dodatečně vyztuženo, asi jako když se pod balkón neodborně provedené stavby přidají podpěry, aby se nezřítil. Jinými slovy: podprsenka prozrazuje technický ráz ženského těla.

Agnes záviděla Paulovi, že žije, aniž si musí stále uvědomovat, že má tělo. Nadechuje, vydechuje, plíce mu pracují jako velký zautomatizovaný měch a takto vnímá své tělo: radostně ho zapomíná. Ani o svých tělesných potížích nikdy nemluví, a to nikoli ze skromnosti, nýbrž spíš z jakési marnivé touhy po eleganci, neboť nemoc je nedokonalost, za kterou se stydí. Trpěl po léta žaludečními vředy, ale Agnes se to dověděla až toho dne, kdy ho sanitka odvezla do nemocnice uprostřed strašného záchvatu, který ho stihl vteřinu poté, co skončil v soudní síni dramatickou obhajovací řeč. Ta ješitnost byla jistě směšná, ale Agnes jí byla spíš dojata a skoro ji Paulovi záviděla.

I když byl Paul pravděpodobně nadprůměrně ješitný, přece, říkala si Agnes, jeho postoj odhaluje rozdíl mezi mužským a ženským údělem: žena stráví mnohem víc času rozhovory o svých tělesných starostech; není jí dáno na své tělo bezstarostně zapomenout. Začne to šokem prvního krvácení; tělo je náhle tu a ona proti němu stojí jako strojník, jemuž bylo nařízeno udržovat v chodu malou továrnu: vyměňovat každý měsíc tampony, polykat prášky, připínat podprsenku, připravovat výrobu. Agnes se dívala se závistí na staré muže; zdálo se jí, že stárnou jinak: tělo jejího otce se zvolna měnilo ve svůj stín, odhmotňovalo se, zůstalo na světě jen jako pouhá nedbale vtělená duše. Naproti tomu tělo ženy, čím víc se stává nepotřebnější, tím víc je tělem: těžkým a obtížným; podobá se staré manufaktuře určené k demolici, u které musí ženino já zůstat až do konce jako hlídač.

Co může změnit Agnesin vztah k tělu? Jen vteřina vzrušení. Vzrušení: prchavé vykoupení těla.

Ani tentokrát by s ní Laura nesouhlasila. Vteřina vykoupení? Jak to, vteřina? Pro Lauru bylo tělo sexuální od počátku, a priori, nepřetržitě a úplně, svou podstatou. Milovat někoho pro ni znamenalo: přinést mu tělo, dát mu tělo, tělo se vším všudy, takové, jaké je, na povrchu i vevnitř, i s jeho časem, který ho pomalu rozleptává.

Pro Agnes tělo nebylo sexuální. Jen v krátkých výjimečných okamžicích se jím stávalo, když ho vteřina vzrušení ozářila neskutečným, umělým osvětlením a učinila žádoucím a krásným. A snad právě proto byla Agnes, i když to o ní skoro nikdo nevěděl, posedlá tělesnou láskou, lpěla na ní, protože bez ní by z bídy těla nebyl už žádný nouzový východ a všechno by bylo ztraceno. Když se milovala, měla oči vždycky otevřené, a bylo-li poblíž zrcadlo, dívala se na sebe: její tělo se jí zdálo být v té chvíli zalito světlem.

Ale dívat se na vlastní tělo zalité světlem je zrádná hra. Jednou, když byla Agnes s milencem, uviděla při milování některé vady svého těla, kterých si při posledním setkání nevšimla (viděla se s milencem ne víc než jednou dvakrát do roka ve velkém pařížském anonymním hotelu), a nemohla odtrhnout zrak: neviděla milence, neviděla souložící těla, viděla jen stáří, které ji začalo hlodat. Vzrušení rychle odešlo z místnosti a ona zavřela oči a zrychlila pohyby lásky, jako by tak chtěla znemožnit partnerovi, aby četl její myšlenky: rozhodla se v té chvíli, že je to naposledy, co se s ním sešla. Cítila se slabá a zatoužila po manželské posteli, u které zůstává lampička zhasnuta; zatoužila po manželské posteli jako po útěše, jako po tichém přístavu tmy.

PŘIPOČÍTÁVÁNÍ A ODČÍTÁVÁNÍ

V našem světě, kde je den ze dne více tváří, které jsou si čím dál podobnější, to má člověk těžké, když se chce utvrdit v originálnosti svého já a přesvědčit sám sebe o jeho neopakovatelné jedinečnosti. Jsou dvě metody, jak pěstovat jedinečnost já: metoda *připočítávání* a metoda *odčítávání*. Agnes odčítává od svého já všechno, co je vnější a vypůjčené, aby se tak přiblížila své čiré podstatě (i s tím rizikem, že na konci odčítání číhá nula). Metoda Laury je právě opačná: aby se její já stalo viditelnější, zachytitelnější, uchopitelnější, objemnější, přidává k němu další a další atributy a snaží se s nimi ztotožnit (s tím rizikem, že pod připočítanými atributy se podstata já ztratí).

Uveďme jako příklad její kočku. Když se Laura rozvedla, zůstala sama ve velkém bytě a bylo jí smutno. Toužila, aby s ní sdílelo její samotu alespoň nějaké zvířátko. Myslila nejdřív na psa, ale brzo pochopila, že pes si vyžaduje péči, kterou by mu nemohla dát. A tak si pořídila kočku. Byla to velká siamská kočka, krásná a zlá. Tak jak s ní žila a vyprávěla o ní přátelům, nabývalo pro ni zvíře, které si vybrala spíš náhodou, bez velkého přesvědčení (chtěla přece nejdřív psa!), čím dál většího významu: začala kočku vychvalovat a nutit všechny, aby ji obdivovali. Viděla v ní krásnou soběstačnost, nezávislost, hrdost, svobodu v chování a nepřetržitost půvabu (odlišného od lidského půvabu, který je vždycky přerušován chvílemi nešikovnosti a nepěknosti); viděla v ní svůj vzor; viděla se v ní.

Není vůbec důležité, zda svou povahou je Laura podobna kočce či ne, důležité je, že ji vkreslila do svého erbu a že se kočka (láska ke kočce, apologetika kočky) stala jedním z atributů jejího já. Protože mnozí její milenci byli od počátku podrážděni tímto egocentrickým a zlým zvířetem, které z ničeho nic prskalo a sekalo drápem, stala se kočka zkušebním kamenem Lauřiny síly; jako by chtěla každému říci: budeš mne mít, ale takovou, jaká opravdu jsem, to jest i s mou kočkou. Kočka se stala obrazem její duše a milenec musil přijmout nejdřív její duši, chtěl-li mít její tělo.

Metoda připočítávání je docela roztomilá, připočítává-li člověk ke svému já kočku, psa, vepřovou pečeni, lásku k moři nebo ke studené sprše. Věci se stanou méně idylické, rozhodne-li se připočítávat k já lásku ke komunismu, k vlasti, k Mussolinimu, ke katolické církvi či k ateismu, k fašismu či k antifašismu. Metoda zůstává v obou případech úplně stejná: kdo hájí tvrdošíjně přednost kočky nad ostatními zvířaty, dělá v podstatě totéž co ten, kdo tvrdí, že Mussolini je jediný spasitel Itálie: chlubí se atributem svého já a snaží se, aby ten atribut (kočku či Mussoliniho) všichni kolem něho vyznávali a milovali.

Zde je ten podivný paradox, jehož obětí jsou všichni, kdo pěstují já metodou připočítávání: snaží se připočítávat, aby vytvořili jedinečné a nenapodobitelné já, ale stávajíce se okamžitě propagátory připočítaných atributů, dělají vše, aby se jim co nejvíc lidí podobalo; tím se stane, že jejich jedinečnost (tak pracně získaná) se začne zase rychle ztrácet.

Můžeme se proto ptát, proč člověk, který miluje kočku (nebo Mussoliniho), se nespokojí svou láskou a chce ji ještě vnucovat jiným. Pokusme se o odpověď vzpomínkou na mladou ženu ze sauny, která tvrdila bojovně, že miluje studenou sprchu. Tím se jí podařilo okamžitě odlišit se od jedné půle lidského rodu, té, která dává přednost teplé sprše. Smůla byla v tom, že ta druhá půle lidstva se jí o to více podobala. Ach, jak je to smutné! Lidí je mnoho, myšlenek je málo a jak se máme jeden od druhého odlišit? Mladá žena znala jen jeden způsob, jak překonat nevýhodu své podobnosti s těmi nesmírnými davy vyznávajícími studenou sprchu: musila svou větu „zbožňuju studenou sprchu!“ pronést už ve dveřích sauny a to s takovou energií, aby miliony ostatních žen, které mají ze studené sprchy stejné potěšení jako ona, vypadaly okamžitě jako její ubohé imitátorky. Jinak řečeno: chceme-li, aby se nevinně bezvýznamná láska ke sprše stala atributem našeho já, musíme dát světu vědět, že jsme s to za tu lásku bojovat.

Ten, kdo učinil atributem svého já lásku k Mussolinimu, stane se politickým bojovníkem; ten, kdo vyznává kočku, hudbu nebo starožitný nábytek, rozdává svému okolí dary.

Představte si, že máte přítele, který miluje Schumanna a nenávidí Schuberta, zatímco vy milujete k zešílení Schuberta a Schumann vás nudí k smrti. Jakou desku dáte příteli k narozeninám? Schumanna, kterého miluje on, nebo Schuberta, kterého zbožňujete vy? Samozřejmě že Schuberta. Kdybyste mu dali Schumanna, měli byste nepříjemný pocit, že takový dar by nebyl upřímný a podobal by se spíš úplatku, kterým se chcete příteli vypočítavě vlichotit. Když dáváte dar, chcete ho přece dát z lásky, chcete dát příteli kus sebe sama, kus svého srdce! A tak mu věnujete Schubertovu *Nedokončenou*, na kterou on po vašem odchodu plivne a pak, obléknuv si rukavici, vezme ji mezi dva prsty a odnese před dům do popelnice.

Laura během několika let obdarovala sestru a jejího muže souborem talířů a mis, čajovým servisem, košem na ovoce, lampou, houpací židlí, asi pěti popelníky, ubrusem, ale zejména klavírem, který jednoho dne jako překvapení přinesli dva silní muži a ptali se, kam ho mají postavit. Laura zářila: „Chtěla jsem vám něco dát, abyste na mě musili myslit, i když tu s vámi nejsem."

Po rozvodu trávila Laura u své sestry každou volnou chvíli. Věnovala se Brigitě jako své vlastní dceři, a když koupila sestře klavír, bylo to hlavně proto, že na něj chtěla učit hrát neteř. Brigita však klavír nenáviděla. Agnes se obávala, aby se Laura necítila zraněna, a proto prosila dceru, ať se ovládne a snaží se nalézt zalíbení v těch černých a bílých klávesách. Brigita se bránila: „To se mám učit na klavír jen pro její radost?" A tak celý příběh špatně skončil a po několika měsících byl z klavíru jen pouhý předmět na parádu či spíš na překážení; jen jakási smutná připomínka, že se něco nepodařilo; jen jakési velké bílé tělo (ano, klavír byl bílý!), které nikdo nechtěl.

Po pravdě řečeno, Agnes neměla ráda ani čajový servis ani houpací židli ani klavír. Ne že by ty věci byly nevkusné, ale měly všechny cosi excentrického, co neodpovídalo Agnesině povaze ani jejím zálibám. Přivítala proto nejen s upřímnou radostí, ale navíc i se sobeckou úlevou, když jí jednoho dne (to už stál klavír šest let netknutý v jejich bytě) Laura oznámila, že Bernard, mladý Paulův přítel, se stal její láskou. Tušila, že ten, kdo je šťastně zamilovaný, bude mít na práci lepší věci než nosit sestře dary a vychovávat neteř.

„To je velkolepá zpráva," řekl Paul, když se mu Laura svěřila se svou láskou, a pozval obě sestry na večeři. Měl obrovskou radost, že dva lidé, které on sám má rád, se milují, a poručil k jídlu dvě láhve obzvláště drahého vína.

„Dostaneš se do styku s jednou z nejvýznamnějších rodin Francie," říkal Lauře. „Víš vůbec, kdo je otec Bernarda?"

Laura řekla: „Samozřejmě! Poslanec!" a Paul: „Nic o něm nevíš. Poslanec Bertrand Bertrand je synem poslance Arthura Bertranda. Ten byl velice pyšný na své jméno a chtěl, aby se s jeho synem stalo ještě slavnější. Velice přemýšlel, jaké mu dát křestní jméno, a přišel na geniální nápad pokřtít ho Bertrand. Takto zdvojené jméno nebude moci nikdo přehlédnout ani zapomenout! Stačí vyslovit Bertrand Bertrand a bude to znít jako ovace, jako volání slávy: Bertrand! Betrand! Bertrand! Bertrand! Bertrand! Bertrand!"

Při těchto slovech pozvedl Paul sklenku, jako by skandoval jméno milovaného vůdce, a připíjel mu na zdraví. Pak se skutečně napil: „To je znamenité víno," řekl a pokračoval: „Každý z nás je tajemně ovlivněn svým jménem a Bertrand Bertrand, který ho slyšel skandovat několikrát denně, žil celý život jakoby přimáčknut imaginární slávou těch čtyř libozvučných slabik. Když propadl při maturitě, nesl to ve srovnání s jinými spolužáky mnohem hůř. Jako by zdvojené jméno zdvojovalo automaticky i jeho pocit odpovědnosti. Ve své příslovečné skromnosti byl by s to snést hanbu, která padla na něj; ale nemohl se smířit s hanbou, které se dostalo jeho jménu. Přísahal svému jménu už ve dvaceti letech, že zasvětí celý život boji pro dobro. Záhy však zjistil, že není snadné rozeznat, co je dobré a co je zlé. Jeho otec hlasoval například s většinou parlamentu pro mnichovskou dohodu. Chtěl zachránit mír, protože mír je nepopiratelně dobro. Ale pak mu vyčítali, že mnichovská dohoda otevřela cestu válce, která byla nepopiratelně zlo. Syn se chtěl vyvarovat omylů otce, a držel se proto jen těch nejzákladnějších jistot. Nikdy se nevyjadřoval o Palestincích, Izraeli, Říjnové revoluci, Castrovi, a dokonce ani ne o teroristech, protože věděl, že existuje hranice, za níž vražda už není vraždou, ale hrdinstvím, a že on tu hranici nikdy nebude s to rozeznat. Mluvil o to vášnivěji proti nacismu a plynovým komorám a v jistém smyslu litoval, že Hitler zmizel pod sutinami Kancléřství, protože dobro a zlo se stalo od té doby nesnesitelně relativní. To ho přivedlo k tomu, aby se soustředil na dobro v jeho nejbezprostřednější, politikou nezkreslené podobě. Jeho heslem bylo: ‚dobro je život'. A tak se smyslem jeho života stal boj proti potratům, proti euthanasii a proti sebevraždám."

Laura protestovala ve smíchu: „Ty z něho děláš hlupáka!"

„Vidíš," řekl Paul Agnes. „Laura se už zastává rodiny svého milence. To je velice chvályhodné, stejně jako toto víno, za jehož volbu byste mi měly tleskat! Nedávno v pořadu proti euthanasii nechal se Bertrand Bertrand filmovat u lůžka nemocného, který se nemohl hýbat, měl vyříznutý jazyk, byl slepý a trpěl ustavičnými bolestmi. Seděl skloněn nad ním a kamera ho ukazovala, jak nemocnému dodává naději do dalšího života. Ve chvíli, kdy pronesl potřetí slovo naděje, nemocný se najednou rozčilil a začal vydávat jakýsi strašný zvuk podobný hlasu zvířete, býka, koně, slona nebo všech dohromady; Bertrand Bertrand dostal strach: nemohl dál mluvit, jen se snažil s největší námahou udržet na tváři úsměv a kamera dlouho filmovala ten strnulý úsměv strachem se třesoucího poslance a vedle něho, ve stejném záběru, tvář nemocného, který řve. Ale o tom jsem mluvit nechtěl. Chtěl jsem jen říci, že se svým synem to zkazil, když mu vybíral jméno. Nejdřív chtěl, aby se jmenoval jako on, ale pak uznal, že by bylo groteskní, aby byli na světě dva Bertrandové Bertrandové, protože lidé by nevěděli, jestli jsou to dvě nebo čtyři osoby. Nechtěl se však vzdát štěstí slyšet v křestním jménu syna ozvěnu vlastního jména, a tak přišel na nápad pokřtít syna Bernard. Jenomže Bernard Bertrand nezní jako ovace a volání slávy, nýbrž jako přeřeknutí, anebo ještě spíše jako fonetické cvičení pro herce nebo hlasatele rozhlasu, aby uměli mluvit rychle a nepřeříkávali se. Jak jsem řekl, naše jména nás tajemně ovlivňují a Bernardovo jméno ho už od kolébky předurčovalo k tomu, aby jednou mluvil na vlnách éteru."

Paul plácal všechny ty nesmysly jen proto, že to hlavní, co měl na mysli, si netroufal vyslovit nahlas: osm let, o něž byla Laura starší než Bernard, ho uvádělo v nadšení! Paul měl totiž nádhernou vzpomínku na ženu o patnáct let starší než on, s kterou se intimně znal, když měl sám kolem pětadvaceti let. Chtěl o tom mluvit, chtěl Lauře vysvětlit, že láska ke starší ženě patří do života každého muže a že právě na ni si ponecháváme tu nejkrásnější vzpomínku. „Starší žena je drahokam v životě muže," chtělo se mu zvolat a zvednout opět sklenku. Ale zdržel se toho unáhleného gesta a vzpomínal jen tiše na dávnou milenku, která mu svěřovala klíč od svého bytu, kam si mohl chodit, kdy chtěl, a dělat, co chtěl, což mu přišlo velice vhod, protože se hněval na svého otce a toužil být co nejméně doma. Nikdy si nedělala nároky na jeho večery; když byl volný, byl u ní, a když neměl čas, nemusel jí nic vysvětlovat. Nikdy ho nenutila, aby s ní někam chodil, a pokud ho s ní někdo viděl ve společnosti, tvářila se jako zamilovaná příbuzná, která je ochotna udělat vše pro svého krásného synovce. Když se oženil, poslala mu drahocenný svatební dar, který zůstal pro Agnes navždycky záhadou.

Ale nebylo dost dobře možno říci Lauře: já jsem šťasten, že můj přítel miluje starší zkušenou ženu, která se k němu bude chovat jako zamilovaná teta ke krásnému synovci. Nemohl to říci tím spíš, že se Laura rozhovořila sama:

„To nejkrásnější je, že se vedle něho cítím o deset let mladší. Díky jemu jsem škrtla deset či patnáct špatných let a je mi, jako bych právě včera přišla ze Švýcarska do Paříže a potkala ho."

Toto přiznání znemožnilo Paulovi vzpomínat nahlas na drahokam svého života, a tak vzpomínal jen potichu, chutnal víno a nevnímal už, co Laura povídá. Až později, aby se zase vmísil do rozhovoru, řekl: „Co ti vypráví Bernard o svém otci?"

„Nic," řekla Laura. „Mohu tě ujistit, že jeho otec není tématem našich konverzací. Vím, že je to významná rodina. Ale ty víš, co si myslím o významných rodinách."

„A to nejsi ani zvědavá?“

„Ne,“ smála se vesele Laura.

„Měla bys být. Bertrand Bertrand je největším problémem Bernarda Bertranda.“

„Ani se mi nezdá,“ řekla Laura, která byla přesvědčena, že největším Bernardovým problémem se stala ona.

„Ty víš, že starý Bertrand chystal pro Bernarda politickou dráhu?“ zeptal se Laury Paul.

„Ne,“ řekla Laura a pokrčila rameny.

„V té rodině se politická dráha dědí jako statek. Bertrand Bertrand počítal s tím, že jeho syn bude jednoho dne kandidovat za poslance místo něho. Ale Bernardovi bylo dvacet let, když uslyšel v rozhlasových zprávách tuto větu: ‚V katastrofě letadla nad Atlantickým oceánem zahynulo sto třicet devět pasažérů, z toho sedm dětí a čtyři žurnalisté.‘ Na to, že jsou děti v podobných zprávách jmenovány jako zvláštní mimořádně cenný druh lidstva, jsme si už dávno zvykli. Ale tentokrát k nim hlasatelka přiřadila ještě žurnalisty, a ozářila tak Bernarda náhle světlem poznání. Pochopil, že politik je směšná figurka dnešní doby, a rozhodl se stát žurnalistou. Náhoda tomu chtěla, že jsem měl tehdy na právnické fakultě seminář a on ho navštěvoval. Tam se zrada politické kariéry i zrada otce dokonala. O tom ti snad Bernard vyprávěl!“

„Ano,“ řekla Laura. „Zbožňuje tě!“

V té chvíli vešel černoch s košem květin. Laura na něho zamávala. Černoch ukázal nádherné bílé zuby a Laura vzala z jeho koše svazek pěti polouvadlých karafiátů; podávala ho Paulovi: „Za všechno štěstí jsem vděčna tobě.“

Paul sáhl do koše a vytáhl jiný svazek karafiátů: „Ten, koho dnes oslavujeme, jsi ty, ne já!“ a podával květiny Lauře.

„Ano, dnes oslavujeme Lauru,“ řekla Agnes a vzala z košíku třetí svazek karafiátů.

Laura měla zavlhlé oči a říkala: „Mně je tak dobře, mně je s vámi tak dobře,“ a potom se zvedla. Tiskla k prsům obě kytice stojíc vedle černocha, který se tyčil jako král. Všichni černoši se podobají králům: tento vypadal jako Othelo v době, kdy ještě nežárlil na Desdemonu, a Laura se tvářila jako Desdemona zamilovaná do svého krále. Paul věděl, co se teď musí stát. Když byla Laura opilá, vždycky začala zpívat. Touha po zpěvu se zvedala odkudsi z hlubin jejího těla výš k hrdlu s takovou intenzitou, že několik stolujících pánů k ní otočilo zvědavě oči.

„Lauro," zašeptal Paul, „v téhle restauraci by tvého Mahlera neocenili!"

Laura si tiskla každou rukou ke každému prsu jednu kytici a zdálo se jí, že stojí na scéně. Cítila pod prsty svá prsa, jejichž mléčné žlázy se jí zdály být nality notami. Ale Paulovo přání bylo pro ni vždycky rozkazem. Uposlechla ho a jen vzdychla: „Já bych tak hrozně chtěla něco udělat..."

V té chvíli černoch veden jemným instinktem králů vzal ze dna košíku poslední dvě kytice pomačkaných karafiátů a vznešeným gestem jí je podal. Laura řekla Agnes: „Agnes, moje Agnes, bez tebe bych nikdy nebyla v Paříži, bez tebe bych nepoznala Paula, bez Paula bych nepoznala Bernarda," a položila před ni na stůl všechny čtyři kytice.

JEDENÁCTÉ PŘIKÁZÁNÍ

Kdysi se sláva žurnalisty dala symbolizovat velikým jménem Ernesta Hemingwaye. Celé jeho dílo, jeho stručný, věcný styl, mělo kořeny v reportážích, které posílal jako mladík do novin v Kansas City. Být žurnalistou znamenalo tehdy přiblížit se víc než kdokoli jiný skutečnosti, prolézat všechny její skryté kouty, špinit si s ní ruce. Hemingway byl pyšný, že jeho knihy jsou tak nízko u země samé i tak vysoko na nebi umění.

Když si Bernard říká v duchu slovo „žurnalista" (a tím slovem se dnes ve Francii označují i redaktoři rozhlasu a televize, a dokonce i fotografové tisku), nepředstavuje si však Hemingwaye a literární forma, v které touží vyniknout, není reportáž. Sní spíš o tom uveřejňovat ve vlivném týdeníku úvodníky, před kterými by se třásli všichni kolegové jeho otce. Anebo interview. Kdo je ostatně pionýr moderního žurnalismu? Žádný Hemingway, který psal o svých zážitcích v zákopech na frontě, žádný Orwell, který strávil rok života s pařížskou chudinou, žádný Egon Erwin Kisch, znalec pražských prostitutek, ale Oriana Falacci, která mezi léty 1969 a 1972 publikovala v italském týdeníku *Europeo* cyklus rozhovorů s nejslavnějšími politiky doby. Ty rozhovory byly víc než pouhé rozhovory; byly to souboje. Mocní politikové, dříve než pochopili, že se bijí za nerovných podmínek — protože otázky směla klást jen ona a ne oni — už se svíjeli na podlaze ringu K. O.

Ty souboje byly znamením času: situace se změnila. Žurnalista pochopil, že kladení otázek není pouhá pracovní metoda reportéra, který provádí svá šetření skromně se zápisníkem a tužkou v ruce, ale že je to způsob, jak vykonávat moc. Žurnalista není ten, kdo se ptá, ale kdo má svaté právo se ptát, ptát se kohokoli na cokoli. Ale což nemáme to právo každý? A což není otázka most pochopení hozený od člověka k člověku? Snad. Upřesním proto své tvrzení: moc žurnalisty není založena na jeho právu ptát se, ale na právu *vyžadovat odpověď*.

Všimněte si, prosím, dobře, že Mojžíš nezařadil mezi deset božích přikázání „Nezalžeš!" To není náhoda! Protože ten, kdo říká „nelži!", musil předtím říct „odpověz!" a Bůh nedal nikomu právo, aby po druhém vyžadoval odpověď. „Nelži!", „odpověz pravdu!", jsou slova, která by člověk neměl druhému člověku říci, pokud ho považuje za sobě rovného. Snad jen Bůh by měl právo mu je říci, ale ten k tomu nemá žádný důvod, když všechno ví a naši odpověď nepotřebuje.

Mezi tím, kdo poroučí, a tím, kdo musí poslouchat, není tak radikální nerovnost jako mezi tím, kdo má právo vyžadovat odpověď, a tím, kdo má povinnost odpovídat. Proto právo vyžadovat odpověď bylo odedávna přiznáváno jen výjimečně. Například soudci vyšetřujícímu zločin. V našem století si to právo přivlastnily fašistické a komunistické státy, a to ne ve výjimečných situacích, ale napořád. Občané v těch zemích věděli, že kdykoli může přijít okamžik, kdy budou vyzváni, aby odpovídali: co dělali včera; co si myslí v skrytu duše; o čem mluví, když se setkají s A; a jestli mají intimní poměr s B. Právě ten sakralizovaný imperativ „odpověz pravdu!", to jedenácté přikázání, jehož síle neuměli odolat, udělalo z nich zástupy zinfantilizovaných ubožáků. Někdy se ovšem našel nějaký C, který nechtěl za nic na světě říci, o čem mluvil s A, a aby se vzbouřil (byla to často jeho jediná možná vzpoura), řekl místo pravdy lež. Ale policie to věděla a nechala tajně namontovat do jeho bytu odposlouchávací zařízení. Nedělala to z žádných odsouzeníhodných důvodů, nýbrž proto, aby se dověděla pravdu, kterou lhář C skrýval. Trvala pouze na svém svatém právu dožadovat se odpovědi.

V demokratických zemích by každý vyplázl jazyk na policajta, který by se ho opovážil ptát, o čem mluvil s A a zda má intimní styky s B. Nicméně i zde existuje vláda jedenáctého přikázání ve vší své síle. Nějaké přikázání musí přece nad lidmi vládnout v našem století, kdy Boží desatero je už málem zapomenuto! Celá morální stavba naší doby spočívá na jedenáctém přikázání a žurnalista pochopil, že dík tajnému usnesení dějin se má stát jeho správcem, čímž získá moc, o níž se dosud žádnému Hemingwayovi nebo Orwellovi nesnilo.

Ukázalo se to poprvé nad slunce jasněji, když američtí novináři Carl Bernstein a Bob Woodward odhalili svými otázkami nečisté jednání prezidenta Nixona během voleb, a donutili tak nejmocnějšího muže planety, aby nejdřív veřejně lhal, pak se veřejně přiznal, že lže, a nakonec odešel se sklopenou hlavou z Bílého domu. Všichni jsme tehdy tleskali, protože bylo učiněno zadost spravedlnosti. Paul tleskal navíc proto, že v té epizodě tušil velkou historickou změnu, mezník, nezapomenutelnou chvíli, kdy dochází k výměně stráží; objevila se nová moc, jediná, která je s to shodit z trůnu starého profesionála moci, jímž byl až dosud politik. Shodit ho z trůnu nikoli zbraněmi nebo intrikami, ale pouhou silou tázání.

„Odpověz pravdu," říká žurnalista a my se ovšem můžeme ptát, jaký je obsah slova pravda pro toho, kdo spravuje instituci jedenáctého přikázání. Aby nedošlo k omylům, zdůrazněme, že nejde o pravdu boží, pro kterou zemřel na hranici Jan Hus, ani o pravdu vědy a svobodného myšlení, pro kterou upálili Giordana Bruna. Pravda, která odpovídá jedenáctému přikázání, se netýká ani víry ani myšlení, je to pravda toho nejnižšího ontologického poschodí, ryze pozitivistická pravda faktů: co dělal C včera; co si opravdu myslí v hloubi své duše; o čem mluví, když se setká s A; a zda má intimní styky s B. Nicméně, i když je v nejnižším ontologickém poschodí, je to pravda naší doby a má v sobě stejnou výbušnou sílu jako kdysi pravda Husova nebo Giordana Bruna. „Měl jste intimní styky s B?" ptá se žurnalista. C lže a tvrdí, že B nezná. Ale žurnalista se tiše směje, protože fotograf jeho novin už dávno tajně vyfotografoval nahou B v náručí s C a záleží jen na něm, kdy bude skandál zveřejněn i s výroky lháře C, který zbaběle a drze tvrdí, že B nezná.

Je volební kampaň, politik skáče z letadla do helikoptéry, z helikoptéry do auta, snaží se, potí se, hltá v běhu oběd, křičí do mikrofonu, pronáší dvouhodinové projevy, ale bude nakonec záležet na Bernsteinovi či Woodwardovi, která z padesáti tisíc vět, jež pronesl, bude propuštěna na stránky novin nebo citována v rozhlase. Proto bude politik chtít v rozhlase nebo v televizi vystoupit přímo, jenomže to se nedá uskutečnit jinak než prostřednictvím Oriany Fallacci, která je pánem pořadu a bude mu klást otázky. Politik bude chtít využít chvíle, kdy ho konečně uvidí celý národ, a honem říci všechno, co má na srdci, ale Woodward se ho bude ptát jen na to, co politik na srdci vůbec nemá a o čem mluvit nechce. Octne se tak v klasické situaci gymnazisty zkoušeného u tabule a zkusí použít starého triku: bude se tvářit, že odpovídá na otázku, ale ve skutečnosti bude mluvit o tom, co si pro vysílání připravil doma. Jenomže jestli tento trik platil kdysi na profesora, neplatí na Bernsteina, který ho nelítostně napomíná: „Na mou otázku jste neodpověděl!"

Komu by se dnes chtělo dělat kariéru politika? Kdo by se chtěl nechat celý život zkoušet u tabule? Určitě ne syn poslance Bertranda Bertranda.

IMAGOLOGIE

Politik závisí na žurnalistovi. Ale na kom závisejí žurnalisté? Na těch, kdo je platí. A ti, co platí, jsou reklamní agentury, které si kupují od novin místo, od televize čas pro své reklamy. Na první pohled by se řeklo, že se budou bez váhání obracet na všechny noviny, které jdou dobře na odbyt, takže mohou zvýšit prodej nabízeného výrobku. Ale to je naivní pohled na věc. O prodej výrobku jde méně, než si myslíme. Stačí se podívat do komunistických zemí: nelze přece tvrdit, že miliony Leninových obrazů vyvěšených všude, kudy chodíte, by mohly zvýšit lásku k Leninovi. Reklamní agentury komunistické strany (tak zvaná agitační a propagační oddělení) už dávno zapomněly na praktický cíl své činnosti (učinit komunistický systém milovaným) a staly se samy pro sebe svým cílem: vytvořily svůj jazyk, své formule, svou estetiku (vedoucí těchto agentur měli kdysi absolutní moc nad uměním svých zemí), svou představu o životním stylu, který pěstují, šíří a vnucují ubohým národům.

Namítnete, že reklama a propaganda jsou nesrovnatelné, protože jedna slouží obchodu a druhá ideologii? Ničemu nerozumíte. Asi před sto lety v Rusku se pronásledovaní marxisté začali tajně scházet v malých kroužcích, v nichž studovali Marxův manifest; zjednodušili obsah té jednoduché ideologie, aby ji šířili do dalších kroužků, jejichž členové zjednodušujíce ještě víc to zjednodušení jednoduchého ji předávali a šířili dál, takže když se stal marxismus známý a mocný na celé planetě, zbyla z něho jen sbírka šesti či sedmi hesel, navzájem tak chatrně spojených, že je těžko ji nazývat ideologií. A právě proto, že to, co zbylo z Marxe, netvoří už dávno žádný *logický* systém *idei*, ale jen sled sugestivních obrazů a hesel (usmívající se dělník s kladivem, černoch, běloch a žlutý muž držící se bratrsky za ruce, holubice míru vzlétající k nebi a tak dál a tak dál), můžeme právem mluvit o postupné, obecné a planetární proměně ideologie v imagologii.

Imagologie! Kdo vymyslil ten znamenitý neologismus dříve? Já, nebo Paul? Na tom konec konců nezáleží. Důležité je, že to slovo nám konečně umožní spojit pod jednou střechou to, co má tolik jmen: reklamní kanceláře; poradce státníků pro tak zvanou komunikaci; designéry, kteří navrhují tvar aut i cvičebního nářadí; tvůrce oděvní módy; holiče; hvězdy show businessu diktující normu fyzické krásy, jíž se řídí všechna odvětví imagologie.

Imagologové existovali ovšem ještě dříve, než si vytvořili své mocné instituce, jak je dnes známe. I Hitler měl svého osobního imagologa, který postaviv se před něho předváděl mu trpělivě gesta, která má dělat při projevu, aby fascinoval dav. Jenomže kdyby ten imagolog dal tehdy novinářům interview, v němž by bavil Němce tím, jak Hitler neuměl hýbat rukama, nepřežil by svou indiskreci o více než půl dne. Dnes však imagolog svou činnost nejen neskrývá, ale dokonce mluví často sám za své státníky, vysvětluje publiku, čemu je naučil i odnaučil, jak se budou podle jeho instrukcí chovat, jakých formulí budou používat a jakou kravatu nosit. A nedivme se jeho sebevědomí: imagologie dobyla v posledních desetiletích historického vítězství nad ideologií.

Všechny ideologie prohrály: jejich dogmata byla nakonec demaskována jako iluze a lidé je přestali brát vážně. Komunisté například věřili, že proletariát se během kapitalistického vývoje bude čím dál víc ochuzovat, a když se jednoho dne ukázalo, že dělníci jezdí v celé Evropě do práce v autech, měli chuť křičet, že skutečnost švindluje. Skutečnost byla silnější než ideologie. A právě v tom směru ji imagologie překonala: imagologie je silnější než skutečnost, jež ostatně už dávno není pro člověka tím, čím byla pro moji babičku, která žila na moravské vesnici a znala ještě všechno z vlastní zkušenosti: jak se peče chleba, staví dům, jak se zabíjí vepř a dělá se z něho uzené, co se dává do peřin, co si myslí o světě pan farář a pan učitel, každý den se setkala s celou vesnicí a věděla, kolik bylo spácháno v okolí za posledních deset let vražd; měla, tak říkajíc, osobní kontrolu nad skutečností, takže jí nemohl nikdo namluvit, že moravské zemědělství rozkvétá, když doma nebylo co jíst. Můj soused v Paříži tráví svůj čas v kanceláři, kde sedí osm hodin naproti jinému úředníkovi, pak sedne do auta, vrátí se domů, otevře televizi, a když ho hlasatel informuje o sondáži veřejného mínění, podle něhož většina Francouzů rozhodla, že je v jejich vlasti největší bezpečnost v Evropě (nedávno jsem takovou sondáž četl), otevře samou radostí láhev šampaňského a nikdy se nedoví, že právě toho dne byly spáchány v jeho ulici tři loupeže a dvě vraždy.

Sondáže veřejného mínění jsou rozhodujícím nástrojem imagologické moci, která díky jim žije v naprosté harmonii s lidem. Imagolog bombarduje lidi otázkami: jak prosperuje francouzská ekonomika? bude válka? existuje ve Francii rasismus? je rasismus dobrá, nebo špatná věc? kdo je největší spisovatel všech dob? je Maďarsko v Evropě nebo v Polynésii? který ze státníků světa je nejvíc sexy? A protože skutečnost je pro dnešního člověka pevninou čím dál méně navštěvovanou a ostatně právem nemilovanou, staly se výroky sondáží jakousi vyšší skutečností anebo řekněme to jinak: staly se pravdou. Sondáže veřejného mínění jsou permanentně zasedající parlament, který má za úkol vytvářet pravdu a to tu nejdemokratičtější pravdu, jaká kdy existovala. Protože se nikdy neocitne v rozporu s parlamentem pravdy, bude moc imagologů žít vždycky v pravdě, a i když vím, že všechno, co je lidské, je pomíjivé, neumím si představit, co by mohlo zlomit tuto moc.

K srovnání ideologie a imagologie chci dodat ještě toto: Ideologie byly jako obrovská kola v zákulisí, která se točila a uváděla do pohybu války, revoluce, reformy. Imagologická kola se otáčejí a na historii to nemá vliv. Ideologie válčily jedna s druhou a každá z nich byla s to naplnit svým myšlením celou epochu. Imagologie organizuje sama mírumilovné střídání svých systémů ve svižném rytmu sezón. Řečeno Paulovými slovy: Ideologie patřily historii, kdežto vláda imagologie začíná tam, kde historie končí.

Slovo *změna*, tak drahé naší Evropě, dostalo nový smysl: neznamená *nové stadium souvislého vývoje* (jak to chápali Vico, Hegel nebo Marx), nýbrž *přemisťování z místa na místo*, z jedné strany na druhou, dozadu, doleva, dopředu (tak jak to chápou krejčí vymýšlející nový střih pro novou sezónu). Jestliže se imagologové rozhodli, že v tělocvičném klubu, kam chodí Agnes, budou všechny stěny přikryty obrovským zrcadlem, není to proto, že cvičící se potřebuje během cvičení pozorovat, ale proto, že se na imagologické ruletě zrcadlo stalo toho času šťastným číslem. Jestliže v době, kdy píšu tyto stránky, se všichni rozhodli, že Martin Heidegger má být považován za zmatence a prašivou ovci, není to proto, že jeho myšlení bylo překonáno jinými filozofy, ale že na imagologické ruletě se stal pro tuto chvíli nešťastným číslem, antiideálem. Imagologové vytvářejí systémy ideálů a antiideálů, systémy, které mají krátké trvání a z nichž každý je rychle vystřídán jiným systémem, ale které ovlivňují naše chování, naše politické názory a estetický vkus, barvu koberců i výběr knih stejně mocně, jako nás kdysi dokázaly ovládat systémy ideologů.

Po těchto poznámkách se mohu vrátit k začátku úvahy. Politik závisí na žurnalistovi. Na kom závisejí žurnalisté? Na imagolozích. Imagolog je člověk přesvědčení a zásad: žádá od žurnalisty, aby jeho noviny (televizní kanál, rozhlasová stanice) odpovídaly imagologickému systému dané chvíle. A to je to, co imagologové kontrolují čas od času, když se rozhodují, budou-li podporovat ty či ony noviny. Jednoho dne se takto sklonili i nad rozhlasovou stanicí, kde je Bernard redaktorem, a Paul má každou sobotu krátký komentář nazvaný „právo a zákon". Slíbili, že obstarají stanici mnoho reklamních smluv a navíc pro ni zorganizují kampaň s plakáty vyvěšenými po celé Francii; kladli si však podmínky, jimž se ředitel programu přezdívaný Medvěd nemohl než podrobit: postupně začal zkracovat jednotlivé komentáře, aby se posluchač nenudil dlouhými úvahami; nechal přerušovat pětiminutové monology redaktorů otázkami jiného redaktora, aby vznikl dojem rozhovoru; zařadil mnohem více hudebních vložek, nechal často znít hudbu i pod slovem a doporučil všem, co mluvili do mikrofonu, aby vtiskli svým projevům uvolněnou lehkost a mladistvou bezstarostnost, jejíž zásluhou se zkrášlily mé ranní sny, v nichž se povětrnostní zprávy měnily v komickou operu. Protože mu záleželo na tom, aby v něm podřízení nepřestávali vidět mocného medvěda, snažil se ze všech sil uchovat na svých místech všechny spolupracovníky. Jen v jednom bodu ustoupil. Pravidelný pořad „právo a zákon" považovali imagologové za tak očividně nudný, že o něm odmítali diskutovat, a jen se smáli svými přespříliš bílými zuby. Medvěd slíbil, že komentář v dohledné době zruší, a pak se styděl, že ustoupil. Styděl se o to víc, že Paul byl jeho přítel.

DUCHAPLNÝ SPOJENEC SVÝCH HROBNÍKŮ

Ředitel programu byl nazýván Medvěd a nebylo možno ho nazývat jinak: byl rozložitý, pomalý, a i když to byl dobrák, všichni věděli, že umí svou těžkou prackou dát ránu, když se rozzlobí. Imagologům, kteří měli drzost ho poučovat, jak má dělat svou práci, se podařilo vyčerpat skoro všechnu jeho medvědí dobrotu. Seděl teď v kantýně rozhlasu obklopen několika spolupracovníky a říkal: „Ti podvodníci z reklamy jsou jak Marťani. Nechovají se jako normální lidé. Když vám říkají do očí ty nejnepříjemnější věci, mají šťastně rozzářenou tvář. Používají ne víc než šedesáti slov a vyjadřují se ve větách, které nesmějí obsahovat nikdy víc než čtyři slova. Jejich řeč je spojení tří technických termínů, kterým nerozumím, s jednou nebo maximálně dvěma závratně primitivními myšlenkami. Vůbec se za sebe nestydí a nemají nejmenší komplex méněcennosti. Jak víte, podle toho se poznají lidé, kteří mají moc."

Přibližně v té chvíli se objevil v kantýně Paul. Když ho uviděli, upadli všichni do rozpaků, které byly o to větší, že Paul byl ve výborné náladě. Donesl si od baru kávu a šel si přisednout k ostatním.

V Paulově přítomnosti se Medvěd necítil dobře. Styděl se za to, že ho nechal padnout, i za to, že nenajde odvahu mu to teď říci do očí. Zaplavila ho nová vlna nenávisti k imagologům a řekl: „Jsem konec konců s to těm kreténům vyhovět a proměnit povětrnostní zprávy v dialog klaunů, horší je, když vzápětí nato mluví Bernard o letecké katastrofě, při níž zahynula stovka pasažérů. I když jsem ochoten položit život za to, aby se Francouz bavil, zprávy nejsou šaškárna."

Všichni se tvářili, že souhlasí, kromě Paula. Smál se smíchem veselého provokatéra a řekl: „Medvěde! Imagologové mají pravdu! Ty si pleteš zprávy se školním vyučováním!"

Medvěd si vzpomněl na to, že Paulovy komentáře jsou sice

někdy docela vtipné, ale vždycky příliš složité a nadto plné neznámých slov, jejichž smysl celá redakce pak tajně hledá ve slovnících. Ale o tom teď mluvit nechtěl a řekl se vší důstojností: „Měl jsem o žurnalismu vždycky vysoké mínění a nechci ho ztratit."

Paul řekl: „Zprávy se poslouchají, jako se vykouří cigareta a zamáčkne v popelníku."

„To je to, co mohu těžko přijmout," řekl Medvěd.

„Ale vždyť ty jsi vášnivý kuřák! Tak proč jsi proti tomu, aby se zprávy podobaly cigaretám?" smál se Paul. „Zatímco cigarety ti škodí, zprávy ti nemohou ublížit a ještě tě příjemně rozptýlí přede dnem, který bude plný únavy."

„Válka mezi Íránem a Irákem je rozptýlení?" zeptal se Medvěd a do jeho soucitu s Paulem se pomalu mísilo podráždění: „To dnešní neštěstí, ten masakr na železnici, to je tak velká zábava?"

„Dopouštíš se běžného omylu, že považuješ smrt za tragédii," řekl Paul, na němž bylo znát, že je od rána ve znamenité formě.

„Musím se přiznat," řekl Medvěd ledovým hlasem, „že jsem smrt považoval opravdu za tragédii."

„A mýlil ses," řekl Paul. „Železniční neštěstí je hrůza pro toho, kdo je ve vlaku anebo tam má syna. Ale ve zprávách znamená smrt přesně totéž co v románech Agathy Christie, která je mimochodem největší kouzelník všech dob, protože uměla proměnit vraždu v zábavu, a to ne jednu vraždu, ale desítky vražd, stovky vražd, běžící pás vražd páchaných pro naši radost v exterminačním táboře jejích románů. Osvětim je zapomenuta, ale z krematoria Agathiných románů stoupá kouř věčně k nebi a jenom velice naivní člověk by mohl tvrdit, že je to kouř tragédie."

Medvěd si vzpomněl, že právě tímto druhem paradoxů ovlivňuje Paul už dlouho celou redakci. Když imagologové na ni upřeli svůj neblahý pohled, poskytla proto svému řediteli jen velmi chatrnou oporu, považujíc v hloubi duše jeho postoj za staromódní. Medvěd se styděl, že nakonec ustoupil, ale zároveň věděl, že mu nic jiného nezbývalo. Takové vynucené kompromisy s duchem doby jsou něco banálního a konec konců nezbytného, nechceme-li vyzvat ke generální stávce všechny, kterým se nelíbí naše století. U Paula se však nedalo mluvit o vynuceném kompromisu. On spěchal propůjčit svému století svůj vtip a rozum dobrovolně a na Medvědův vkus příliš horlivě. Proto mu odpověděl hlasem ještě mrazivějším: „Také já čtu Agathu Christie! Když jsem unaven, když se chci stát na chvíli dítětem. Ale jestliže se veškerý čas života promění v dětskou hru, zahyne jednoho dne svět za našeho veselého žvatlání a smíchu."

Paul řekl: „Dám přednost tomu zahynout za zvuku dětského žvatlání než za zvuku Chopinova smutečního pochodu. A něco ti řeknu: v tom smutečním pochodu, který je glorifikací smrti, je všechno zlo. Kdyby bylo méně smutečních pochodů, bylo by snad i méně smrtí. Rozuměj mi, co chci říct: úcta před tragédií je mnohem nebezpečnější než bezstarostnost dětského žvatlání. Uvědomil sis, co je věčnou podmínkou tragédie? Existence ideálů, které jsou považovány za cennější než lidský život. A co je podmínka válek? Totéž. Ženou tě umřít, protože prý existuje něco většího než tvůj život. Válka může existovat jen ve světě tragédie; člověk od počátku dějin nepoznal než tragický svět a není s to z něho vystoupit. Věk tragédie může být ukončen jen revoltou frivolity. Lidé už dnes neznají Beethovenovu Devátou z koncertů, ale ze čtyř taktů hymny na radost, kterou každý den slyší při reklamě na voňavku ‚Bella'. Nepohoršuje mě to. Tragédie bude vyhnána ze světa jako stará špatná herečka, která se chytá za srdce a deklamuje ochraptělým hlasem. Frivolita je radikální odtučňovací kůra. Věci pozbudou devadesáti procent smyslu a stanou se lehké. V takovém beztížném ovzduší zmizí fanatismus. Válka se stane nemožná."

„Jsem rád, že jsi konečně našel způsob, jak odstranit války," řekl Medvěd.

„Dovedeš si představit francouzskou mládež, jak jde nadšeně bojovat za vlast? Medvěde, válka se už stala v Evropě nemyslitelná. Ne politicky. Antropologicky nemyslitelná. Lidé v Evropě už nejsou s to válčit."

Neříkejte mi, že dva muži, kteří spolu hluboce nesouhlasí, se mohou přesto mít rádi; to jsou povídačky pro děti. Mohli by se snad mít rádi za předpokladu, že budou o svých názorech mlčet anebo o nich mluvit jen žertovným tónem, a snižovat tak jejich význam (tímto způsobem spolu ostatně Paul a Medvěd až dosud mluvili). Jak ale jednou spor propukne, je pozdě. Ne proto, že by tak pevně věřili názorům, které obhajují, ale proto, že nesnesou nemít pravdu. Podívejte se na ty dva. Jejich spor přece na ničem nic nezmění, nepovede k žádnému rozhodnutí, neovlivní nijak chod věcí, je zcela sterilní, zbytečný, určený jen této kantýně a jejímu zkaženému vzduchu, s nímž bude brzy vypuzen ven, až uklizečky otevřou okna. A přece, dívejte se na tu soustředěnost jejich malého publika kolem stolu! Všichni ztichli a poslouchají je, zapomněli i usrkovat kávu. Oběma soupeřům teď nezáleží než na tom, kdo z nich bude uznán tím malým veřejným míněním za držitele pravdy, protože být uznán jako ten, kdo nemá pravdu, znamená pro každého z nich totéž jako ztratit čest. Anebo ztratit kus vlastního já. Názor sám, který zastávají, jim přitom tolik na srdci neleží. Ale protože učinili kdysi ten názor atributem svého já, každý, kdo se ho dotkne, jako by píchal do jejich těla.

Kdesi v hlubinách duše cítil Medvěd zadostiučinění nad tím, že Paul už nebude dál přednášet v rozhlase své sofistikované komentáře; jeho hlas, plný medvědí pýchy, byl čím dál tišší a mrazivější. Zato Paul mluvil hlasitěji a hlasitěji a napadaly ho myšlenky čím dál přehnanější a provokativnější. Řekl: „Velká kultura není nic jiného než dítě té evropské perverze, která se nazývá historie, to jest té posedlosti jít stále dopředu, považovat sled generací za štafetový běh, kdy každý překonává svého předchůdce, aby byl překonán svým následovníkem. Bez tohoto štafetového běhu zvaného historie by nebylo evropského umění a toho, co ho charakterizuje: touhy po originalitě, touhy po změně. Robespierre, Napoleon, Beethoven, Stalin, Picasso jsou všichni závodníci štafetového běhu, patří na stejný stadion."

„Beethoven a Stalin patří k sobě?" zeptal se Medvěd s mrazivou ironií.

„Samozřejmě, i když tě to šokuje. Válka a kultura, to jsou dva póly Evropy, její nebe a peklo, její sláva a hanba, ale nelze je od sebe odloučit. Až skončí jedno, skončí i druhé a jedno nemůže skončit bez druhého. To, že v Evropě nejsou už padesát let války, souvisí nějak tajemně s tím, že se tu už padesát let neobjevil žádný Picasso."

„Řeknu ti něco, Paule," řekl Medvěd velmi pomalým hlasem, jako by zvedal do výše svou těžkou pracku, kterou v příští chvíli udeří: „Jestli je konec velké kultuře, je konec i tobě a tvým paradoxním myšlenkám, protože paradox jako takový patří velké kultuře a ne dětskému žvatlání. Připomínáš mi ty mladé muže, kteří se kdysi hlásili k nacistům nebo komunistům ne ze zbabělosti nebo z kariérismu, ale z přebytku inteligence. Nic si totiž nevyžaduje většího výkonu myšlení než argumentace, která má ospravedlnit vládu nemyšlení. Já jsem ještě měl možnost zažít to na vlastní oči i kůži po válce, když intelektuálové a umělci vstupovali jako telata do komunistické strany, která je pak všechny s velkým potěšením systematicky likvidovala. Ty děláš totéž. Ty jsi duchaplný spojenec svých vlastních hrobníků."

TOTÁLNÍ OSEL

Z tranzistorového rádia ležícího mezi jejich hlavami se ozýval důvěrně známý hlas Bernardův; hovořil s hercem, jehož film měl mít v příštích dnech premiéru. Zvýšený hercův hlas je probudil z polospánku:

„Přišel jsem sem, abych s vámi mluvil o filmu a ne o svém synovi."

„Nebojte se, na film dojde," říkal Bernardův hlas. „Jsou tu však požadavky aktuality. Vyskytly se hlasy, že jste sám v aféře vašeho syna hrál určitou roli."

„Když jste mě sem pozval, řekl jste mi výslovně, že se mnou chcete mluvit o filmu. Budeme tedy mluvit o filmu a ne o mých soukromých záležitostech."

„Jste veřejná osobnost a já se vás ptám na to, co veřejnost zajímá. Nevykonávám nic jiného než své povolání žurnalisty."

„Jsem připraven poslouchat vaše otázky týkající se filmu."

„Jak chcete. Ale posluchači se budou divit, proč odmítáte odpovědět."

Agnes vstala z postele. Po čtvrt hodině, když odešla do práce, zvedl se i Paul, oblékl se a šel si dolů k domovnici pro poštu. Jeden dopis byl od Medvěda. Oznamoval mu v mnoha větách, v nichž se mísil trpký humor s omluvami, co už víme: působení Paula v rozhlasové stanici skončilo.

Přečetl dopis čtyřikrát. Pak mávl rukou a odešel do kanceláře. Ale nestál za nic, nebyl se s to na nic soustředit, myslil jen na ten dopis. Byla to pro něho taková rána? Z praktického hlediska vůbec ne. Ale přesto ho to bolelo. Celý život unikal společnosti právníků: byl šťastný, když mohl mít seminář na univerzitě, byl šťastný, když mluvil do rádia. Ne že by ho povolání advokáta netěšilo; naopak, měl své obžalované rád, snažil se pochopit jejich zločin a dát mu smysl; „nejsem advokát, jsem básník obhajoby!" říkal žertem; byl vědomě na straně lidí ocitnuvších se mimo zákon a považoval se (ne bez značné ješitnosti) za zrádce, pátou kolonu, gerilera lidskosti ve světě nelidských zákonů komentovaných v tlustých knihách, které bral do rukou s nechutí blazeovaného znalce. Záleželo mu na tom, zůstat ve styku s lidmi mimo soudní palác, se studenty, s literáty, s žurnalisty, aby si zachoval vědomí (a ne jen pouhou iluzi), že patří k nim. Lpěl na nich a trpěl tím, že ho Medvědův dopis žene zpátky do jeho kanceláře a soudních síní.

Ale ještě něco jiného ho zasáhlo. Když ho Medvěd včera nazval spojencem svých vlastních hrobníků, považoval to jen za elegantní urážku, která nemá žádný konkrétní obsah. Pod slovem „hrobníci" si neuměl nic představit. Nevěděl tehdy nic o svých hrobnících. Ale dnes, když dostal Medvědův dopis, bylo najednou jasné, že hrobníci jsou, že už ho mají vyhlédnutého a že čekají.

Najednou pochopil, že ho ostatní vidí jinak, než jak se vidí on sám anebo jak si myslí, že ho vidí jiní. Jediný ze všech spolupracovníků rozhlasové stanice musil odejít právě on, i když (a on o tom nepochyboval) ho Medvěd bránil, jak mohl. Čím dráždil ty lidi z reklamy? Ostatně byl by naivní, kdyby si myslil, že to byli výhradně oni, kteří ho shledali nepřijatelným. Musili ho jako nepřijatelného vidět i jiní. Aniž to tušil, něco se musilo stát s jeho obrazem. Něco se musilo stát a on neví co, a nikdy se to nedoví. Protože tak už to je a platí to pro všechny: nikdy se nedovíme, proč a čím lidi dráždíme, čím jsme jim milí, čím jsme jim směšní; náš vlastní obraz je pro nás největším tajemstvím.

Paul věděl, že toho dne nebude s to myslit na nic jiného, a tak zvedl telefon a pozval Bernarda na oběd do restaurace.

Usedli proti sobě a Paul hořel touhou mluvit o dopise, který dostal od Medvěda, ale protože byl dobře vychovaný, řekl mu nejdřív: „Poslouchal jsem tě ráno. Proháněl jsi toho herce jako zajíce."

„Já vím," řekl Bernard. „Možná že jsem to přehnal. Ale byl jsem ve strašné náladě. Dostal jsem včera návštěvu, na kterou nezapomenu. Přišel za mnou neznámý muž. O hlavu větší než já a s ohromným břichem. Představil se, nebezpečně přívětivě se usmíval a řekl mi: ‚Mám čest vám odevzdat tento diplom'; pak mi vstrčil do rukou velkou lepenkovou rouru a trval na tom, abych ji před ním otevřel. Byl tam diplom. V barvách. S nádherným písmem. Bylo tam napsáno: *Bernard Bertrand byl jmenován totálním oslem.*"

„Cože?" vyprskl Paul, ale vzápětí se ovládl, když uviděl Bernardovu vážnou a nepohnutou tvář, v níž nebylo možno postřehnout nejmenší stopu pobavenosti.

„Ano," opakoval pochmurným hlasem Bernard: „Byl jsem jmenován totálním oslem."

„A kdo tě jmenoval? Je tam uvedena nějaká organizace?"

„Není. Jen podpis, který je nečitelný."

Bernard popisoval ještě několikrát, co se stalo, a pak dodal: „Nemohl jsem nejdřív vůbec věřit svým očím. Měl jsem pocit, že jsem se stal obětí atentátu, chtěl jsem křičet a volat policii. Ale pak jsem si uvědomil, že nemůžu vůbec nic dělat. Ten chlap se usmíval a podával mi ruku: Dovolte, abych vám gratuloval, řekl a já jsem byl tak popleten, že jsem mu tu ruku stiskl."

„Tys mu stiskl ruku? Tys mu opravdu poděkoval?" řekl Paul a zadržoval s obtížemi smích.

„Když jsem pochopil, že toho chlapa nemůžu dát zavřít, chtěl jsem prokázat chladnokrevnost a choval jsem se, jako by všechno, co se děje, bylo docela normální a mě se vůbec nic nedotklo."

„To je nevyhnutelné," řekl Paul. „Když je člověk jmenován oslem, začne se chovat jako osel."

„Bohužel, je to tak," řekl Bernard.

„A ty nevíš, kdo to byl? Přece se ti představil!"

„Byl jsem tak rozrušený, že jsem to jméno hned zapomněl."

Paul se nemohl ubránit, aby se znovu nesmál.

„Ano, já vím, ty řekneš, že je to žert, a samozřejmě máš pravdu, je to žert," říkal Bernard, „ale já si nemohu pomoct. Já na to od té doby myslím a nemůžu myslit na nic jiného."

Paul už se nesmál, protože pochopil, že Bernard mluví pravdu: nemyslil bezpochyby od včerejška na nic jiného. Jak by reagoval Paul, kdyby dostal takový diplom? Stejně jako Bernard. Když jste jmenován totálním oslem, znamená to, že přinejmenším jeden člověk vás vidí jako osla a záleží mu na tom, abyste to věděl. Už to samo o sobě je velmi nepříjemné. A je docela možné, že to není jen jeden člověk, ale že za diplomem je iniciativa desítky lidí. A je také možné, že ti lidé chystají ještě něco dalšího, třeba že pošlou zprávu do novin a v *Le Mondu* se objeví zítra v rubrice pohřbů, svateb a poct oznámení, že Bernard byl jmenován totálním oslem.

Pak se mu Bernard svěřil (a Paul nevěděl, zdali se mu má smát, anebo nad ním plakat), že ještě téhož dne, kdy mu neznámý muž diplom předal, ukazoval ho všem, které potkal. Nechtěl být ve své hanbě sám, snažil se do ní zahrnout jiné, a proto všem vysvětloval, že útok neplatí jen jemu osobně: „Kdyby to bylo určeno jen mně, přinesli by mi to domů, na mou adresu. Ale oni to přinesli do rozhlasu! Je to útok na mě jako na žurnalistu! Útok na nás všechny!“

Paul krájel maso na talíři, upíjel vína a říkal si: tak tu tedy spolu sedí dva přátelé: jeden se jmenuje totální osel, druhý duchaplný spojenec svých hrobníků. A uvědomil si (dojatá přízeň k mladšímu příteli tím jen vzrostla), že ho už nikdy sám pro sebe nenazve Bernardem, ale jen a jen totálním oslem, a to ne ze zlomyslnosti, ale protože tak krásnému titulu nikdo neodolá; ani žádný z těch, jimž Bernard v nerozumném rozrušení diplom ukazoval, ho určitě už nikdy jinak nenazve.

A také ho napadlo, že to od Medvěda bylo velmi přátelské, že ho nazval duchaplným spojencem vlastních hrobníků jen v řeči u stolu. Kdyby mu ten titul napsal do jmenovacího diplomu, bylo by to horší. A tak mu Bernardovo hoře dalo téměř zapomenout na jeho vlastní trápení, a když mu Bernard řekl: „Ostatně tobě se také přihodilo něco nepříjemného,“ mávl jen rukou: „To je epizoda,“ a Bernard přisvědčil: „Já jsem si hned myslil, že tohleto tě nemůže nijak zranit. Ty můžeš dělat tisíc jiných věcí, a lepších.“

Když ho Bernard doprovázel k jeho autu, Paul řekl velmi melancholicky: „Medvěd se mýlí a imagologové mají pravdu. Člověk není než svůj obraz. Filozofové nám mohou říkat, že je lhostejné, co si o nás myslí svět, že platí jen to, co jsme. Ale filozofové ničemu nerozumějí. Pokud žijeme s lidmi, nejsme než to, za co nás lidé považují. Myslit na to, jak nás druzí vidí, a snažit se, aby náš obraz byl co nejsympatičtější, se považuje za druh přetvářky či falešné hry. Ale cožpak existuje nějaký přímý styk mezi mým a jejich já bez prostřednictví očí? Copak je láska myslitelná bez toho, že úzkostně sledujeme náš obraz v mysli milovaného? Ve chvíli, kdy se už nezajímáme, jak nás vidí ten, koho milujeme, znamená to, že ho nemilujeme."

„To je pravda," řekl Bernard pochmurným hlasem.

„Je to naivní iluze myslit si, že náš obraz je jen zdání, za kterým je skryto naše já jako jediná pravá podstata, nezávislá na očích světa. Imagologové odhalili se vší cynickou radikálností, že je to právě naopak: naše já je jen pouhé zdání, neuchopitelné, nepopsatelné, mlhavé, zatímco jediná skutečnost, až příliš lehce uchopitelná a popsatelná, je náš obraz v očích jiných. A nejhorší je, že nejsi jeho pánem. Nejdřív se ho snažíš sám malovat, pak ho chceš aspoň ovlivňovat a kontrolovat, ale marně: stačí jedna zlomyslná formule a jsi navždy proměněn v truchlivě jednoduchou karikaturu."

Zastavili se u auta a Paul uviděl před sebou Bernardovu tvář, ještě úzkostnější a bledší. Měl před chvílí nejlepší vůli přítele utěšit a teď viděl, že ho svými slovy zasáhl. Litoval toho: nechal se strhnout ke své úvaze jen proto, že při ní myslil na sebe, na svou vlastní situaci, a ne na Bernarda. Nedalo se však už nic napravit.

Loučili se a Bernard mu řekl s rozpaky, které ho dojaly: „Jenom to prosím tě neříkej Lauře. A ani Agnes nic neříkej."

Paul stiskl příteli upřímně ruku: „Spolehni se."

Vrátil se do kanceláře a dal se do práce. Setkání s Bernardem ho podivně utěšilo a cítil se lépe než dopoledne. K večeru se setkal doma s Agnes. Řekl jí o dopisu a hned zdůrazňoval, že celá ta věc pro něho nic neznamená. Snažil se to říkat se smíchem, ale Agnes si všimla, že mezi slovy a smíchem Paul kašle. Znala to kašlání. Uměl se vždycky ovládat, když se mu něco nepříjemného stalo, a jenom ten krátký, rozpačitý kašel, o němž sám nevěděl, ho prozrazoval.

„Potřebovali udělat vysílání zábavnější a mladší," řekla Agnes. Její slova byla míněna ironicky a mířila proti těm, co zastavili Paulův pořad. Pohladila ho pak po vlasech. Ale to všechno neměla dělat. Paul viděl v jejích očích svůj obraz: obraz poníženého člověka, o němž bylo rozhodnuto, že už není mladý ani zábavný.

KOČKA

Každý z nás touží překročit erotické konvence, erotická tabu, a vstoupit v omámení do království Zakázaného. A každý k tomu máme tak málo odvahy... Mít starší milenku nebo mladšího milence je možno doporučit jako ten nejsnazší a každému dostupný způsob, jak překročit Zákaz. Laura měla poprvé v životě milence mladšího, než byla sama, Bernard měl poprvé milenku starší, než byl sám, a oba to prožívali jako vzrušující společný hřích.

Když Laura prohlásila kdysi před Paulem, že vedle Bernarda omládla o deset let, byla to pravda: vstoupil do ní příboj nové energie. Ale necítila se proto mladší než on! Naopak, vychutnávala s dosud nepoznaným potěšením, že má mladšího milence, který se považuje za slabšího než ona a má trému, protože myslí na to, že ho zkušená milenka bude srovnávat s jeho předchůdci. V erotice je to jako v tanci: jeden vždycky vede druhého. Laura poprvé v životě vedla muže a vést bylo pro ni stejně opojné jako pro Bernarda nechat se vést.

To, co dává starší žena mladšímu muži, je především jistota, že se jejich láska odehrává daleko od pastí manželství, protože si nikdo přece nemůže vážně myslit, že by mladý muž, před nímž se do dálek prostírá úspěšný život, vstoupil do manželství se ženou o osm let starší. V tom směru nazíral Bernard Lauru stejně jako Paul dámu, kterou pak dodatečně povýšil na drahokam svého života: předpokládal, že jeho milenka počítá s tím, že jednou dobrovolně ustoupí před mladší ženou, kterou bude Bernard moci představit rodičům, aniž je uvede do rozpaků. V důvěře v její mateřskou moudrost snil dokonce o tom, že mu půjde jednoho dne za svědka na svatbu a utají dokonale před nevěstou, že byla kdysi (a bude třeba i nadále, proč ne?) jeho milenkou.

Chodili spolu šťastně dva roky. Pak byl Bernard jmenován totálním oslem a stal se nemluvným. Laura o diplomu nic nevěděla (Paul držel slovo), a protože nebyla zvyklá se ho ptát na jeho práci, nevěděla nic ani o jiných potížích, které ho potkaly v rozhlase (neštěstí, jak známo, nechodí nikdy samo), takže si vysvětlovala jeho zamlklost tím, že ji přestal mít rád. Přistihla ho už několikrát, že nevěděl, co mu říká, a byla si jista, že v těch chvílích myslí na jinou ženu. Ach, v lásce stačí tak málo, aby si člověk zoufal!

Jednoho dne k ní zase přišel, ponořen do černých myšlenek. Odběhla se převléci do vedlejšího pokoje a on zůstal v salóně sám s velkou siamskou kočkou. Nechoval k ní žádnou zvláštní sympatii, ale věděl, že jeho milenka na ni nedá dopustit. Seděl tedy v křesle, oddával se černým myšlenkám a mechanicky natáhl ruku po zvířeti domnívaje se, že je povinován je hladit. Ale kočka prskla a kousla ho do ruky. Kousnutí se přiřadilo rázem k celému řetězu protivenství, která ho v posledních týdnech pronásledovala a ponižovala, takže ho popadl strašný vztek, vyskočil z křesla a ohnal se po ní. Kočka uskočila do kouta, nahrbila hřbet a hrozně syčela.

Pak se obrátil a uviděl Lauru. Stála na prahu a bylo zřejmé, že pozorovala celou scénu. Řekla: „Ne, nesmíš ji trestat. Ona byla úplně v právu."

Díval se na ni s údivem. Kousnutí ho bolelo a čekal od své milenky když ne spojenectví s milencem proti zvířeti, tak aspoň hnutí elementárního citu pro spravedlnost. Měl velkou chuť jít ke kočce a nakopnout ji tak mohutně, až by zůstala rozplácnuta na stropě salónu. Jen s největším úsilím se ovládl.

Laura dodala, kladouc důraz na každé slovo: „Ona vyžaduje, aby ten, kdo ji hladí, se na to opravdu soustředil. Já také nesnáším, když je někdo se mnou a myslí přitom na něco jiného."

Když před chvílí pozorovala, jak Bernard hladí kočku, která reaguje nepřátelsky na jeho nepřítomnou roztržitost, pocítila s ní totiž prudkou solidaritu: je to už několik týdnů, co s ní Bernard jedná úplně stejně: hladí ji a myslí přitom na něco jiného; tváří se, že je s ní, ale ona ví, že vůbec neslyší, co mu říká.

Lauře se zdálo, že její druhé, symbolické, mystické já, za které své zvíře považovala, ji chce povzbudit, ukázat jí, jak by měla jednat, jít jí příkladem. Jsou chvíle, kdy je třeba ukázat drápy, řekla si a rozhodla se, že během intimní večeře v restauraci, kam za chvíli odejdou, najde konečně odvahu k rozhodnému činu.

Předběhnu události a řeknu to rovnou: je těžko si představit větší hloupost než její rozhodnutí. Co chtěla udělat, bylo dokonale namířeno proti všem jejím zájmům. Musím totiž zdůraznit, že ty dva roky, co se znali, s ní byl Bernard šťasten, snad mnohem šťastnější, než Laura sama mohla tušit. Byla pro něho únikem ze života, jaký mu od dětství připravoval jeho otec, libozvučný Bertrand Bertrand. Mohl konečně žít svobodně, podle svých přání, mít skrytý kout, kam nevstrčí zvědavou hlavu žádný člen jeho rodiny, kout, kde se žije úplně jinak, než byl zvyklý; zbožňoval Lauřino bohémství, její klavír, ke kterému si občas sedla, koncerty, na které ho vodila, její nálady a její výstřednosti. Ocital se s ní daleko od bohatých a nudných lidí, mezi nimiž se pohyboval jeho otec. Jejich štěstí ovšem záviselo na jedné podmínce: musili zůstat nesezdaní. Kdyby byli manželé, všechno by se rázem změnilo: jejich svazek by byl náhle přístupný všem intervencím jeho rodiny; jejich láska by ztratila nejen svůj půvab, ale i sám svůj smysl. A Laura by pozbyla veškeré moci, kterou až dosud nad Bernardem měla.

Jak to, že mohla udělat přesto tak hloupé rozhodnutí, namířené proti všem jejím zájmům? Znala snad tak špatně svého milence? Tak málo mu rozuměla?

Ano, ať je to sebepodivnější, neznala ho a nerozuměla mu. Byla dokonce hrdá na to, že ji na Bernardovi nezajímá než jeho láska. Nikdy se ho neptala na otce. Nevěděla nic o jeho rodině. Když o ní někdy mluvil, okázale se nudila a hned prohlašovala, že pro zbytečné řeči nechce ztrácet čas, který by mohla věnovat Bernardovi. Ještě podivnější však je, že i v temných týdnech diplomu, kdy se stal mlčenlivým a omlouval se jí, že má starosti, vždycky mu řekla: „Ano, já vím, co je to mít starosti,“ ale nikdy mu nepoložila tu nejprostší ze všech myslitelných otázek: „*Jaké* máš starosti? Konkrétně, co se děje? Vysvětli mi, co tě trápí!“

Je to zvláštní: byla do něho zamilovaná jako blázen, a přitom se o něho nezajímala. Mohl bych dokonce říci: byla do něho zamilovaná jako blázen, a *právě proto* se o něho nezajímala. Kdybychom jí vytkli její nezájem a obvinili, že svého milence nezná, nerozuměla by nám. Laura totiž nevěděla, co to znamená *znát* někoho. Byla v tom ohledu jako panna, která si myslí, že se jí narodí dítě, když se bude se svým milým hodně líbat. Myslila na Bernarda v poslední době skoro nepřetržitě. Představovala si jeho tělo, jeho tvář, měla pocit, že je ustavičně s ním, že je jím proniknuta. Byla si proto jista, že ho zná nazpaměť a že ho nikdo nikdy neznal, jako ho zná ona. Cit lásky nám všem dává falešnou iluzi poznání.

Po tomto vysvětlení můžeme snad konečně uvěřit, že mu u moučníku řekla (jako omluvu bych mohl uvést, že vypili láhev vína a dva koňaky, ale jsem si jist, že by to řekla, i kdyby nebyla opilá): „Bernarde, vem si mě za ženu!“

GESTO PROTESTU PROTI PORUŠOVÁNÍ LIDSKÝCH PRÁV

Brigita odcházela z hodiny němčiny pevně rozhodnuta, že své studium skončí. Jednak proto, že v Goethově jazyce pro sebe neviděla žádnou užitečnost (ke studiu ji donutila maminka), jednak proto, že cítila s němčinou hluboký nesouhlas. Ten jazyk ji dráždil svou nelogičností. Dnes se skutečně rozčilila: předložka *ohne* (bez) se pojí se čtvrtým pádem, předložka *mit* (s) s třetím pádem. Proč? Obě předložky přece znamenají pozitivní a negativní aspekt *stejného* vztahu, proto by se měly pojit se stejným pádem. Namítla to svému profesorovi, mladému Němci, který upadl do rozpaků a hned se cítil vinen. Byl to sympatický, jemný muž, který trpěl tím, že je příslušníkem národa, jemuž vládl Hitler. Ochoten vidět na své vlasti všechny chyby, uvěřil okamžitě, že neexistuje žádný přijatelný důvod, aby se předložky *mit* a *ohne* pojily s dvěma různými pády.

„Není to logické, já vím, ale takový se vytvořil během staletí úzus," říkal, jako by chtěl před mladou Francouzkou prosit o slitování nad jazykem prokletým dějinami.

„Jsem ráda, že jste to uznal. Není to logické. Ale jazyk *musí* být logický," říkala Brigita.

Mladý Němec jí přizvukoval: „Bohužel, chyběl nám Descartes. To je neodpustitelná mezera v našich dějinách. Německo nemá tradici rozumu a jasnosti, je plné metafyzických mlh a wagnerovské hudby a my víme všichni, kdo byl největším obdivovatelem Wagnera: Hitler!"

Brigitu nezajímal Wagner ani Hitler a sledovala svou myšlenku: „Jazyku, který není logický, se může naučit dítě, protože dítě nemyslí. Ale nemůže se mu nikdy naučit dospělý cizinec. Proto pro mě němčina není světovým jazykem."

„Máte úplně pravdu," řekl Němec a dodal tiše: „Aspoň vidíte, jak absurdní byla německá touha po světovládě!"

Spokojena sama se sebou, Brigita nasedla do auta a jela si

koupit k Fauchonovi láhev vína. Chtěla zaparkovat, ale nebylo to možné: řady aut bez jediné mezery lemovaly chodníky v okruhu jednoho kilometru; když už čtvrt hodiny jezdila pořád kolem dokola, naplnil ji rozhořčený údiv nad tím, že není nikde místo; vjela s autem na chodník a tam ho zastavila. Vystoupila a dala se směrem k obchodu. Už z dálky viděla, že se něco podivného děje. Když přišla blíž, pochopila, oč jde:

Kolem i uvnitř slavné prodejny potravin zvané Fauchon, kde je každé zboží desetkrát dražší než jinde, takže sem chodí nakupovat jen ti, kterým dělá větší potěšení platit než jíst, se tlačila asi stovka špatně oblečených lidí, nezaměstnaných; byla to zvláštní manifestace: nezaměstnaní nepřišli ani něco rozbít ani někomu vyhrožovat ani křičet nějaká hesla; chtěli jen uvést bohaté lidi do rozpaků, vzít jim svou přítomností chuť na víno a na kaviár. A opravdu, všichni prodavači i kupující měli najednou nesmělé úsměvy a bylo pro ně nemožné nakupovat i prodávat.

Brigita se protlačila dovnitř. Nezaměstnaní jí nebyli nijak nesympatičtí a neměla vůbec nic ani proti dámám v kožiších. Žádala hlasitě láhev bordeaux. Její ráznost překvapila prodavačku, která si najednou uvědomila, že přítomnost nezaměstnaných, kteří jí ničím nevyhrožují, jí nijak nebrání obsloužit mladou zákaznici. Brigita zaplatila láhev a šla pak zpátky k autu, u něhož ji čekali dva policisté a žádali po ní pokutu.

Začala jim nadávat, a když říkali, že auto bylo nesprávně zaparkováno, takže bránilo lidem v cestě po chodníku, ukázala na řady aut stojících těsně za sebou: „Můžete mi říci, kde jsem měla zaparkovat? Když je dovoleno kupovat auta, musí se lidem zaručit, že si je budou mít kam postavit, ne? Musíte být logičtí!“ křičela na ně.

Vyprávím to jen pro tento detail: ve chvíli, kdy křičela na policajty, si Brigita vzpomněla na nezaměstnané manifestanty v obchodě u Fauchona a pocítila k nim prudkou sympatii: cítila se s nimi spojena společným bojem. To jí dodalo odvahy a zvýšila hlas; policisté (nejistí stejně jako dámy v kožiších před zrakem nezaměstnaných) neuměli než opakovat nepřesvědčivě a hloupě slova zakázáno, nedovoleno, kázeň, pořádek a nechali ji nakonec odjet bez pokuty.

Během hádky vrtěla Brigita hlavou krátkými, rychlými pohyby a zvedala ramena a obočí. Když příhodu vyprávěla doma otci, její hlava přitom opisovala stejný pohyb. Setkali jsme se už s tímto gestem: vyjadřuje rozhořčený údiv nad tím, že nám chce někdo upřít naše nejsamozřejmější práva. Nazvěme proto toto gesto *gestem protestu proti porušování lidských práv*.

Pojem lidských práv je starý dvě stě let, ale největší slávy došel počínaje druhou půlí sedmdesátých let našeho století. Alexandr Solženicyn byl tehdy právě vyhoštěn ze své země a jeho neobyčejná postava ozdobená plnovousem a okovy hypnotizovala západní intelektuály nemocné touhou po velkém osudu, jehož se jim nedostávalo. Teprve díky jemu uvěřili s padesátiletým zpožděním, že jsou v komunistickém Rusku koncentrační tábory; dokonce i pokrokoví lidé byli náhle ochotni připustit, že zavřít někoho pro to, co si myslí, není spravedlivé. A našli pro svůj nový postoj i znamenité odůvodnění: ruští komunisté porušili lidská práva, a to přesto, že je slavnostně vyhlásila sama francouzská revoluce!

Tak se díky Solženicynovi zabydlila lidská práva znovu ve slovníku naší doby; neznám jediného politika, který by desetkrát denně nemluvil o „boji za lidská práva“ či o „zneuznávání lidských práv“. Lidé na Západě však nejsou ohroženi koncentráky a mohou si říkat i psát, co chtějí, takže čím více získával boj za lidská práva na popularitě, tím více ztrácel jakýkoli konkrétní obsah, až se stal jakýmsi všeobecným postojem všech vůči všemu, jakousi energií, která proměňuje všechna lidská chtění v právo. Svět se stal právem člověka a všechno se stalo právem: touha po lásce právem na lásku, touha po odpočinku právem na odpočinek, touha po přátelství právem na přátelství, touha jezdit zakázanou rychlostí právem jezdit zakázanou rychlostí, touha po štěstí právem na štěstí, touha vydat knihu právem vydat knihu, touha křičet v noci na náměstí právem křičet na náměstí. Nezaměstnaní mají právo obsadit obchod s drahými potravinami, dámy v kožiších mají právo koupit si kaviár, Brigita má právo zaparkovat auto na chodníku a všichni, nezaměstnaní, dámy v kožiších i Brigita patří do stejného vojska bojovníků za lidská práva.

Paul seděl v křesle naproti dceři a díval se s láskou na její hlavu, která se v rychlém tempu horizontálně vrtěla. Věděl, že se dceři líbí, a bylo to pro něho důležitější než líbit se Agnes. Obdivné oči dcery mu totiž dávaly to, co mu Agnes dát nemohla: důkaz, že se neodcizil mládí, že patří stále k mladým. Neuplynuly ani dvě hodiny od chvíle, co Agnes dojata jeho kašlem ho pohladila po vlasech. Oč milejší mu byl pohled na pohyb dceřiny hlavy než to ponižující pohlazení! Přítomnost dcery na něho působila jako akumulátor energie, z něhož čerpal sílu.

BÝT ABSOLUTNĚ MODERNÍ

Ach můj Paul, který chtěl provokovat a trápit Medvěda a dělal škrt za dějinami, za Beethovenem a za Picassem... Splývá mi v mysli s postavou Jaromila z románu, který jsem dopsal přesně před dvaceti lety a který v jedné z příštích kapitol nechám pro profesora Avenaria v bistru na bulváru Montparnasse.

Jsme v Praze, v roce 1948, osmnáctiletý Jaromil je na smrt zamilován do moderní poezie, do Bretona, do Eluarda, do Desnose, do Nezvala, a po jejich příkladu vyznává větu, kterou napsal Rimbaud v *Sezóně v pekle:* „Jest třeba být absolutně moderní." Jenomže to, co se v Praze v roce 1948 ohlásilo náhle jako absolutně moderní, byla socialistická revoluce, která okamžitě a brutálně zavrhla moderní umění, do kterého byl na smrt zamilován Jaromil. A tehdy se můj hrdina ve společnosti několika přátel (stejně jako on na smrt zamilovaných do moderního umění) zřekl sarkasticky všeho toho, co miloval (co opravdu a z plna srdce miloval), protože nechtěl zradil veliký příkaz být „absolutně moderní". Vložil do svého popírání veškerý vztek a vášeň panice, který touží brutálním činem vkročit do své dospělosti, a jeho přátelé, když viděli, s jakou zarputilostí popírá všechno, co je mu nejdražší, pro co žil a chtěl dál žít, jak popírá kubismus i surrealismus, Picassa i Dalího, Bretona i Rimbauda, jak je popírá ve jménu Lenina a Rudé armády (kteří tvořili v té chvíli vrchol myslitelné modernosti), měli sevřené hrdlo a cítili nejdřív údiv, pak ošklivost a nakonec skoro hrůzu. Pohled na toho panice připraveného přizpůsobit se tomu, co se ohlásilo jako moderní, a přizpůsobit se nikoli zbaběle (ve jménu osobního prospěchu či kariéry), ale statečně jako ten, kdo v bolesti obětuje, co má rád, ano, ten pohled v sobě skutečně obsahoval hrůzu (která byla předpovědí hrůzy teroru, který pak následoval, hrůzy pronásledování a věznění). Je možné, že některému z těch, kteří ho tehdy pozorovali, proběhla hlavou myšlenka: „Jaromil je spojenec svých hrobníků."

Paul a Jaromil se sobě ovšem vůbec nepodobají. To jediné, co je spojuje, je právě jen jejich vášnivé přesvědčení, že „je třeba být absolutně moderní". „Absolutně moderní" je pojem, který nemá žádný stanovený nebo jasně definovatelný obsah. Rimbaud si v roce 1872 sotva pod těmi slovy představoval miliony Leninových a Stalinových bust a ještě méně reklamní filmy, barevné fotografie v magazínech nebo vytřeštěnou tvář zpěváka rocku. Ale na tom málo záleží, neboť být *absolutně* moderní znamená: nikdy nepoložit obsah modernosti v potaz a sloužit mu, jako se slouží absolutnu, to jest bez pochybování.

Paul věděl stejně jako Jaromil, že modernost je zítra jiná než dnes a že pro věčný *imperativ* modernosti je třeba umět zradit její proměnlivý *obsah*, pro Rimbaudovo *heslo* zradit jeho *verše*. V Paříži v roce 1968 v terminologii ještě radikálnější než užíval Jaromil v roce 1948 v Praze, studenti odmítali svět takový, jaký je, svět povrchnosti, pohodlí, obchodu, reklamy, blbé masové kultury, která mlátí lidem do hlav svá melodramata, svět konvencí, svět otce. Paul strávil tehdy několik nocí na barikádách a měl stejně rozhodný hlas jako Jaromil dvacet let před ním, nedal se ničím obměkčit, a opřen o paži, kterou mu nabízela studentská revolta, kráčel ven ze světa otců, aby byl ve svých třiceti či pětatřiceti letech konečně dospělý.

Ale pak šel čas dál a jeho dcera rostla a cítila se velmi dobře ve světě takovém, jaký je, ve světě televize, rocku, reklamy, masové kultury a jejich melodramat, ve světě zpěváků, aut, módy, bohatých obchodů s potravinami a elegantních průmyslníků, z nichž se stávaly televizní hvězdy. Jestliže byl Paul kdysi s to hájit své názory tvrdošíjně proti soudcům, policajtům, prefektům a ministrům, nebyl s to je hájit před svou dcerou, která si mu sedala na klín a vůbec nespěchala opustit svět otce a stát se dospělou. Naopak chtěla zůstat co nejdéle doma se svým tolerantním tatínkem, který (téměř s rozněžněním) dovoloval, aby každou sobotu zůstávala přes noc s přítelem ve svém pokoji vedle ložnice rodičů.

Co znamená být absolutně moderní, když už člověk není mlád a jeho dcera je úplně jiná, než byl v mládí on? Paul našel odpověď snadno: být absolutně moderní znamená v takovém případě ztotožnit se absolutně s dcerou.

Představuji si Paula, jak sedí doma s Agnes a Brigitou u večeře. Brigita je pootočena na své židli, žvýká a dívá se na obrazovku televize. Všichni tři mlčí, protože zvuk televize je puštěn naplno. Paul má v hlavě pořád neblahou větu Medvěda, který ho nazval spojencem svých vlastních hrobníků. Pak ho vyruší ze zamyšlení dceřin smích: na obrazovce je vidět reklamu: nahé, sotva jednoroční dítě vstává z nočníku a táhne za sebou toaletní papír, který se odmotává z klubka a rozvíjí se bělostně za postavičkou kráčejícího dítěte jako nádherná vlečka nevěsty. A Paul si v té chvíli vzpomíná, že nedávno s překvapením zjistil, že Brigita nečetla nikdy žádnou Rimbaudovu báseň. Vzhledem k tomu jak on sám měl v jejím věku rád Rimbauda, může ji tedy právem považovat za svého hrobníka.

Je v tom pro něho cosi melancholického vědět, že se jeho dcera směje srdečně televizním blbostem a nikdy nečetla jeho milovaného básníka. Ale pak si Paul klade otázku: proč měl vlastně tolik rád Rimbauda? jak přišel k té lásce? bylo na jejím počátku okouzlení jeho verši? Ne. Rimbaud mu tehdy splýval v jeden revoluční amalgam s Trockým, Bretonem, surrealisty, Maem, Castrem. To první, co znal z Rimbauda, bylo jeho heslo všemi přemílané: *changer la vie, změnit život.* (Jako by k takové banální formuli bylo zapotřebí básnického génia...) Ano, je pravda, že pak četl jeho verše a některé znal i nazpaměť a měl je rád. Ale nikdy nepřečetl všechny jeho básně a měl rád jen ty, o nichž mluvili jeho známí, kteří o nich mluvili jen proto, že jim je zase doporučovali jejich známí. Rimbaud tedy nebyl jeho estetická láska a možná že nikdy žádnou estetickou lásku neměl. Hlásil se k němu, jako se hlásíme k praporu nebo k politické straně nebo k fotbalovému mužstvu, jemuž fandíme. Co tedy Paulovi opravdu přinesly Rimbaudovy verše? Jen pocit pýchy, že patří k těm, kdo milují Rimbaudovy verše.

Stále se v mysli vracel k nedávné diskusi s Medvědem: ano, přeháněl, nechal se unést paradoxem, provokoval Medvěda i všechny ostatní, ale když se to tak vezme, nebylo všechno, co říkal, pravda? Není to, co Medvěd nazývá s takovou úctou „kultura", jen náš sebeklam, něco sice bezpochyby krásného a cenného, ale co pro nás znamená mnohem méně, než jsme s to si přiznat?

Před několika dny rozváděl před Brigitou názory, které šokovaly Medvěda, a snažil se přitom použít stejných slov. Chtěl vědět, jak bude reagovat. Nejenom že nebyla provokativními formulacemi pohoršena, ale byla ochotna jít ještě mnohem dál. To bylo pro Paula velmi důležité. Lpěl totiž na dceři čím dál víc a v posledních letech chtěl znát její názor na všechny své problémy. Nejdříve to dělal z výchovných důvodů, aby ji přiměl myslit na vážné věci, ale brzy se role nepozorovaně obrátily: nepodobal se už učiteli, který povzbuzuje otázkami nesmělého žáka, ale nejistému muži, který přišel navštívit věštkyni.

Od věštkyně se nepožaduje, aby byla moudrá (Paul nemá přehnané mínění ani o talentu ani o vzdělání své dcery), ale aby byla spojena neviditelnými přívody s nějakým rezervoárem moudrosti, který se nalézá mimo ni. Když slyšel rozvíjet Brigitu její názory, nepřisuzoval je její osobní originalitě, ale velké kolektivní moudrosti mládí, která promlouvá jejími ústy, a přijímal je proto s čím dál větší důvěrou.

Agnes vstala od stolu, sbírala nádobí a odnášela je do kuchyně, Brigita se otočila i se židlí docela k obrazovce a Paul zůstal u stolu opuštěn. Představil si společenskou hru, kterou hrávali jeho rodiče. V kruhu kolem deseti židlí chodí deset osob a na dané znamení si musí všichni sednout. Na každé židli je nápis. Na té, která na něho zbyla, bylo napsáno: *duchaplný spojenec svých hrobníků*. A on ví, že hra už pokračovat nebude a že na té židli zůstane sedět navždy.

Co dělat? Nic. Proč by ostatně člověk nebyl spojencem svých hrobníků? Má se snad s nimi bít na pěsti? Aby mu pak hrobníci ještě naplivali na rakev?

Slyšel opět Brigitin smích a v té chvíli ho napadla nová definice, nejparadoxnější, nejradikálnější. Líbila se mu tolik, že skoro zapomněl na svůj smutek. Toto byla ta definice: být absolutně moderní znamená být spojencem svých hrobníků.

BÝT OBĚTÍ SVÉ SLÁVY

Říci Bernardovi „vem si mě za ženu!" byla chyba v každém případě, ale poté, co dostal diplom totálního osla, to byla chyba jako Mont Blanc. Musíme si totiž uvědomit to, co na první pohled vypadá docela nepravděpodobně, ale bez čeho nelze Bernarda pochopit: kromě spalniček v dětství nepoznal žádnou nemoc, kromě smrti tatínkova loveckého psa ho dosud neranilo žádné úmrtí a kromě několika špatných známek u zkoušek nepoznal žádný neúspěch; žil v samozřejmém přesvědčení, že je mu souzeno štěstí a všichni si o něm myslí jen dobré. Jmenování oslem byla první velká rána, jíž se mu dostalo.

Došlo přitom ke zvláštní shodě okolností. Přibližně ve stejné době zahájili imagologové reklamní kampaň pro jeho rozhlasovou stanici a na velkých plakátech vyvěšených po celé Francii se objevila barevná fotografie redakčního týmu: stáli všichni v bílých košilích s vyhrnutými rukávy na pozadí modrého nebe a měli otevřená ústa: smáli se. Chodil nejdřív po Paříži v pyšném rozrušení. Ale po týdnu či čtrnácti dnech neposkvrněné slávy za ním přišel onen břichatý obr a s úsměvem mu podával lepenkové pouzdro s diplomem. Kdyby se to bylo stalo v době, kdy jeho velká fotografie nebyla ještě nabídnuta celému světu, byl by to asi snesl o něco lépe. Ale sláva fotografie propůjčila hanbě diplomu jakousi rezonanci; znásobila ji.

Když vyjde v *Le Mondu* oznámení, že nějaký neznámý Bernard Bertrand byl jmenován totálním oslem, je to něco úplně jiného, než když se ta zpráva týká toho, jehož fotografie je na všech nárožích. Sláva připojí ke všemu, co se nám přihodí, stonásobnou ozvěnu. Je nepohodlné chodit po světě s ozvěnou. Bernard pochopil náhle svou novou zranitelnost a řekl si, že sláva je přesně to, o co nikdy nestál. Zajisté, chtěl mít úspěch, ale úspěch a sláva jsou dvě různé věci. Sláva znamená, že vás zná mnoho lidí, které vy sami neznáte a kteří si na vás dělají nárok, chtějí o vás všechno vědět a chovají se k vám, jako byste jim patřili. Herci, zpěváci, politikové pociťují zřejmě jakousi slast, když se mohou takto dát jiným. Ale po té slasti Bernard netoužil. Nedávno, když interviewoval herce, jehož syn byl zamíchán do nějaké trapné aféry, viděl s požitkem, jak se sláva stává hercovou Achillovou patou, slabostí, hřívou, za kterou ho mohl Bernard chytit, cloumat a nepustit. Bernard toužil být vždycky tím, kdo klade otázky, ne tím, kdo musí odpovídat. Sláva patří tomu, kdo odpovídá, ne tomu, kdo se táže. Obličej odpovídajícího je osvětlen reflektorem, kdežto ten, kdo se ptá, je filmován zezadu. Osvětlen je Nixon, nikoli Woodward. Bernard netouží po slávě osvětleného, ale po moci toho, kdo je v přítmí. Touží po síle lovce, který zastřelí tygra, nikoli po slávě tygra obdivovaného těmi, kdo ho budou používat jako předložky u postele.

Jenomže sláva nepatří jen slavným. Každý člověk zažije v životě svou malou, krátkou slávu a alespoň na chvíli cítí totéž co Greta Garbo, co Nixon anebo co tygr stažený z kůže. Bernardova otevřená ústa se smála z pařížských zdí a on měl pocit, že je vystaven na pranýři: všichni ho vidí, zkoumají, soudí. Ve chvíli, kdy mu Laura řekla „Bernarde, vem si mě za ženu!“, představil si ji na pranýři po svém boku. A tehdy náhle (nikdy předtím se mu to nestalo) ji uviděl starou, trochu nepříjemně extravagantní a mírně směšnou.

To všechno bylo o to hloupější, že ji nikdy nepotřeboval tolik jako tentokrát. Ze všech možných lásek ta nejpotřebnější zůstávala pro něho pořád láska starší ženy pod podmínkou, že ta láska bude ještě tajnější a ta žena ještě moudřejší a diskrétnější. Kdyby se byla Laura rozhodla místo hloupé výzvy k svatbě vybudovat z jejich lásky krásný luxusní zámek odvrácený od společenského života, nemusila se o Bernarda bát. Ale ona viděla na každém rohu jeho velikou fotografii, a když si ji spojila se změnou jeho chování, s jeho zamlklou tváří a nesoustředěností, usoudila bez dlouhého přemýšlení, že mu úspěch přivedl do cesty jinou ženu, na kterou bez přestání myslí. A protože se nechtěla vzdát bez boje, přešla do útoku.

Rozumíte nyní, proč se dal Bernard na ústup. Když jeden útočí, druhý musí ustupovat, to je zákon. Ústup, jak všichni vědí, je nejtěžší vojenský manévr. Bernard se ho ujal s přesností matematika: jestliže byl až dosud zvyklý trávit u Laury čtyři noci v týdnu, omezil je nyní na dvě; jestliže byl zvyklý být spolu s ní všechny víkendy, byl s ní nyní jen ob jednu neděli a chystal se přikročit v budoucnosti ještě k dalším omezením. Připadal si jako pilot v kosmické raketě, která se vrací do stratosféry, takže je třeba prudce brzdit. Brzdil tedy, opatrně i rezolutně, zatímco jeho půvabná mateřská přítelkyně se mu ztrácela před očima. Místo ní tu byla žena, která se s ním ustavičně hádala, ztrácela moudrost i dospělost a byla nepříjemně aktivní.

Jednou mu řekl Medvěd: „Seznámil jsem se s tvou snoubenkou."

Bernard zčervenal studem.

Medvěd pokračoval: „Mluvila o jakémsi nedorozumění mezi vámi. Je to sympatická žena. Buď na ni hodnější."

Bernard zbledl vzteky. Věděl, že co Medvěd neví nepoví, a nepochyboval, že celý rozhlas už je informován, kdo je jeho milenka. Chodit se starší ženou se mu až dosud zdálo být roztomilou a téměř odvážnou perverzí, ale nyní si byl jist, že jeho kolegové neuvidí v jeho volbě než nové potvrzení jeho oslovství.

„Proč si na mě chodíš stěžovat cizím lidem?"

„Jakým cizím lidem?"

„Medvědovi."

„Myslila jsem, že je to tvůj přítel."

„I kdyby to byl přítel, proč mu svěřuješ naše intimity?"

Řekla smutně: „Já se neskrývám s tím, že tě mám ráda. Anebo o tom nesmím mluvit? Stydíš se snad za mě?"

Bernard už nic neříkal. Ano, styděl se za ni. Styděl se za ni, i když s ní byl šťasten. Ale byl s ní šťasten jen ve chvílích, kdy zapomínal, že se za ni stydí.

Laura snášela velmi špatně, když cítila, jak kosmická raketa lásky zpomaluje svůj let.

„Vysvětli mi, co se s tebou stalo!“

„Nic se se mnou nestalo.“

„Změnil ses.“

„Potřebuju být sám.“

„Stalo se ti něco?“

„Mám starosti.“

„Máš-li starosti, tím spíš nesmíš být sám. Když má člověk starosti, potřebuje mít u sebe toho druhého.“

V pátek odjel do svého domu na venkově a nepozval ji. Přijela za ním v sobotu, nepozvána. Věděla, že to neměla udělat, ale dávno si zvykla dělat, co se dělat nemá, a byla na to dokonce pyšná, protože právě kvůli tomu ji muži obdivovali, Bernard ještě víc než jiní. Někdy uprostřed koncertu nebo divadelního představení, které se jí nelíbilo, se na protest zvedla a odcházela ostentativně a hlučně, až se lidé pohoršeně ohlíželi. Jednou když jí Bernard poslal po dceři své domovnice do jejího krámu dopis, na který toužebně čekala, vzala z přihrádky kožešinovou čepici, která stála nejmíň dva tisíce franků, a na znamení radosti ji dala té šestnáctileté dívce. Jindy s ním odjela na dva volné dny do pronajaté vily u moře, a protože ho chtěla za něco potrestat, hrála si celý den s dvanáctiletým synkem souseda, rybáře, tvářic se, že na existenci milence zapomněla. Zvláštní bylo, že i tentokrát, když se cítil zraněn, uviděl nakonec v jejím jednání okouzlující spontaneitu („zapomněla jsem kvůli tomu chlapci na celý svět!“) spojenou s čímsi odzbrojujícně ženským (což nebyla *mateřsky* dojata dítětem?), a přestal se rázem zlobit, když se další den místo rybářovu synkovi věnovala jemu. Její kapriciózní nápady pod jeho zamilovanýma a obdivnýma očima šťastně bujely, dalo by se říci, rozkvétaly jako růže; ve svých nepatřičných činech a nerozmyšlených slovech viděla svou osobitost, půvab svého já, a byla šťastna.

Ve chvíli, kdy jí Bernard začal unikat, se její extravagantní chování sice nezměnilo, ale ztratilo rázem svůj šťastný ráz i přirozenost. Toho dne, kdy se za ním rozhodla přijet nepozvána, věděla, že nevzbudí obdiv, a vstoupila do jeho domu s pocitem úzkosti, který způsobil, že jistá drzost jejího počínání, jindy nevinná, a dokonce půvabná, se stala agresivní a křečovitá. Byla si toho vědoma a hněvala se na něho, že jí vzal radost, kterou ještě nedávno měla sama ze sebe, radost, která, jak se teď ukázalo, byla velmi křehká, nezakořeněná a zcela závislá na něm, na jeho lásce a obdivu. Ale o to víc ji cosi pudilo jednat dál výstředně, nerozumně, a vyprovokovat ho, aby na ni byl zlý; chtěla způsobit výbuch s tajnou a nejasnou vírou, že se po bouři mraky rozplynou a bude všechno jako bylo předtím.

„Jsem tady. Doufám, že z toho máš radost," řekla se smíchem.

„Ano, mám z toho radost. Ale přijel jsem sem pracovat."

„Nebudu tě v tvé práci rušit. Nic po tobě nechci. Nechci než být s tebou. Nebo jsem tě snad někdy rušila v tvé práci?"

Neodpovídal.

„Často jsme přece odjížděli ven a ty sis tam připravoval vysílání. Rušila jsem tě snad někdy?"

Neodpovídal.

„Rušila jsem tě?"

Nedalo se nic dělat. Musil odpovědět: „Nerušila."

„Tak proč tě ruším teď?"

„Nerušíš."

„Nelži! Chovej se jako muž a najdi aspoň odvahu mi říct, že jsi se strašně nahněval, že jsem přijela bez pozvání. Nesnáším zbabělé muže. Dala bych přednost tomu, kdybys mi řekl, abych se okamžitě sebrala a odjela. Řekni to!"

Byl v rozpacích. Pokrčil rameny.

„Proč jsi zbabělý?"

Znovu pokrčil rameny.

„Nekrč rameny!"

Měl chuť ještě potřetí pokrčit rameny, ale neudělal to.

„Vysvětli mi, co se s tebou stalo!“

„Nic se se mnou nestalo.“

„Změnil ses.“

„Lauro! Mám starosti!“ zvýšil hlas.

Zvýšila také hlas: „I já mám starosti!“

Věděl, že se chová hloupě jako dítě peskované maminkou, a nenáviděl ji za to. Nevěděl, co udělat. Uměl být se ženami milý, zábavný, možná i svůdný, ale neuměl být na ně zlý, to ho nikdo nenaučil, naopak všichni mu vtloukali do hlavy, že na ně nikdy zlý být nesmí. Jak má jednat muž se ženou, která za ním přijede nepozvána? Kde je univerzita, na níž by se ten problém studoval?

Přestal jí odpovídat a odešel do vedlejšího pokoje. Lehl si na pohovku a vzal do ruky první knihu, která se válela na blízku. Bylo to kapesní vydání detektivky. Ležel na zádech a knížku držel otevřenu nad hrudníkem; předstíral, že čte. Uplynula asi minuta a vešla za ním. Sedla si do křesla naproti němu. Zadívala se na barevný obrázek, kterým byla ozdobena obálka knížky, a řekla: „Jak můžeš něco takového číst?“

Pohlédl na ni překvapeně.

„Dívám se na tu obálku,“ řekla.

Pořád jí nerozuměl.

„Jak mi můžeš ukazovat tak nevkusnou obálku? Když trváš na tom, že tu knížku budeš číst v mé přítomnosti, udělal bys mi radost, kdybys tu obálku utrhl.“

Bernard nic neřekl, utrhl obálku, podal ji Lauře a četl dál.

Chtělo se jí křičet. Řekla si, že by se teď měla zvednout, odejít a už ho nikdy nevidět. Anebo že by měla lehce odsunout knížku, kterou drží v ruce, a plivnout mu do tváře. Ale neměla odvahu k jednomu ani k druhému. Místo toho se na něho vrhla (kniha mu vypadla z rukou na koberec), zuřivě ho líbala a dotýkala se ho po celém těle.

Bernard neměl nejmenší chuť se milovat. Jestliže se však odvážil odmítnout s ní diskutovat, její erotickou výzvu odmítnout neuměl. Podobal se v tom ostatně všem mužům na světě. Kdo z nich se odváží říci ženě, která se ho dotkne milostným pohybem mezi nohama: „Dej tu ruku pryč!“? A tak ten, kdo před chvílí se suverénní přezíravostí utrhl obálku z knihy a podával ji ponižované milence, reagoval teď poslušně na její dotyky, líbal ji a sundával si při tom kalhoty.

Ale ani ona netoužila se milovat. To, co ji k němu vymrštilo, bylo zoufalství nad tím, že neví, co udělat, a nutnost něco udělat. Její vášnivé a netrpělivé doteky vyjadřovaly její slepou touhu po činu, její němou touhu po slovu. Když se začali milovat, snažila se, aby jejich objetí bylo divočejší než kdy jindy a nesmírné jako požár. Ale jak toho dosáhnout během mlčenlivé soulože (neboť jejich milování bylo vždycky němé, nepočítáme-li pár lyrických slov řečených v zadýchání)? Ano, jak? prudkostí pohybů? hlasitostí vzdechů? častým měněním polohy těl? O žádném jiném způsobu nevěděla a všech tří teď používala. Zejména měnila každou chvíli polohu svého těla, sama, ze své iniciativy; chvíli byla na čtyřech, chvíli si na něho sedala obkročmo a vymýšlela nové polohy, krajně obtížné, jichž nikdy nepoužili.

Bernard si vysvětlil její překvapující tělesný výkon jako výzvu, kterou nemůže oslyšet. Ozvala se v něm stará úzkost mladého chlapce, který se obává, že jiní podceňují jeho erotický talent a erotickou dospělost. Ta úzkost vracela Lauře moc, kterou v poslední době ztrácela a na níž byl kdysi založen jejich vztah: moc ženy, která je starší než její partner. Už zase měl ten nepříjemný dojem, že Laura má větší zkušenosti než on, ví, co on neví, může ho srovnávat s jinými a soudit. Vykonával proto všechny vyžadované pohyby s mimořádnou horlivostí a na sebemenší náznak, že chce změnit polohu těla, reagoval hbitě a ukázněně jako voják při pořadových cvičeních. Nečekaná pohybová náročnost jejich milování ho tak zcela zaměstnala, že si ani nestačil uvědomit, zda je vzrušen, či ne, a zažívá-li něco, co by se dalo nazvat slastí.

Ani ona nemyslila na rozkoš a na vzrušení. Říkala si v duchu: nepustím tě, neodeženeš mě od sebe, budu o tebe bojovat. A její pohlaví pohybující se nahoru a dolů se proměňovalo ve válečný stroj, který uváděla v chod a řídila. Říkala si, že je to její poslední zbraň, jediná, co jí zbyla, ale všemohoucí. Do rytmu svých pohybů si v duchu opakovala jako by to bylo ostinato provázející v basu hudební skladbu: *budu bojovat, budu bojovat, budu bojovat*, a věřila, že zvítězí.

Stačí otevřít kterýkoli slovník. Bojovat znamená postavit svoji vůli proti vůli jiného s cílem toho jiného zlomit, srazit na kolena, eventuálně zabít. „Život je boj," je věta, která musila znít, když byla poprvé vyslovena, jako melancholický a rezignovaný povzdech. Našemu století optimismu a masakrů se podařilo, že ta strašná věta zní jako sladká píseň. Řeknete, že bojovat *proti* někomu je možná strašné, ale bojovat *o* něco, *za* něco je ušlechtilé a krásné. Ano, je krásné usilovat o štěstí (o lásku, o spravedlnost a tak dál), ale jestli jste si oblíbili označovat to úsilí slovem boj, znamená to, že za vašim ušlechtilým úsilím se skrývá touha srazit někoho na zem. Boj *o* je vždycky spojen s bojem *proti* a během boje se na předložku *o* vždycky zapomene.

Lauřino pohlaví se mocně pohybovalo nahoru a dolů. Laura bojovala. Milovala se a bojovala. Bojovala o Bernarda. Ale proti komu? Proti tomu, koho k sobě tiskla a pak zase odstrkovala, aby ho donutila zaujmout novou tělesnou pozici. Ta vysilující gymnastika na pohovce i na koberci, kdy z obou lil pot, kdy oběma už chyběl dech, se podobala pantomimě znázorňující nelítostný boj, v němž ona útočí a on se brání, ona dává rozkazy a on poslouchá.

PROFESOR AVENARIUS

Profesor Avenarius scházel dolů po avenue de Maine, minul nádraží Montparnasse, a protože nespěchal, rozhodl se projít obchodním domem Lafayette. V dámském oddělení se na něho odevšad dívaly voskové dívčí figuríny v šatech poslední módy. Avenarius měl jejich společnost rád. Nejvíc ho přitahovaly nehybné postavy žen strnulých v ztřeštěném pohybu, jejichž dokořán otevřená ústa nevyjadřovala smích (ústa nebyla roztažena do šíře), nýbrž úlek. Profesor Avenarius si představoval, že všechny ty strnuvší ženy právě uviděly jeho nádherně vztyčený úd, který nejenom že byl obrovský, ale lišil se od obyčejných údů tím, že byl ukončen malou rohatou hlavou ďábla. Kromě těch, co dávaly najevo obdivnou hrůzu, byly tu ještě figuríny, jejichž ústa nebyla otevřena, nýbrž jen našpulena; měla podobu tlustého rudého kroužku s malým otvorem uprostřed, jímž jako by každou chvíli měly vysunout jazyk a vyzvat profesora Avenaria ke smyslnému polibku. A pak byla třetí skupina figurín, jejichž rty kreslily na voskové tváři zasněný úsměv. Podle jejich přivřených očí bylo zřejmé, že vychutnávají tichou, dlouhou rozkoš soulože.

Nádherná sexuálnost, kterou figuríny šířily do ovzduší jako vlny atomového záření, nenacházela u nikoho odezvy; mezi vystaveným zbožím kráčeli unavení, šediví, znudění, podráždění a totálně asexuální lidé; jen profesor Avenarius tu procházel šťasten maje pocit, že je šéfem gigantických orgií.

Leč všechno krásné končí: profesor Avenarius vyšel ven z obchodního domu a octl se na schodišti, jímž sešel do podzemí metra, chtěje se vyhnout proudu aut projíždějícímu nahoře bulvárem. Chodil tudy často a nic z toho, co viděl, ho nepřekvapovalo. V podzemní chodbě byla obvyklá sestava. Potáceli se tu dva klošárdi, z nichž jeden držel v ruce flašku červeného vína a jen čas od času se líně obrátil na nějakého z kolemjdoucích, aby ho s odzbrojujícím úsměvem požádal o příspěvek na pití. U zdi na zemi seděl mladý muž s tváří opřenou do dlaní; před ním byla napsáno křídou na zemi, že se právě vrátil z kriminálu, nemůže najít zaměstnání a má hlad. A do třetice (u opačné zdi než mladý muž vrátivší se z kriminálu) tu stál unavený muzikant; měl u jedné nohy položený klobouk, na jehož dně svítilo několik mincí, u druhé nohy postavenou trubku.

To všechno bylo docela normální, jen jedna věc upoutala profesora Avenaria svou nezvyklostí. Přesně mezi mladým mužem vrátivším se z kriminálu a oběma ožralými klošárdy stála, nikoli u zdi, ale uprostřed chodby, docela pěkná, ještě ne čtyřicetiletá dáma, držela v ruce červenou pokladnici a s rozzářeným úsměvem svůdného ženství ji napřahovala vstříc chodcům; na pokladnici byl nápis: *pomozte malomocným*. Svým elegantním oděvem kontrastovala s okolím a její nadšení ozařovalo příšeří chodby jako lucerna. Svou přítomností zřejmě brala náladu žebrákům, kteří byli zvyklí trávit tu denně svou pracovní dobu, a trubka postavená u nohy muzikanta byla bezpochyby výrazem kapitulace před nekalou konkurencí.

Když padl dámě do očí nějaký pohled, pronesla nehlasně, aby kolemjdoucí ta slova z jejích rtů spíš přečetl než uslyšel: „Malomocní!“ Také profesor Avenarius si chtěl přečíst ta slova na jejích rtech, jenomže žena, když ho uviděla, řekla jen „malo-“, a „mocní“ už nedořekla, protože ho poznala. Avenarius ji poznal též a nemohl si vysvětlit, kde se tu vzala. Vyběhl nahoru po schodech a octl se na druhé straně bulváru.

Tam pochopil, že se snažil podejít proudy aut zbytečně, protože doprava byla zastavena: směrem od Coupole k rue de Rennes táhly vozovkou davy lidí. Všichni měli snědé tváře, takže si profesor Avenarius myslil, že jsou to mladí Arabi, kteří protestují proti rasismu. Šel lhostejně ještě pár metrů a otevřel dveře kavárny; vedoucí na něho volal: „Pan Kundera se omlouvá, že bude mít zpoždění. Nechal tu pro vás knihu, abyste se zatím bavil,“ a podával mu můj román *Život je jinde* v laciném vydání zvaném Folio.

Avenarius vstrčil knihu do kapsy, aniž jí věnoval nejmenší

pozornost, protože se mu v té chvíli vrátila na mysl žena s červenou pokladnicí a zatoužil ji znovu uvidět.

„Vrátím se za chvíli," řekl a vyšel ven.

Podle nápisů nad hlavami demonstrantů konečně pochopil, že bulvárem netáhnou Arabi, nýbrž Turci, a že neprotestují proti francouzskému rasismu, ale proti pobulharšťování turecké menšiny v Bulharsku. Manifestanti zvedali pěsti, ale poněkud unaveně, protože bezmezný nezájem Pařížanů jdoucích kolem je uváděl na pokraj beznaděje. Teď však uviděli mohutné, hrozivé břicho muže, který kráčel po kraji chodníku ve stejném směru jako oni, zvedal pěst a křičel: „A bas les Russes! A bas les Bulgares! Pryč s Rusy, pryč s Bulhary!" takže do nich vstoupila nová energie a hlahol hesel se znovu zvedl nad bulvár.

U schodů metra, po kterých před chvílí vyběhl vzhůru, uviděl dvě ošklivé báby, které rozdávaly letáky. Chtěl se něco dovědět o tureckém boji: „Vy jste Turkyně?" ptal se jedné z nich. „Proboha, to ne!" bránila se, jako by ji byl nařkl z něčeho hrozného. „S touhle manifestací nemáme nic společného! My jsme tady, abychom protestovali proti rasismu." Profesor Avenarius přijal od obou žen po jednom letáku a narazil na úsměv mladíka nonšalantně opřeného o brlení metra. S veselou provokativností mu i on podával leták.

„To je proti čemu?" ptal se Avenarius.

„To je pro svobodu Kanaků v Nové Kaledonii."

Profesor Avenarius sestupoval tedy s třemi letáky dolů do podzemí metra a už z dálky pozoroval, že se atmosféra v katakombách změnila; zmizela fádní únava, něco se dělo: doléhal k němu veselý hlas trubky, tleskání rukou, smích. A pak všechno uviděl: byla tam pořád ta mladá dáma, ale obklopená oběma klošárdy: jeden ji držel za volnou ruku, druhý jemně podpíral paži, v níž svírala pokladnu. Ten, co ji držel za ruku, dělal taneční kroky, tři dozadu, tři dopředu. Ten, který ji držel pod paží, natahoval k chodcům muzikantův klobouk a křičel: „Pour les lepreux! Pro malomocné! Pour l'Afrique!" a vedle něho stál trumpetista a troubil, troubil, ah, troubil jako nikdy předtím v životě a dokola se shlukovali pobavení lidé, usmívali se, házeli klošárdovi do klobouku mince i bankovky a on děkoval: „Merci! Ah, que la France est généreuse! Bez Francie by malomocní zdechli jako zvířata! Ah, que la France est généreuse!"

Dáma nevěděla, co dělat; chvílemi se snažila vysmeknout, a pak zase když slyšela potlesk diváků, dělala drobné krůčky dopředu a dozadu. V jednu chvíli se ji klošárd pokusil otočit k sobě a tančit s ní tělo při těle. Uhodil ji zápach alkoholu z jeho úst a začala se zmateně bránit, majíc ve tváři úzkost a strach.

Mladík propuštěný z kriminálu náhle vstal a začal mávat paží, jako by chtěl oba klošárdy před něčím varovat. Přibližovali se sem dva policisté. Když je profesor Avenarius zpozoroval, dal se sám do tance. Pohyboval ze strany na stranu svým nesmírným břichem, dělal krouživé pohyby pažemi ohnutými v lokti, usmíval se na všechny strany a šířil kolem sebe nevyslovitelnou náladu míru a bezstarostnosti. Když policisté procházeli kolem, usmál se na dámu s pokladnicí, jako by s ní byl spolčen, a tleskal do rytmu trubky i svých nohou. Policisté se netečně ohlédli a pokračovali v obchůzce.

Rozradostněn úspěchem, dal Avenarius svým krokům ještě více rozmachu, s netušenou lehkostí se otáčel na místě, utíkal dopředu a dozadu, vyhazoval nohy do výše a dělal rukama gesta napodobující baletku kankánu, která si vyhrnuje do výše sukni. To inspirovalo klošárda, který držel dámu pod paží; shýbl se a vzal okraj sukně mezi prsty. Chtěla se bránit, ale nemohla spustit oči z tlustého muže, který se na ni povzbudivě usmíval; když se mu snažila oplatit úsměv, klošárd jí zvedl sukni až k pasu: objevily se nahé nohy a zelené kalhotky (výborně zvolené k růžové sukni). Znovu se chtěla bránit, ale byla bezmocná: měla v jedné ruce pokladnici (nikdo už do ní nehodil ani centim, ale držela ji pevně, jako by v ní byla uzamčena všechna její čest, smysl jejího života, snad sama její duše), zatímco její druhá ruka byla znehybněna v sevření klošárda. Kdyby ji byli přivázali za obě ruce a znásilňovali, nebyla by na tom o nic hůř. Klošárd držel vzhůru lem její sukně, křičel: „Pro malomocné! Pro Afriku!" a jí tekly po tváři slzy ponížení. Nechtěla však to ponížení dát najevo (přiznané ponížení je dvojnásobné ponížení), a tak se snažila usmívat, jako by se všechno dělo s jejím souhlasem a pro blaho Afriky, a zvedla sama dobrovolně do výše svou pěknou, i když poněkud krátkou nohu.

Pak ji zavanul do nosu strašný pach klošárda, pach jeho úst i jeho šatů, které nesvlékl po několik let, takže mu vrostly do kůže (kdyby se mu stalo nějaké neštěstí, celý štáb chirurgů by mu je musil nejdřív hodinu seškrabávat z těla, než by ho mohli položit na operační stůl); v té chvíli už nevydržela: prudce se mu vytrhla a tisknouc červenou pokladnici k prsu, běžela k profesoru Avenariovi. Ten rozpřáhl paže a sevřel ji v náručí. Třásla se přitisknuta k jeho tělu a vzlykala. Rychle ji utišil, vzal za ruku a vyváděl z metra.

„Lauro, ty hubneš,“ řekla Agnes starostlivě, když obědvala v restauraci se sestrou.

„Nic mi nechutná. Všechno vyzvracím,“ říkala Laura a napila se minerálky, kterou si objednala k jídlu místo obvyklého vína. „Je strašně silná,“ řekla.

„Ta minerálka?“

„Potřebovala bych ji zředit vodou.“

„Lauro…“ chtěla Agnes napomenout sestru, ale místo toho řekla: „Nesmíš se tolik trápit.“

„Všechno je ztraceno, Agnes.“

„Co se mezi vámi vlastně změnilo?“

„Všechno. Přitom se milujeme jako nikdy předtím. Jako dva šílenci.“

„Tak co se změnilo, když se milujete jako dva šílenci?“

„To jsou jediné chvíle, kdy mám jistotu, že je se mnou. Ale jen co milování skončí, je už zase v myšlenkách jinde. I kdybychom se milovali ještě stokrát víc, je konec. Protože milování není to hlavní. O milování nejde. Jde o to, aby na mě myslel. Měla jsem mnoho mužů a žádný z nich o mně dnes neví a já nevím o nich a říkám si, proč jsem ta léta vůbec žila, když jsem po sobě v nikom nezanechala žádnou stopu? Co zbylo po mém životě? Nic, Agnes, nic! Ale poslední dva roky jsem byla opravdu šťastna, protože jsem věděla, že Bernard na mě myslí, že obývám jeho hlavu, že v něm žiju. Protože jenom to je pro mě skutečný život: žít v myšlenkách toho druhého. Jinak jsem za živa mrtvá.“

„A když jsi sama doma a posloucháš si desky, svého Mahlera, to ti nestačí alespoň k nějakému malému základnímu štěstí, pro které stojí za to žít?“

„Agnes, vždyť musíš vědět, že jsou to hlouposti, co říkáš. Mahler pro mě neznamená vůbec nic, ale vůbec nic, když jsem sama. Mahler mě těší, jen když jsem s Bernardem anebo když vím, že na mě myslí. Když jsem bez něho, nemám sílu ani si ustlat. Nechce se mi ani se umývat a vyměňovat si prádlo."

„Lauro! Bernard přece není jediný muž na světě!"

„Je!" řekla Laura. „Proč chceš, abych si něco nalhávala? Bernard je moje poslední příležitost. Není mi dvacet ani třicet. Za Bernardem je už jen poušť."

Napila se minerálky a znovu řekla: „Je strašně silná." Zavolala pak na číšníka, aby jí donesl čistou vodu.

„Za měsíc odjede na čtrnáct dnů na Martinik," pokračovala. „Už jsem tam s ním byla dvakrát. Tentokrát mi dopředu oznámil, že tam pojede beze mě. Když mi to řekl, nemohla jsem dva dny jíst. Ale já vím, co udělám."

Číšník přinesl karafu, z níž Laura před jeho užaslýma očima přilévala vodu do sklenky s minerálkou, a potom znovu opakovala: „Ano, já vím, co udělám."

Odmlčela se, jako by tím tichem vybízela sestru k položení otázky. Agnes to pochopila a úmyslně se neptala. Ale když mlčení trvalo příliš dlouho, kapitulovala: „Co chceš udělat?"

Laura odpověděla, že v posledních týdnech navštívila pět lékařů, jimž si stěžovala na nespavost, a nechala si od každého předepsat barbituráty.

Od té doby, co začala Laura k obvyklým stížnostem připojovat narážky na sebevraždu, padala na Agnes tíseň i únava. Vymlouvala sestře už mnohokrát logickými i citovými argumenty její záměr; ujišťovala ji o své lásce („něco takového bys přece *mně* nemohla udělat!"), ale nemělo to na ni žádný vliv: Laura znovu mluvila o sebevraždě, jako by Agnesina slova vůbec neslyšela.

„Odjedu na Martinik týden před ním," pokračovala. „Mám klíč. Vila je prázdná. Udělám to tak, aby mě tam našel. A aby na mě už nikdy nemohl zapomenout."

Agnes věděla, že Laura je s to dělat nerozumné věci, a její věta „udělám to tak, aby mě tam našel" jí naháněla strach: představila si nehybné Lauřino tělo uprostřed salónu subtropické vily a polekala se toho, že ta představa je docela pravděpodobná, myslitelná, Lauře podobná.

Milovat někoho znamenalo pro Lauru přinést mu darem své tělo; přinést mu ho, jako nechala přinést své sestře bílý klavír; postavit mu ho doprostřed jeho domova: zde jsem, zde je mých sedmapadesát kilogramů, mé maso, mé kosti, jsou pro tebe a u tebe je nechám. To darování bylo pro ni erotickým gestem, protože tělo nebylo pro ni sexuální jen ve výjimečných chvílích vzrušení, nýbrž jak jsem již řekl, od počátku, a priori, nepřetržitě a se vším všudy, s jeho povrchem i vnitřkem, ve spánku i v bdění a i ve smrti.

Pro Agnes se erotika omezovala na vteřinu vzrušení, během níž se tělo stávalo žádoucí a krásné. Jen ta vteřina ospravedlňovala a vykupovala tělo; když to umělé osvětlení pominulo, z těla se stal zase pouhý zašpiněný mechanismus, jejž byla nucena obsluhovat. Právě proto by Agnes nikdy nebyla mohla říci „udělám to tak, aby mě tam našel". Měla by hrůzu, že ten, koho miluje, by ji uviděl jako pouhé sexu zbavené, odkouzlené tělo s křečovitou grimasou ve tváři a v poloze, kterou by už nebyla s to kontrolovat. Styděla by se. Stud by jí zabránil stát se dobrovolně mrtvolou.

Ale Agnes věděla, že Laura je jiná: nechat své tělo ležet mrtvé v salóně milencova bytu, to vyplývalo z jejího poměru k tělu, z jejího způsobu lásky. Proto dostala strach. Naklonila se přes stůl a chytila sestru za ruku.

„Ty mi přece rozumíš," říkala teď Laura tichým hlasem. „Ty máš Paula. Nejlepšího muže, jakého si můžeš přát. Já mám Bernarda. Když mě Bernard opustí, nemám už nic a nikoho už mít nebudu. A ty víš, že já se nespokojím s málem. Já se nebudu dívat na mizérii svého vlastního života. Já mám o životě příliš vysokou představu. Buď mi dá život vše, anebo odejdu. Ty mi přece rozumíš. Ty jsi má sestra."

Byla chvíle ticha, v níž Agnes zmateně hledala slova, jimiž by odpověděla. Byla unavena. Je to už tolik týdnů, co se opakuje jeden a stejný dialog a kdy se vždy jen znovu ověří neúčinnost všeho, co Agnes říká. Do té chvíle únavy a bezmoci zazněla náhle docela nepravděpodobná slova:

„Starý Bertrand Bertrand zase bouřil v parlamentu proti tomu, jak se šíří sebevraždy. Vila na Martiniku je jeho majetek. Představ si, jakou mu udělám radost!" řekla Laura a smála se.

I když ten smích byl nervózní a nucený, přece přišel Agnes na pomoc jako nečekaný spojenec. Začala se smát též a smích rychle ztrácel svoji původní nepřirozenost a byl to najednou skutečný smích, smích úlevy, obě sestry měly oči plné slz a cítily, že se mají rády a že si Laura život nevezme. Mluvily obě o překot, nepouštěly si ruce a to, co říkaly, byla slova sesterské lásky, za nimiž prosvítala vila ve švýcarské zahradě a gesto ruky vyhozené vzhůru jako barevný míč, jako vyzvání na cestu, jako slib hovořící o netušené budoucnosti, slib, který se sice nenaplnil, ale přesto s nimi zůstal jako krásná ozvěna.

Když chvíle závrati pominula, Agnes řekla: „Lauro, nesmíš dělat žádné hlouposti. Nikdo za to nestojí, aby ses kvůli němu trápila. Mysli na mě a na to, jak tě mám ráda."

A Laura řekla: „Ale něco bych chtěla udělat. Něco musím udělat."

„Něco? Jaké něco?"

Laura se podívala sestře hluboce do očí a pokrčila rameny, jako by přiznávala, že jasný obsah slova „něco" jí zatím uniká. A pak zaklonila mírně hlavu, přikryla tvář nejasným, trochu melancholickým úsměvem, přiložila špičky prstů na místo mezi ňadry a řkouc znovu slovo „něco", vymrštila paže dopředu.

Agnes byla uklidněna: neuměla si sice představit nic konkrétního za tím slovem „něco", ale gesto Laury nenechávalo žádné pochyby: to „něco" mířilo do krásných dálek a nemělo nic společného s mrtvým tělem ležícím dole, na zemi, na podlaze tropického salónu.

O několik dnů později navštívila Laura společnost Francie-Afrika, jejímž předsedou byl Bernardův otec, a přihlásila se jako dobrovolník vybírat na ulici peníze pro malomocné.

GESTO TOUHY PO NESMRTELNOSTI

První láska Bettiny byl její bratr Clemens, z něhož se později stal velký romantický básník, pak byla zamilována, jak víme, do Goetha, zbožňovala Beethovena, milovala svého manžela Achima von Arnim, který byl také velký básník, pak se zbláznila do knížete Hermanna von Pückler-Muskau, který sice nebyl velký básník, ale psal knihy (byl to ostatně on, jemuž je věnována *Korespondence Goetha s dítětem*), pak, když už jí bylo padesát, chovala mateřsko-erotické city k dvěma mladíkům, Philippovi Nathusiusovi a Juliusu Döringovi, kteří nepsali knihy, ale vyměňovali si s ní dopisy (tu korespondenci také částečně zveřejnila), obdivovala se Karlu Marxovi, kterého donutila jít jednou na dlouhou noční procházku ve dvou, když byla na návštěvě u jeho snoubenky Jenny (Marxovi se na procházku nechtělo, toužil být s Jenny a ne s Bettinou; ale ani ten, kdo byl s to obrátit vzhůru nohama celý svět, nebyl s to čelit ženě, která tykala Goethovi), měla slabost pro Franze Liszta, ale jen prchavě, protože ji pohoršilo, že se Liszt neumí starat než o vlastní slávu, snažila se vášnivě pomoci duševně nemocnému malíři Karlu Blecherovi (jeho ženou opovrhovala neméně než kdysi paní Goethovou), dala se do korespondence s dědicem saského a výmarského trůnu Karlem Alexandrem, napsala pro pruského krále Fridricha Viléma *Knihu královu*, v níž vysvětlovala, jaké má král povinnosti vůči svým poddaným, a vzápětí nato *Knihu chudých*, kde ukazovala strašnou bídu, v které žije lid, obrátila se znovu na krále se žádostí, aby propustil z vězení Wilhelma Schloeffela obviněného z komunistického komplotu, a vzápětí nato u něho zasáhla ve prospěch Ludwiga Mieroslawského, jednoho z vůdců polské revoluce, který čekal v pruském vězení na popravu. Posledního muže, kterého zbožňovala, nikdy osobně nepoznala: byl to Sándor Petöfi, maďarský básník, který zemřel ve dvaceti šesti letech v řadách povstaleckého vojska z roku osmačtyřicátého. Objevila tak světu nejen velkého básníka (nazývala ho *Sonnengott*, Bůh slunce), ale s ním i jeho vlast, o jejíž existenci Evropa téměř nevěděla. Když si připomeneme, že maďarští intelektuálové, kteří se v roce 1956 vzbouřili proti ruské Říši a podnítili první velkou protistalinskou revoluci, se nazývali podle tohoto básníka „Petöfiho kroužkem", napadne nás, že svými láskami je Bettina přítomna v celém dlouhém úseku evropských dějin, který sahá od osmnáctého století až do poloviny našeho. Statečná, tvrdošíjná Bettina: víla dějin, kněžka dějin. A říkám právem kněžka, protože pro Bettinu byly dějiny (všichni její přátelé používali této metafory) „vtělením Božím".

Byly chvíle, kdy jí její přátelé vyčítali, že nemyslí dost na svou rodinu, na své finanční poměry, že se příliš obětuje pro jiné a neumí počítat.

„To, co mi říkáte, mě nezajímá! Nejsem účetní! Hle, co jsem já!" a v té chvíli přiložila prsty obou rukou k hrudi, a to tak, že se oba prostředníky dotýkaly bodu umístěného přesně mezi oběma ňadry. Pak zaklonila mírně hlavu, tvář pokryla úsměvem a paže hodila prudce, a přece ladně dopředu. Během pohybu se kotníky obou rukou vzájemně dotýkaly a teprve na konci se paže od sebe oddálily a dlaně se obrátily vpřed.

Ne, nemýlíte se. Je to ten stejný pohyb, který udělala Laura na konci předchozí kapitoly, když prohlásila, že chce udělat „něco". Zopakujme si tu situaci:

Když Agnes řekla „Lauro, nesmíš dělat žádné hlouposti. Nikdo za to nestojí, aby ses kvůli němu trápila. Mysli na mě a na to, jak tě mám ráda", Laura odpověděla: „Ale něco bych chtěla udělat. Něco musím udělat!"

Při těch slovech měla nejasnou představu, že se vyspí s nějakým jiným mužem. Myslila na to už častěji a nebylo to v žádném rozporu s její touhou vzít si život. Byly to dvě krajní a zcela legitimní reakce ponížené ženy. Její neurčité snění o nevěře bylo surově přerušeno Agnesinou neblahou snahou mít věci jasné:

„Něco? Jaké ‚něco'?"

Laura si uvědomila, že by bylo směšné přiznat touhu po nevěře těsně poté, co mluvila o sebevraždě. Upadla proto do rozpaků a opakovala jen znovu slovo „něco“. A protože si Agnesin pohled vyžadoval konkrétnější odpověď, snažila se dát smysl tomu neurčitému slovu alespoň gestem: přiložila ruce k prsům a vymrštila je dopředu.

Jak ji napadlo udělat to gesto? Těžko říci. Nikdy předtím ho neudělala. Někdo neznámý jí ho snad napověděl, jako se napovídá herci, který nezná text. I když to gesto nevyjadřovalo nic konkrétního, přece jen napovídalo, že „udělat něco“ znamená dát se světu, obětovat se, poslat svou duši směrem k modrým obzorům jako bílou holubici.

Myšlenka, že by šla stát do metra s pokladnicí, jí ještě před chvílí musila být zcela cizí a zřejmě by ji nikdy nenapadla, kdyby nebyla přiložila prsty k prsům a nebyla vymrštila paže vpřed. To gesto jako by mělo svou vlastní vůli: vedlo ji a ona ho pak jen následovala.

Gesta Laury i Bettiny jsou totožná a je jistě souvislost mezi Lauřinou touhou pomoci vzdáleným černochům a Bettininou snahou zachránit na smrt odsouzeného Poláka. Přesto se však přirovnání zdá být nepatřičné. Neumím si představit, že by Bettina von Arnim stála v metru s pokladnicí a žebrala! Bettinu nezajímaly charitativní akce! Bettina nepatřila k bohatým dámám, které z nedostatku lepší činnosti pořádají sbírky pro chudé. Byla zlá na své služebnictvo, až ji kvůli tomu její manžel Arnim musil napomenout („sluha je také lidská bytost a nesmíš ho drezírovat jako stroj!“ připomíná jí v jednom dopise). To, co ji pudilo pomáhat jiným, nebyla vášeň dobročinnosti, ale touha vejít v přímý, osobní styk s Bohem, o němž věřila, že je vtělen do dějin. Všechny její lásky ke slavným mužům (a jiní muži ji nezajímali!) nebyly než trampolína, na kterou dopadla celým svým tělem, aby byla vymrštěna hodně vysoko až tam, kde sídlí onen do dějin vtělený Bůh.

Ano, to všechno je pravda. Ale pozor! Ani Laura nepatřila k citlivým dámám z předsednictev dobročinných spolků. Neměla ve zvyku dávat peníze žebrákům. Když šla kolem nich, byli od ní vzdáleni sotva dva, tři metry a neviděla je. Trpěla vadou duchovní dalekozrakosti. Čtyři tisíce kilometrů vzdálení černoši, z nichž opadává kus po kuse jejich tělo, jí proto byli bližší. Nacházeli se přesně na tom místě za obzorem, kam poslala ladným pohybem paží svou bolestnou duši.

Mezi na smrt odsouzeným Polákem a nemocnými černochy je však přece jenom rozdíl! Co bylo u Bettiny intervencí do dějin, stalo se u Laury pouhým charitativním skutkem. Ale za to Laura nemůže. Světové dějiny se svými revolucemi, utopiemi, nadějemi a zoufalstvím opustily Evropu a zůstal po nich jen stesk. Právě proto učinil Francouz charitativní akce internacionálními. Nebyl k tomu veden (jako třeba Američané) křesťanskou láskou k bližnímu, ale steskem po ztracených dějinách, touhou přivolat je zpět a být v nich přítomen alespoň jako červená pokladnice s mincemi pro malomocné černochy.

Nazvěme gesto Bettiny a Laury *gestem touhy po nesmrtelnosti.* Bettina, která aspiruje na velkou nesmrtelnost, chce říci: odmítám umřít s dnešním dnem a jeho starostmi, chci přesáhnout sama sebe, být částí dějin, protože dějiny jsou věčná paměť. Laura, i když aspiruje jen na malou nesmrtelnost, chce totéž: přesáhnout sama sebe i nešťastnou chvíli, v níž žije, udělat „něco“, aby si ji zapamatovali všichni, co ji znali.

MNOHOZNAČNOST

Od dětství si Brigita sedala ráda tatínkovi na klín, ale zdá se mi, že když jí bylo osmnáct, sedala si tam ještě raději. Agnes se nad tím nepozastavovala: Brigita si za oběma rodiči často vlezla do postele (třeba pozdě večer, když se dívali na televizi) a mezi nimi třemi byla větší tělesná důvěrnost než kdysi mezi Agnes a jejími rodiči. Přesto jí neunikala dvojznačnost té scény: dospělá dívka s velikými prsy a velkou zadnicí sedí na klíně hezkému muži ještě plnému síly, dotýká se těmi dobyvačnými prsy jeho ramen a tváře a říká mu „papa".

Jednou byla v jejich domácnosti veselá společnost, do níž Agnes pozvala také svou sestru. Když byli všichni v moc dobré náladě, Brigita si sedla otci na klín a Laura řekla: „Já chci taky!" Brigita jí uvolnila jedno koleno, a tak seděly Paulovi na klíně obě.

Tato situace nám ještě jednou připomene Bettinu, protože ona a nikdo jiný povýšila sedání na klín na klasický model erotické mnohoznačnosti. Řekl jsem, že prošla celým erotickým bojištěm svého života chráněna štítem dětství. Nosila před sebou ten štít až do svých padesáti let, aby ho pak vyměnila za štít matky a brala sama mladé muže na klín. A zase to byla situace báječně mnohoznačná: je zakázáno podezírat matku ze sexuálních úmyslů vůči synovi, a právě proto je pozice mladého muže sedícího (byť v obrazném slova smyslu) na klíně zralé ženy plna erotických významů, které jsou o to působivější, oč jsou zamlženější.

Dovolím si tvrdit, že bez umění mnohoznačnosti není skutečného erotismu a že čím silnější mnohoznačnost, tím mocnější vzrušení. Kdo by si nepamatoval ze svého dětství na nádhernou hru na lékaře! Holčička leží na zemi a chlapeček ji svléká pod záminkou, že je lékař. Holčička je poslušná, protože ten, kdo ji prohlíží, není zvědavý chlapeček, ale seriózní pán, který má starost o její zdraví. Erotický obsah té situace je stejně nesmírný jako tajemný a oba se jím zalykají. A zalykají se jím o to víc, že chlapeček ani na okamžik nesmí přestat být lékařem, a až bude holčičce stahovat kalhotky, bude jí přitom vykat.

Vzpomínka na tu blahořečenou chvíli dětství mi vybavuje ještě krásnější vzpomínku na jedno provinční české město, do něhož se v roce 1969 vrátila z Paříže mladá česká žena. Odjela do Francie studovat v roce 1967 a našla po dvou letech zemi obsazenou ruskou armádou a lidi, kteří se všichni všeho báli a toužili být duší někde jinde, někde kde je svoboda, kde je Evropa. Mladá Češka, která navštěvovala po dva roky přesně ty semináře, které v té době musil navštěvovat každý, kdo chtěl být ve středu intelektuálního dění, se dověděla, že ještě před oidipovským stadiem procházíme všichni v našem nejprvnějším dětství tím, co slavný psychoanalytik nazval *stadium zrcadla*, což znamená, že ještě dříve než každý z nás vezme na vědomí tělo matky a otce, uvědomí si své vlastní tělo. Mladá Češka usoudila, že právě toto stadium mnohé její krajanky ve svém vývoji přeskočily. Obestřena aureolou Paříže a jejích slavných seminářů, shromáždila kolem sebe kroužek mladých žen. Vysvětlovala jim teorii, které žádná z nich nerozuměla, a pěstovala praktická cvičení, která byla stejně prostá jako teorie složitá: všechny se svlékly do naha a dívaly se nejdřív každá na sebe do velkého zrcadla, potom se dlouho a pozorně prohlížely všechny navzájem a nakonec nastavovaly jedna druhé malé kapesní zrcátko, aby mohly vidět, co dosud samy na sobě neviděly. Vedoucí kroužku neopomněla přitom ani na chvíli mluvit svým teoretickým jazykem, jehož fascinující nesrozumitelnost je všechny unášela daleko pryč z ruské okupace, daleko z jejich provincie, a k tomu jim ještě poskytovala jakési nepojmenované a nepojmenovatelné vzrušení, o kterém se bránily mluvit. Je pravděpodobné, že vedoucí kroužku kromě toho, že byla žačkou velikého Lacana, byla též lesbičkou, ale nemyslím si, že bylo v kroužku mnoho přesvědčených lesbiček. A přiznávám se, že ze všech těch žen nejvíc zaměstnává mé snění úplně nevinná dívka, pro kterou během seancí neexistovalo na světě nic jiného než temná řeč do češtiny špatně přeloženého Lacana. Ach, vědecké seance nahých žen v bytě jednoho provinčního českého města, jehož ulicemi patrolovala ruská vojenská hlídka, ach, ty vědecké seance, oč víc byly vzrušující než orgie, kde se všichni snaží vykonávat, co se patří, co je domluveno a co má jen jeden, ubohý jeden a žádný jiný smysl! Ale opusťme rychle malé české město a vraťme se k Paulovým kolenům: na jednom sedí Laura a na druhém si tentokrát představme z experimentálních důvodů nikoli Brigitu, ale její matku:

Laura zažívá příjemný pocit, že se dotýká zadnicí stehen muže, po kterém tajně toužila; ten pocit je o to dráždivější, že se mu usadila na klíně ne jako milenka, ale jako švagrová, s plným dovolením manželky. Laura je narkomanka mnohoznačnosti.

Agnes nenachází na situaci nic vzrušujícího, ale nemůže umlčet směšnou větu, která ji krouží pořád dokola hlavou: „Paulovi sedí na každém koleni jeden ženský řitní otvor! Paulovi sedí na každém koleni jeden ženský řitní otvor!" Agnes je jasnozřivý pozorovatel mnohoznačnosti.

A Paul? Ten hlučí a žertuje, nadzvedávaje střídavě kolena, aby obě sestry ani na chvíli nezapochybovaly, že je hodný a veselý strýček, ochotný proměnit se kdykoli pro své malé neteře v jezdeckého koně. Paul je hlupáček mnohoznačnosti.

V době svého milostného trápení žádala po něm Laura často radu a scházela se s ním v různých kavárnách. Poznamenejme, že o sebevraždě nepadlo slovo. Laura prosila sestru, aby nikde nemluvila o jejích morbidních plánech, a sama se s nimi Paulovi nesvěřila. Příliš brutální představa smrti nepoškozovala tedy jemnou tkaninu krásného smutku, jenž je obestíral, a oni seděli proti sobě a chvílemi se dotýkali. Paul jí tiskl ruku nebo rameno jako někomu, komu chceme dodat sebedůvěry a síly, neboť Laura milovala Bernarda a milující si zaslouží pomoci.

Rád bych řekl, že se jí v těch chvílích díval do očí, ale nebylo by to přesné, protože Laura tehdy zase začala nosit černé brýle; Paul věděl, že je to proto, aby ji neviděl s ubrečenýma očima. Černé brýle nabyly náhle mnoha významů: dodávaly Lauře přísné elegance a nepřístupnosti; zároveň však poukazovaly na něco velmi tělesného a smyslného: na oko rozmočené slzou, oko, které bylo náhle otvorem do těla, jednou z těch krásných devíti bran do těla ženy, o kterých mluví ve své slavné básni Apollinaire, vlhkým otvorem zakrytým fíkovým listem černého skla. Několikrát se stalo, že představa slzy za brýlemi byla tak intenzívní a představovaná slza tak vřelá, až se změnila v páru, která je oba obklopila a zbavila soudnosti i zraku.

Paul viděl tu páru. Ale rozuměl tomu, co znamená? Myslím, že ne. Představte si takovou situaci: Za malým chlapečkem přijde malá holčička. Začne se svlékat a říká: „Pane doktore, musíte mě vyšetřit.“ A ten malý chlapeček řekne: „Ale malá holčičko! Vždyť já nejsem žádný pan doktor!“

Právě takto jednal Paul.

VĚŠTKYNĚ

Jestliže se v diskusi s Medvědem chtěl Paul předvést jako duchaplný vyznavač frivolity, jak je možné, že s oběma sestrami na kolenou byl tak málo frivolní? Vysvětlení je toto: frivolita byla v jeho pojetí blahodárný klystýr, který toužil ordinovat kultuře, veřejnému životu, umění, politice; klystýr pro Goetha a Napoleona, ale pozor: nikoli pro Lauru a Bernarda! Jeho hlubokou nedůvěru k Beethovenovi a Rimbaudovi vykupovala jeho nezměrná důvěra v lásku.

Pojem lásky se mu spojoval s představou moře, toho nejbouřlivějšího ze všech živlů. Když byl s Agnes na prázdninách, nechával v hotelovém pokoji v noci dokořán otevřené okno, aby doprostřed jejich milování vstupovalo zvenčí vlnobití a oni splývali s jeho velkým hlasem. Měl rád svou ženu a byl s ní šťasten; přesto se mu v hloubi duše ozývalo slabé, nesmělé zklamání, že se jejich láska neprojevila nikdy dramatičtějším způsobem. Skoro záviděl Lauře překážky, které se jí stavěly do cesty, protože jen ony, podle Paula, jsou s to proměnit lásku v příběh lásky. Cítil ke švagrové citupInou solidaritu a její milostné trýzně ho trápily, jako by se děly jemu samému.

Jednoho dne mu Laura telefonovala, aby mu sdělila, že Bernard odletí za několik dnů do rodinné vily na Martinik a ona je připravena tam za ním odjet proti jeho vůli. Najde-li ho tam s jinou ženou, tím hůř. Aspoň bude všechno jasné.

Aby ji uchránil zbytečných konfliktů, snažil se jí její rozhodnutí vymluvit. Ale rozhovor se stával neukončitelný: opakovala stále dokola stejné argumenty a Paul už byl smířen s tím, že jí nakonec, i když nerad, řekne: „Když jsi opravdu tak hluboce přesvědčena, že je tvé rozhodnutí správné, tak neváhej a jeď!“ Těsně před tím, než tu větu vyslovil, Laura však řekla: „Jen jedna věc by mě mohla od mé cesty odradit: kdybys mi ji zakázal.“

Doporučila tak Paulovi velmi jasně, co má udělat, aby ji odvrátil od jejího plánu, a ona si mohla přesto uchovat sama před sebou i před ním důstojnost ženy odhodlané jít až na konec svého zoufalství a svého boje. Vzpomeňme, že když Laura poprvé uviděla Paula, uslyšela v duchu přesně ta slova, která řekl kdysi Napoleon o Goethovi: „Hle, muž!“ Kdyby byl Paul opravdu muž, řekl by jí bez zaváhání, že jí cestu zakazuje. Jenomže on, běda, nebyl muž, nýbrž muž pevných zásad: už dávno vyřadil slovo „zakázat“ ze svého slovníku a byl na to pyšný. Ohradil se: „Víš, že nikomu nic nezakazuju.“

Laura trvala na svém: „Já *chci*, abys mi zakazoval a poroučel. Ty víš, že na to nemá nikdo právo než ty. Udělám, co mi řekneš.“

Paul upadl do rozpaků: už hodinu jí vysvětluje, že by neměla za Bernardem odjíždět, a ona už hodinu opakuje své. Proč místo toho, aby se dala přesvědčit, žádá jeho zákaz? Odmlčel se.

„Bojíš se?“ zeptala se.

„Čeho?“

„Vnutit mi svou vůli.“

„Když jsem tě neuměl přesvědčit, nemám právo ti nic zakazovat.“

„To je to, co říkám: bojíš se.“

„Chtěl jsem tě přesvědčit rozumem.“

Smála se: „Schováváš se za rozum, protože se bojíš mi vnutit svoji vůli. Máš ze mě strach!“

Její smích ho vrhl do ještě hlubších rozpaků, takže aby ukončil rozhovor, řekl: „Budu o tom ještě přemýšlet.“

Pak se ptal Agnes na její názor.

Řekla: „Nesmí za ním jet. To by byla strašná hloupost. Jestli s ní budeš mluvit, udělej všechno, ať nejezdí!“

Jenomže Agnesin názor mnoho neznamenal, protože hlavním Paulovým poradcem byla Brigita.

Když jí vysvětlil situaci její tety, reagovala okamžitě. „A proč by tam nejela? Člověk má udělat to, co má chuť udělat.“

„Ale představ si,“ namítal Paul, „že tam najde Bernardovu milenku! Udělá mu tam strašný skandál!“

„A on jí snad řekl, že tam bude mít s sebou jinou ženu?"
„Ne."
„Tak jí to měl říct. Když jí to neřekl, je zbabělec a nemá žádný smysl ho šetřit. Co může Laura ztratit? Nic."
Můžeme se ptát, proč dala Brigita Paulovi právě tuto a ne jinou odpověď. Ze solidarity s Laurou? Ne. Laura se často chovala, jako by byla Paulovou dcerou, a Brigitě to bylo směšné i protivné. Neměla nejmenší chuť solidarizovat se s tetou; šlo jí jen o jediné: líbit se otci. Tušila, že se na ni Paul obrací jako na věštkyni, a chtěla svou magickou autoritu upevnit. Předpokládajíc správně, že její matka je proti Lauřině cestě, rozhodla se zaujmout postoj právě opačný, nechat promluvit svými ústy hlas mládí a okouzlit otce gestem nerozvážné odvahy.
Vrtěla hlavou krátkými horizontálními pohyby zvedajíc ramena a obočí a Paul zakoušel opět ten krásný pocit, že má ve své dceři akumulátor, z něhož čerpá energii. Možná že by byl býval šťastnější, kdyby ho Agnes byla pronásledovala a sedala do letadel, aby pátrala na dalekých ostrovech po jeho milenkách. Celý život toužil, aby milovaná žena byla s to tlouci kvůli němu hlavou o zeď, křičet zoufalstvím anebo skákat radostí po pokoji. Řekl si, že Laura a Brigita jsou na straně odvahy a bláznovství a že bez zrnka bláznovství by život nestál za žití. Ať se dá Laura vést hlasem svého srdce! Proč by měl být každý náš čin desetkrát obrácen na pánvičce rozumu jako palačinka?
„Uvaž přece jenom," namítal ještě, „že Laura je citlivá žena. Taková cesta může vést k jejímu trápení."
„Já bych na jejím místě jela a nikdo by mě nezdržel," uzavřela Brigita rozhovor.
Pak mu Laura znovu telefonovala. Aby předešel dlouhé diskusi, řekl jí hned, jak ji uslyšel: „Znovu jsem o tom přemýšlel a chci ti říci, že máš udělat přesně to, co toužíš udělat. Když tě to tam táhne, jeď!"
„Já už jsem byla rozhodnuta, že nepojedu. Byl jsi tak nedůvěřivý k mé cestě. Ale když mi ji schvaluješ, tak zítra letím."

Paula polila studená sprcha. Pochopil, že bez jeho výslovného povzbuzení by Laura na Martinik nejela. Ale už nebyl s to nic říci; rozhovor byl ukončen. Nazítří ji letadlo unášelo přes Atlantik a Paul věděl, že je osobně odpovědný za tuto cestu, kterou stejně jako Agnes považoval v hloubi duše za naprostý nesmysl.

SEBEVRAŽDA

Od chvíle, co nasedla do letadla, uplynuly dva dny. V šest hodin ráno zvonil telefon. Byla to Laura. Oznamovala sestře a švagrovi, že na Martiniku je právě půlnoc. Její hlas byl nepřirozeně veselý, z čehož Agnes ihned usoudila, že se věci vyvíjejí špatně.

Nemýlila se: když Bernard uviděl Lauru ve stromořadí palem vedoucím do vily, v níž bydlil, zbledl hněvem a řekl jí přísně: „Prosil jsem tě, abys nejezdila.“ Začala mu něco vysvětlovat, ale on neřekl ani slovo, naházel pár věcí do kufříku, nasedl do auta a odjel. Zůstala sama, bloudila po domě a ve skříni objevila své červené plavky, které tam nechala při předchozím pobytu.

„Jen ony tu na mě čekaly. Jen ty plavky,“ řekla a přešla ze smíchu do pláče. V pláči pokračovala: „Bylo to od něho hnusné. Zvracela jsem. A pak jsem se rozhodla, že zůstanu. Všechno skončí v této vile. Až se sem Bernard vrátí, najde mě tu v těch plavkách.“

Lauřin hlas se rozléhal pokojem; slyšeli ho oba, ale sluchátko měli jen jedno a podávali si ho z ruky do ruky.

„Prosím tě,“ říkala Agnes, „uklidni se, hlavně se uklidni. Snaž se být chladná a rozumná.“

Laura se zase rozesmála: „Představ si, že jsem si před cestou obstarala dvacet krabiček barbiturátů, ale všechny jsem je nechala v Paříži. Tak jsem byla rozrušená.“

„Ach to je dobře, to je dobře,“ říkala Agnes a cítila v té chvíli opravdu jakousi úlevu.

„Ale našla jsem tu v zásuvce revolver,“ pokračovala Laura a zase se smála: „Bernard má zřejmě strach o život! Bojí se, že ho přepadnou černoši! Vidím v tom znamení.“

„Jaké znamení!“

„Že tu nechal pro mě revolver.“

„Co blázníš! Nic tam pro tebe nenechal! Nepočítal vůbec s tím, že přijedeš!“

„Samozřejmě, že ho tu nenechal úmyslně. Ale koupil revolver, kterého nepoužije nikdo jiný než já. Takže ho tu nechal pro mě."

Agnes se znovu zmocnil pocit zoufalé bezmoci. Řekla: „Dej, prosím tě, ten revolver, kde byl."

„Já s ním neumím zacházet. Ale Paule... Paule, slyšíš mě?"

Paul vzal do ruky sluchátko: „Ano."

„Paule, jsem ráda, že slyším tvůj hlas."

„Já také, Lauro, ale prosím tě..."

„Já vím, Paule, ale já už nemůžu dál..." a rozvzlykala se.

Byla chvíle ticha.

Pak se ozvala Laura: „Mám před sebou ležet ten revolver. Nemůžu z něho spustit oči."

„Tak ho dej zpátky, kde byl," řekl Paul.

„Paule, tys přece byl na vojně."

„Ano."

„Ty jsi důstojník!"

„Podporučík."

„To znamená, že umíš střílet z revolveru."

Paul byl v rozpacích. Ale musil říci: „Ano."

„Jak se pozná, že je revolver nabitý?"

„Když vydá ránu, tak je nabitý."

„Když stisknu spoušť, tak vyjde rána?"

„Může vyjít."

„Jak to: může?"

„Je-li revolver odjištěný, vyjde rána."

„A jak se pozná, je-li odjištěný?"

„Přece jí nebudeš vysvětlovat, jak se má zastřelit!" vykřikla Agnes a vytrhla Paulovi sluchátko z ruky.

Laura pokračovala: „Já chci jenom vědět, jak se s tím zachází. To bych přece měla vědět, jak se zachází s revolverem. Co to znamená, že je odjištěný? Jak se odjišťuje?"

„Už dost," řekla Agnes. „Už ani slovo o revolveru. Dáš ho zpátky tam, kde byl. Už dost, už dost těch žertů."

Laura měla náhle úplně jiný, vážný hlas: „Agnes! Já nežertuju!" a znovu začala plakat.

Rozhovor byl nekonečný, Agnes a Paul opakovali stejné věty, ujišťovali Lauru svou láskou, prosili ji, aby zůstala s nimi, aby je neopouštěla, až jim nakonec slíbila, že vrátí revolver do zásuvky a půjde spát.

Když položili sluchátko, byli tak vyčerpáni, že dlouho nebyli s to říci jediné slovo.

Pak Agnes řekla: „Proč tohle dělá! Proč tohle dělá!"

A Paul řekl: „To je moje vina. Já jsem ji tam poslal."

„Byla by tam jela v každém případě."

Paul vrtěl hlavou: „Nebyla. Byla už připravena zůstat. Udělal jsem největší blbost svého života."

Agnes nechtěla, aby se Paul trápil pocitem viny. Ne ze soucitu, spíš ze žárlivosti: nechtěla, aby se za ni cítil tolik zodpovědný, aby se k ní tolik připoutával myšlenkami. Proto řekla: „A jak si můžeš být tak jistý, že tam našla revolver?"

Paul nejdřív vůbec nechápal: „Co tím chceš říct?"

„Že tam třeba vůbec žádný revolver není."

„Agnes! Ona nehraje komedii! To se pozná!"

Agnes se snažila formulovat své podezření opatrněji: „Je možné, že tam ten revolver je. Ale je také možné, že má s sebou barbituráty a mluví schválně o revolveru, aby nás zmátla. A nedá se vyloučit ani to, že tam není ani revolver ani barbituráty a chce nás trápit."

„Agnes," řekl Paul, „ty jsi na ni zlá."

Paulova výčitka v ní znovu probudila ostražitost: aniž to Paul tušil, stala se mu Laura v poslední době bližší než Agnes; myslí na ni, zabývá se jí, má o ni starost, je jí dojat a Agnes je najednou nucena myslit na to, že ji Paul srovnává se sestrou a že ona sama z toho srovnání vychází jako ta, která má méně citu.

Snažila se obhájit: „Nejsem zlá. Chci ti jen říct, že Laura udělá všechno, aby na sebe upoutala pozornost. Je to přirozené, protože trpí. Všichni mají sklon se smát její nešťastné lásce a krčit rameny. Když má v ruce revolver, nikdo už se smát nemůže."

„A co když ta touha připoutat k sobě pozornost povede k tomu, že si vezme život? To není možné?"

„Je to možné,“ řekla Agnes a padlo mezi ně zase dlouhé ticho naplněné úzkostí.

Agnes pak řekla: „Já si taky umím představit, že si člověk touží vzít život. Že už není s to snášet bolest. A zlobu lidí. Že chce lidem zmizet z očí a že zmizí. Každý má právo se zabít. To je jeho svoboda. Nemám nic proti sebevraždě, která je způsobem zmizení.“

Chtěla se odmlčet, ale divoký nesouhlas s tím, co sestra dělá, způsobil, že pokračovala: „Ale to není její případ. Ona nechce *zmizet*. Ona myslí na sebevraždu, protože v ní vidí způsob, jak *zůstat*. Jak zůstat s ním. Jak zůstat s námi. Jak se nám všem vrýt navždy do paměti. Jak se položit celým tělem do našeho života. Jak nás rozdrtit.“

„Jsi nespravedlivá,“ řekl Paul. „Ona trpí.“

„Já vím,“ řekla Agnes a rozplakala se. Představila si sestru mrtvou a všechno, co právě řekla, jí připadalo malé a nízké a neodpustitelné.

„A co když nás chtěla jen uchlácholit svými sliby?“ řekla a začala vytáčet číslo vily na Martiniku; telefon vyzváněl bez odpovědi a jim už zase vyskakovaly kapky potu na čele; věděli, že nebudou s to zavěsit a budou poslouchat do nekonečna vyzvánění, které znamená Lauřinu smrt. Konečně se ozval její hlas a zněl skoro nepřívětivě. Ptali se jí, kde byla. „Ve vedlejším pokoji,“ řekla. Mluvili do sluchátka oba dva. Mluvili o své úzkosti, o tom, že ji musili ještě jednou uslyšet, aby se uklidnili. Opakovali jí, že ji mají rádi a že s netrpělivostí očekávají její návrat.

Oba odešli do práce se zpožděním a nemyslili celý den než na ni. Večer jí telefonovali znovu a rozhovor trval zase hodinu a zase ji ujišťovali o své lásce a o tom, jak se na ni těší.

O několik dnů později zazvonila u dveří. Paul byl sám doma. Stála na prahu a měla na očích černé brýle. Padla mu do náruče. Šli do salónu, sedli si proti sobě do křesel, ale byla tak neklidná, že po chvíli vstala a začala chodit po místnosti. Horečně mluvila. Pak vstal z křesla i on a také chodil po místnosti a také mluvil.

Mluvil s pohrdáním o svém bývalém žáku, chráněnci a příteli. Dalo se to ovšem vysvětlit tím, že tak chtěl Lauře ulehčit v jejím rozchodu. Ale on sám byl překvapen, že všechno, co říkal, mínil vážně a upřímně: Bernard je rozmazlené dítě bohatých rodičů; člověk arogantní a domýšlivý.

Laura, opřena o krb, se dívala na Paula. A Paul si najednou všiml, že už nemá na očích brýle. Držela je v ruce a upírala na něho své oči, oteklé od pláče, vlhké. Paul pochopil, že Laura už chvíli neposlouchá, co jí říká.

Odmlčel se. Do pokoje se položilo ticho, které ho jakousi tajemnou silou pohnulo, aby k ní přistoupil. Řekla: „Paule, proč jsme se my dva spolu nesetkali dříve? Přede všemi ostatními..."

Ta slova se mezi ně prostřela jako mlha. Paul vstoupil do té mlhy a napřáhl ruku jako někdo, kdo nevidí a tápe; ruka se dotkla Laury. Laura vzdychla a nechala ležet Paulovu ruku na své kůži. Pak udělala krok stranou a znovu nasadila brýle na tvář. To gesto způsobilo, že se mlha zvedla a oni stáli opět proti sobě jako švagr a švagrová.

O chvíli později vstoupila do místnosti Agnes, která se právě vrátila z práce.

ČERNÉ BRÝLE

Když uviděla sestru poprvé po jejím návratu z Martiniku, místo aby ji vzala do náruče jako trosečníka, který právě unikl smrti, zůstala Agnes překvapivě chladná. Neviděla sestru, viděla jen černé brýle, tu tragickou masku, která bude chtít diktovat tón následující scény. Jako by tu masku neviděla, řekla: „Lauro, ty jsi strašně zhubla." Teprve potom k ní přistoupila, a jak se to ve Francii dělá mezi známými, lehce ji políbila na obě tváře.

Uvážíme-li, že to byla první slova po těch dramatických dnech, musíme uznat, že byla nevhodná. Netýkala se ani života, ani smrti, ani lásky, ale zažívání. Ale to by konec konců samo o sobě nebylo tak zlé, protože Laura mluvila ráda o svém těle a považovala ho za metaforu svých citů. Mnohem horší bylo, že ta věta nebyla řečena ani se starostlivostí ani s melancholickým obdivem k utrpení, které zapříčinilo zhubnutí, ale se zřejmou a unavenou nechutí.

Není pochyby, že Laura zaznamenala přesně tón sestřina hlasu a pochopila jeho smysl. Ale i ona se tvářila, že nechápe, co si druhý myslí, a pronesla hlasem plným utrpení: „Ano. Zhubla jsem o sedm kilo."

Agnes chtěla říci: „Už dost! Už dost! Už to trvá moc dlouho! Už přestaň!" ale ovládla se a neřekla nic.

Laura zvedla paži: „Podívej se, to přece není moje ruka, to je hůlčička... Já neobleču jedinou sukni. Všechny ze mě padají. A teče mi krev z nosu..." a jako by chtěla demonstrovat, co právě řekla, zaklonila hlavu a dlouze a hlasitě nadechovala a vydechovala nosem.

Agnes se dívala na to zhublé tělo s neovladatelnou nechutí a napadla ji tato myšlenka: Kam se podělo sedm kilogramů, které Laura ztratila? Rozplynuly se jako spotřebovaná energie někde v azuru? Anebo odešly s jejími exkrementy do kanálu? Kam se podělo sedm kilogramů nenahraditelného Lauřina těla?

Mezitím Laura sundala černé brýle z očí a položila je na římsu krbu, o nějž se opírala. Obrátila k sestře oteklá víčka, jako je před chvílí obrátila k Paulovi.

Když si sundala brýle, bylo to, jako by si obnažila tvář. Jako by se svlékla. Ale ne jako se žena svléká před milencem, spíš jako před lékařem, svalujíc na něho všechnu odpovědnost za své tělo.

Agnes nebyla s to zastavit větu, která jí kroužila hlavou, a řekla ji nahlas: „Už dost. Už přestaň. Jsme všichni na konci sil. Rozejdeš se s Bernardem, jako se už miliony žen rozešly s miliony mužů, aniž hrozily sebevraždou."

Mohli bychom si myslit, že po několika týdnech nekonečných rozhovorů, kdy ji Agnes zapřísahala svou sesterskou láskou, musil Lauru tento výbuch překvapit, ale zvláštní je, že nepřekvapil; Laura reagovala na Agnesina slova, jako by na ně byla už dávno připravena. Řekla naprosto klidně: „Tak já ti řeknu, co si myslím. Ty nevíš, co je to láska, ty jsi to nikdy nevěděla a nikdy to vědět nebudeš. Láska, to nebyla nikdy tvoje silná stránka."

Laura věděla, kde je její sestra zranitelná, a Agnes se toho polekala; pochopila, že Laura teď mluví jen proto, že ji slyší Paul. Bylo najednou jasné, že už vůbec nešlo o Bernarda: celé sebevražedné drama se ho vůbec netýkalo; s největší pravděpodobností se o něm nikdy nedoví; to drama bylo jen pro Paula a pro Agnes. A napadlo ji též, že když člověk začne bojovat, uvede do pohybu sílu, která se nezastaví u prvního cíle, a že za prvním cílem, jímž byl pro Lauru Bernard, jsou ještě další.

Už nebylo možno se vyhnout boji. Agnes řekla: „Když jsi kvůli němu ztratila sedm kilogramů, je to materiální důkaz lásky, který se nedá popřít. Ale přesto něčemu nerozumím. Když někoho miluju, tak pro něho chci jen dobré. Když někoho nenávidím, tak mu přeju zlé. A tys v posledních měsících týrala Bernarda a týrala jsi i nás. Co to má společného s láskou? Nic."

Představme si teď salón jako scénu divadla: docela vpravo je krb, na protější straně je scéna uzavřena knihovnou. Uprostřed, v pozadí, je pohovka, nízký stolek a dvě křesla. Paul stojí uprostřed pokoje, Laura je u krbu a dívá se upřeně na Agnes, která je od ní vzdálena dva kroky. Lauřiny oteklé oči obžalovávají sestru z krutosti, nepochopení a chladu. Zatímco Agnes mluví, Laura ustupuje od ní pozpátku do středu místnosti, kde stojí Paul, jako by tím ústupným pohybem dávala najevo udivený strach před sestřiným nespravedlivým útokem.

Když byla od Paula sotva dva kroky, zastavila se a opakovala: „Ty nevíš nic o tom, co je to láska."

Agnes postoupila vpřed a zaujala sestřino místo u krbu. Řekla: „Rozumím tomu, co je láska. V lásce je nejdůležitější ten druhý, ten koho milujeme. O toho jde a o nic jiného. A já se ptám, co znamená láska pro toho, kdo není s to vidět než sama sebe. Jinými slovy, co rozumí slovem láska absolutně egocentrická žena."

„Ptát se, co je to láska, nemá žádný smysl, má drahá sestro," řekla Laura: „Lásku jsi buď zažila, nebo nezažila. Láska je to, co láska je, nic víc se o ní nedá říct. Jsou to křídla, která mi tlučou v prsou a ženou mě k činům, které se tobě zdají nerozumné. A to je právě to, co se ti nikdy nepřihodilo. Tys řekla, že neumím vidět než samu sebe. Ale tebe vidím a vidím ti až na dno. Když jsi mě ujišťovala v poslední době svou láskou, věděla jsem dobře, že v tvých ústech to slovo nemá žádný smysl. Byla to jen lest. Argument, který mě měl uchlácholit. Zabránit mi, abych rušila tvůj klid. Já tě znám, má sestro: ty žiješ celý život na druhé straně lásky. Docela na druhé straně. Za hranicemi lásky."

Obě ženy mluvily o lásce a byly do sebe zakousnuty svou nenávistí. A muž, který tu byl s nimi, z toho byl zoufalý. Chtěl něco říci, co by zmírnilo nesnesitelné napětí: „Jsme všichni tři unaveni. Rozrušeni. Potřebovali bychom teď všichni někam odjet a zapomenout na Bernarda."

Ale Bernard byl už dávno zapomenut a Paulův zásah nezpůsobil nic víc, než že slovní střetnutí sester bylo nahrazeno mlčením, v kterém nebyl ani gram soucitu, ani jedna smiřující vzpomínka, ani nejslabší vědomí pokrevního pouta či rodinné solidarity.

Nespouštějme z očí celek scény: vpravo, opřena o krb, stála Agnes; uprostřed pokoje, obrácena k sestře, byla Laura a dva kroky vlevo od ní Paul. A Paul teď mávl rukou v zoufalství nad tím, že není nijak s to zabránit nenávisti, která tak nesmyslně vybuchla mezi ženami, jež má rád. Jako by se jim chtěl na protest co nejvíc vzdálit, obrátil se a šel ke knihovně. Opřel se pak o ni zády, odvrátil hlavu k oknu a snažil se je nevidět.

Agnes viděla černé brýle položené na římse krbu a vzala je bezděčně do ruky. Prohlížela si je se záští, jako by držela v ruce dvě zčernalé sestřiny slzy. Cítila nechuť ke všemu, co pocházelo ze sestřina těla, a ty velké skleněné slzy jí připadaly jako jeden z jeho výměšků.

Laura se dívala na Agnes a viděla své brýle v jejích rukou. Ty brýle jí najednou chyběly. Měla potřebu štítu, závoje, kterým by si zastřela tvář před sestřinou záští. Ale zároveň se nemohla odhodlat k tomu, aby udělala čtyři kroky a došla až k sestře-nepříteli a brýle jí vzala z rukou. Měla z ní strach. A tak se oddala s jakousi masochistickou vášní zranitelné obnaženosti své tváře, na níž byly otištěny všechny stopy jejího trápení. Věděla dobře, že Agnes nesnáší její tělo, její řeči o těle, o sedmi kilech, které ztratila, věděla to intuicí a citem, a snad právě proto, ze vzdoru, chtěla v této chvíli být co nejvíc tělem, opuštěným, odhozeným tělem. Chtěla jim to tělo položit doprostřed salónu a nechat ho tu. Nechat ho tu ležet nehnuté a těžké. A kdyby ho tu nechtěli, donutit je, aby to tělo, její tělo, vzali jeden za ruce, druhý za nohy, a vynesli je před dům, jako se vynášejí v noci tajně na ulici nepotřebné staré matrace.

Agnes stála u krbu a držela v ruce černé brýle. Laura byla uprostřed salónu a vzdalovala se stále malými krůčky pozpátku od sestry. Pak udělala ještě poslední krok dozadu a její tělo se přitisklo zády k Paulovi, těsně, velice těsně, protože za Paulem byla knihovna a on nemohl nikam ucouvnout. Laura zapažila ruce a přitiskla obě dlaně pevně k Paulovým stehnům. I svou hlavu zaklonila a přitiskla ji zezadu na Paulovu hruď.

Agnes je na jedné straně místnosti, v ruce černé brýle; na druhé straně proti ní a daleko od ní, jako nehybné sousoší, stojí Laura přitisknuta k tělu Paula. Jsou oba nehybní, jako z kamene. Nikdo nic neříká. Teprve po chvíli Agnes oddálí ukazováček od palce. Černé brýle, ten symbol sestřina smutku, ta metamorfovaná slza, padají na kamenné dlaždice před krbem a rozbíjejí se.

ČTVRTÝ DÍL / HOMO SENTIMENTALIS

1

U věčného soudu vedeného proti Goethovi bylo proneseno bezpočet obžalovacích řečí a svědectví týkajících se případu Bettina. Abych neunavoval čtenáře výčtem bezvýznamností, uvedu jen tři svědectví, která se mi zdají nejdůležitější.

Za prvé: svědectví Rainera Maria Rilkeho, největšího německého básníka po Goethovi.

Za druhé: svědectví Romaina Rollanda, který byl ve dvacátých a třicátých letech jedním z nejčtenějších romanopisců mezi Uralem a Atlantikem, požívajícím navíc velké autority pokrokového člověka, antifašisty, humanisty, pacifisty a přítele revoluce.

Za třetí: svědectví básníka Paula Eluarda, skvělého příslušníka toho, čemu se říkalo avantgarda, pěvce lásky, anebo řekněme to jeho slovy, pěvce lásky-poezie, neboť tyto dva pojmy (jak o tom svědčí jedna z jeho nejkrásnějších sbírek veršů nazvaná *L'amour La poésie*) mu splývaly v jedno.

2

Jako svědek předvolaný k věčnému soudu užívá Rilke přesně stejných slov, která napsal ve své nejslavnější knize prózy vydané v roce 1910, *Zápisky Malta Lauridse Brigga*, v níž oslovuje Bettinu touto dlouhou apostrofou:

„Jak je to možné, že dosud všichni nemluví o tvé lásce? Stalo se snad od té doby něco pamětihodnějšího? Čím se tedy zabývají? Ty sama jsi znala cenu své lásky, tys o ní mluvila největšímu básníkovi, aby ji učinil lidskou; neboť ta láska byla ještě živlem. Ale on ji lidem rozmluvil, když ti psal. Všichni četli jeho odpovědi a věří jim více, protože básník je jim srozumitelnější než příroda. Ale možná, že se jednou ukáže, že zde byla hranice jeho velikosti. Tato milující mu byla uložena (auferlegt) a on neobstál (er hat sie nicht bestanden: zájmeno *sie* se vztahuje k milující, k Bettině: nesložil zkoušku, jíž pro něho byla Bettina). Co to znamená, že neuměl opětovat (erwidern)? Taková láska žádné opětování nepotřebuje, obsahuje výzvu (Lockruf) i odpověď sama v sobě; sama sebe vyslyší. Ale on se měl před ní pokořit ve vší své velebnosti a to, co diktovala, měl psát, jako Jan na Pathmu, na kolenou a oběma rukama. Neexistovala žádná jiná možná volba v přítomnosti tohoto hlasu, který ‚jednal z pověření andělů' (die ‚das Amt der Engel verrichtete'); který přišel, aby ho zahalil a odvedl do věčnosti. To byl vůz pro jeho plamennou cestu po nebesích. To byl pro jeho smrt připravený temný mýtus, který zanechal nenaplněný."

3

Svědectví Romaina Rollanda se týká vztahu mezi Goethem, Beethovenem a Bettinou. Romanopisec ho podrobně vyložil ve svém spise *Goethe a Beethoven* vydaném v Paříži v roce 1930. I když své stanovisko jemně odstiňuje, přece se nijak netají, že největší sympatie chová pro Bettinu: vysvětluje události přibližně jako ona. Goethovi neupírá jeho velikost, ale cítí se zarmoucen jeho politickou i estetickou opatrností, která málo sluší géniům. A Christiána? Ach, o té raději nemluvit, to je „nullité d'esprit", duchovní nic.

Toto stanovisko je vyjádřeno, opakuji to ještě jednou, s jemností a smyslem pro míru. Epigoni jsou vždycky radikálnější než jejich inspirátoři. Čtu například velmi důkladnou francouzskou biografii Beethovena vydanou v šedesátých letech. Tam už se mluví přímo o Goethově „zbabělosti", o jeho „servilnosti", o jeho „senilním strachu před vším, co je nové v literatuře a estetice" atd. atd. Bettina naproti tomu je nadaná „prozíravostí a schopností věštby, které jí dávají téměř rozměr génia". A Christiána jako vždycky není než ubohá „volumineuse épouse", objemná manželka.

4

I když se Rilke i Rolland stavějí na stranu Bettiny, mluví o Goethovi s úctou. V textu *Pěšiny a silnice poezie* (napsal ho, buďme k němu spravedliví, v nejhorší době své dráhy, v roce 1949, kdy byl nadšeným stoupencem Stalina) volí Paul Eluard, skutečný Saint-Just lásky-poezie, slova mnohem tvrdší:

„Goethe se ve svém deníku zmiňuje o svém prvním setkání s Bettinou Brentano pouze těmito slovy: ‚Mamsel Brentano'. Uznávaný básník, autor Werthera, dával přednost míru své domácnosti před aktivními třeštěními vášně (délires actives de la passion). A veškerá představivost, veškerý talent Bettiny neměly rušit jeho olympský sen. Kdyby se byl Goethe nechal unést láskou, možná že by jeho zpěv byl sestoupil k zemi, ale my bychom ho nemilovali o to méně, protože za těch okolností by se pravděpodobně nebyl rozhodl ke své roli kurtizána a nebyl by nakazil svůj lid, přesvědčuje ho, že nespravedlnosti je třeba dát přednost před nepořádkem."

5

„Tato milující mu byla uložena," napsal Rilke a my se můžeme ptát: co znamená ta pasivní gramatická forma? Jinak řečeno: *kdo* mu ji uložil?

Podobná otázka nás napadne, čteme-li tuto větu z dopisu, který píše Bettina 15. června 1807 Goethovi: „Nemusím mít strach oddat se tomuto citu, protože to nejsem já, kdo ho zasadil do mého srdce."

Kdo jí ho tam zasadil? Goethe? To Bettina určitě nechtěla říci. Ten, kdo jí ho zasadil do srdce, byl někdo nad ní i nad Goethem, ne-li Bůh, tedy aspoň některý z andělů, o nichž mluví v citované pasáži Rilke.

Na tomto místě se můžeme Goetha zastat: jestliže někdo (Bůh či anděl) zasadil cit do Bettinina srdce, je přirozené, že Bettina bude poslušna toho citu: je to cit v *jejím* srdci, je to *její* cit. Ale Goethovi, zdá se, nikdo žádný cit do srdce nezasadil. Bettina mu byla „uložena". Uložena jako úkol. *Auferlegt*. Jak tedy může mít Rilke Goethovi za zlé, že se bránil úkolům, které mu byly uloženy proti jeho vůli a tak říkajíc bez jakéhokoli varování? Proč by měl padnout na kolena a psát „oběma rukama", co mu diktoval hlas přicházející z výšek?

Na to zřejmě nenajdeme žádnou racionální odpověď a můžeme si pomoci jen přirovnáním: Představme si Šimona, který loví u Galilejského jezera ryby. Přijde k němu Ježíš a vyzývá ho, aby zanechal svých sítí a následoval ho. A Šimon říká: „Dej mi pokoj. Mně jsou milejší mé sítě a mé ryby." Takový Šimon by se stal okamžitě komickou postavou, Falstaffem Evangelia, stejně jako se stal Goethe v Rilkeho očích Falstaffem lásky.

6

Rilke říká o Bettinině lásce, že „nepotřebuje žádné opětování, obsahuje výzvu i odpověď sama v sobě; sama sebe vyslyší." Láska, kterou lidem zasazuje do srdce zahradník andělů, nepotřebuje žádný předmět, žádnou odezvu, žádnou, jak říkala Bettina, Gegen-Liebe (opětovanou lásku). Milovaný (například Goethe) není ani důvodem ani smyslem lásky.

V době své korespondence s Goethem píše Bettina milostné dopisy také Arnimovi. V jednom z nich říká: „Skutečná láska (die wahre Liebe) je neschopna nevěrnosti." Taková láska nestarající se o odezvu („die Liebe ohne Gegen-Liebe") „hledá milovaného pod každým převtělením".

Kdyby byl Bettině zasadil lásku do srdce nikoli andělský zahradník, ale Goethe nebo Arnim, rostla by jí v srdci láska ke Goethovi nebo láska k Arnimovi, nenapodobitelná, nezaměnitelná láska, určená pro toho, kdo ji zasadil, pro toho, kdo je milován, a tedy nepřevtělitelná. Taková láska by se dala definovat jako *vztah*: privilegovaný vztah mezi dvěma lidmi.

To, co však Bettina nazývá wahre Liebe (pravá láska), není láska-vztah, ale *láska-cit*; oheň, který zažíhá nebeská ruka v duši člověka, pochodeň, v jejímž světle milující „hledá milovaného pod každým převtělením". Taková láska (láska-cit) neví, co je nevěra, protože i když se předmět lásky mění, láska sama zůstává stále tím stejným plamenem zažehnutým stejnou nebeskou rukou.

Když jsme došli v naší úvaze až sem, jsme připraveni začít chápat, proč ve své rozsáhlé korespondenci kladla Bettina Goethovi tak málo otázek. Můj Bože, když si představíte, že si můžete psát s Goethem! Na co všechno byste se ho vyptávali! Na jeho knihy. Na knihy jeho současníků. Na poezii. Na prózu. Na obrazy. Na Německo. Na Evropu. Na vědu a techniku. Doléhali byste na něho otázkami, až by musil upřesnit své postoje. Hádali byste se s ním, až byste ho donutili říci, co až dosud neřekl.

Ale Bettina si s Goethem nevyměňuje názory. Ani o umění s ním nediskutuje. S jedinou výjimkou: píše mu o hudbě. Ale je to ona, kdo poučuje! Goethe si zjevně myslí něco jiného. Jak to, že se ho Bettina nevyptává podrobně na důvody jeho nesouhlasu? Kdyby se ho uměla ptát, měli bychom v Goethových odpovědích první kritiku hudebního romantismu avant la lettre!

Ach ne, nic takového v té obsáhlé korespondenci nenajdeme, dočteme se v ní pramálo o Goethovi, prostě proto, že se Bettina zajímala o Goetha mnohem méně, než tušíme; důvodem a smyslem její lásky nebyl Goethe, ale láska.

7

Evropa má pověst civilizace založené na rozumu. Ale stejně tak dobře by se o ní dalo říct, že je civilizací sentimentu; vytvořila typ člověka, kterého nazývám sentimentálním člověkem: *homo sentimentalis*.

Židovské náboženství předpisuje věřícím zákon. Ten zákon chce být přístupný rozumu (talmud není než ustavičné rozumové rozebírání předpisů stanovených Biblí) a nevyžaduje žádný zvláštní smysl pro nadpřirozeno, žádné zvláštní nadšení ani mystický plamen v duši. Kritérium dobra a zla je objektivní: jde o to rozumět psanému zákonu a dodržovat ho.

Křesťanství obrátilo toto kritérium hlavou dolů: Miluj Boha a čiň, co chceš! řekl svatý Augustin. Kritérium dobrého a zlého bylo umístěno do individuální duše a stalo se subjektivní. Jestliže duše toho či onoho je naplněna láskou, všechno je v pořádku: ten člověk je dobrý a vše, co dělá, je dobré.

Bettina myslí jako svatý Augustin, když píše Arnimovi: „Našla jsem krásné úsloví: pravá láska má vždycky pravdu, i když je v neprávu. Luther ale v jednom dopise říká: skutečná láska je často v neprávu. To neshledávám tak dobré jako své úsloví. Na jiném místě však Luther říká: láska předchází všemu, i oběti i modlitbě. Z toho však vyvozuju, že láska je největší ctnost. Láska nás činí nevědomými (macht bewustlos) v pozemském a naplňuje nás nebeským, láska nás takto zbavuje viny (macht unschuldig).“

Na přesvědčení, že láska nás činí nevinnými, spočívá originalita evropského práva a jeho teorie viny, která bere v potaz city obžalovaného: když zabijete někoho chladně pro peníze, nemáte omluvy; když ho zabijete, že vás urazil, váš hněv bude pro vás polehčující okolností a dostanete menší trest; a když ho zabijete z nešťastné lásky či žárlivosti, porota s vámi bude sympatizovat a Paul jako váš obhájce bude žádat, aby zabitý byl odsouzen k nejvyššímu trestu.

8

Homo sentimentalis nemůže být definován jako člověk, který cítí (neboť cítíme všichni), ale jako člověk, který povýšil cit na hodnotu. Ve chvíli, kdy je cit považován za hodnotu, každý chce cítit; a protože se všichni rádi chlubíme svými hodnotami, máme sklon svůj cit předvádět.

Přeměna citu v hodnotu se udála v Evropě už někdy v dvanáctém století: trubadúři zpívající svou nesmírnou vášeň k milované a nedosažitelné šlechtičně připadali všem, kdo je slyšeli, tak obdivuhodní a krásní, že každý se chtěl podle jejich vzoru stát kořistí nějakého nezkrotitelného hnutí srdce.

Nikdo neodhalil pronikavěji homo sentimentalis než Cervantes. Don Quijote se rozhodne milovat jistou dámu jménem Dulcinea, a to navzdory tomu, že ji téměř nezná (což nás nepřekvapí, protože už víme, že když jde o „wahre Liebe", pravou lásku, na milovaném pramálo záleží). V dvacáté páté kapitole první knihy odejde se Sanchem do pustých hor, kde mu chce ukázat velikost své vášně. Ale jak dokázat druhému, že mi v duši hoří plamen? A jak to prokázat bytosti navíc tak naivní a tupé, jako byl Sancho? A tak se Don Quijote na lesní cestě svlékne do naha, nechá si jen košili, a aby předvedl sluhovi nesmírnost svého citu, začne před ním metat ve vzduchu kozelce. Pokaždé, když se ocitne ve vzduchu hlavou dolů, košile se mu sesune k ramenům a Sancho vidí v pohybu jeho pohlaví. Pohled na rytířův malý panický úd je tak komicky smutný, tak drásavý, že i Sancho, který má otrlou duši, se na to divadlo nemůže dál dívat, nasedne na Rosinantu a rychle odjede.

Když jí zemřel otec, Agnes musila sestavit program smutečního obřadu. Přála si, aby se pohřeb odbyl bez proslovů a sestával jen z poslechu Adagia desáté Mahlerovy symfonie, hudby, kterou měl otec rád. Jenomže to je strašně smutná hudba a Agnes se bála, že nebude s to zadržet při obřadu slzy. Připadalo jí nesnesitelné vzlykat na očích lidí, a tak položila desku s Adagiem na gramofon a poslouchala. Poprvé, podruhé, potřetí. Hudba jí připomínala otce a ona plakala. Ale když Adagio znělo pokojem po osmé, po deváté, moc hudby se otupila; když nechala znít desku po třinácté, nedojalo ji to víc, než kdyby slyšela paraguayskou národní hymnu. Dík tomu tréninku se jí podařilo během pohřbu neplakat.

Patří k definici citu, že se v nás narodí bez naší vůle, často proti naší vůli. Ve chvíli, kdy *chceme* cítit (*rozhodneme* se cítit, jako se Don Quijote rozhodl milovat Dulcineu), cit už není cit, ale imitace citu, jeho předvádění. Čemuž se běžně říká hysterie. Proto homo sentimentalis (to jest člověk, který povýšil cit na hodnotu) je ve skutečnosti totéž co *homo hystericus*.

Čímž nemá být řečeno, že člověk, který imituje cit, ho necítí. Herec, který hraje roli starého krále Leara, cítí na scéně před všemi diváky skutečný smutek opuštěného zrazeného člověka, ale ten smutek se vypaří ve vteřině, kdy představení končí. Proto homo sentimentalis, který nás zahanbuje velkými city, nás vzápětí dovede ohromit nevysvětlitelnou lhostejností.

9

Don Quijote byl panic. Bettina poprvé pocítila mužskou ruku na svém prsu v pětadvaceti letech, když osaměla s Goethem v hotelovém pokoji lázní Teplice. Goethe poznal fyzickou lásku, mohu-li věřit jeho biografům, teprve na své cestě po Itálii, když už mu bylo skoro čtyřicet. Brzy po návratu potkal ve Výmaru třiadvacetiletou dělnici a učinil z ní svou první trvalou milenku. To byla Christiána Vulpius, která se po mnoha letech soužití stala v roce 1806 jeho zákonnou ženou a v památném roce 1811 shodila na zem Bettininy brýle. Byla svému muži věrně oddána (vypráví se, že ho chránila vlastním tělem, když ho ohrožovali opilí vojáci Napoleonovy armády) a byla zřejmě i znamenitá milenka, jak o tom svědčí žertovná slova Goethova, který ji nazýval „mein Bettschatz“, což můžeme přeložit: poklad mé postele.

Christiána se však ocitá v goethovské hagiografii mimo lásku. Devatenácté století (ale i to naše, které je stále v zajetí století předchozího) odmítlo vpustit Christiánu do galerie Goethových lásek vedle Frederiky, Charlotty, Lily, Bettiny či Ulriky. Řeknete, že je to tak proto, že byla jeho manželka a že jsme si zvykli považovat manželství automaticky za něco nepoetického. Myslím si však, že vlastní důvod je hlubší: publikum odmítalo vidět v Christiáně Goethovu lásku prostě proto, že Goethe s ní spal. Neboť poklad lásky a poklad postele jsou dvě věci, které se navzájem vylučovaly. Jestliže spisovatelé devatenáctého století s oblibou ukončovali romány svatbou, nebylo to proto, že chtěli uchránit příběh lásky před manželskou nudou. Ne, chtěli ho uchránit před souloží!

Všechny velké evropské příběhy lásky se odehrávají v extrakoitálním prostoru: příběh princezny de Clèves, Paula a Virginie, příběh Dominika z románu Fromentinova, který miluje celý život jednu jedinou ženu, s kterou se nikdy nepolíbí, a ovšem příběh Wertherův a příběh Hamsunovy Viktorie, a příběh románu Romaina Rollanda, nad jehož postavami, Petrem a Lucií, plakaly ve své době čtenářky celé Evropy. V románu *Idiot* nechal Dostojevskij spát Nastasju Filippovnu s kdejakým kupcem, ale když šlo o skutečnou vášeň, to jest když se Nastasja octla mezi knížetem Myškinem a Rogožinem, jejich pohlavní orgány se rozpustily ve třech velkých srdcích jako cukr ve třech šálcích čaje. Láska Anny Kareniny a Vronského skončila jejich prvním sexuálním aktem, nebyla pak už než svým vlastním rozkladem a my ani nevíme proč: milovali se tak neboze? anebo se naopak milovali tak krásně, že jim mohutnost rozkoše navodila pocit viny? Ať odpovíme jakkoli, dojdeme vždycky ke stejnému závěru: za prekoitální láskou jiná velká láska nebyla a nemohla být.

Což vůbec neznamená, že extrakoitální láska byla nevinná, andělská, dětská, čistá; naopak, obsahovala všechno peklo, které je na světě představitelné. Nastasja Filippovna se vyspala bez nebezpečí s mnoha vulgárními boháči, ale od chvíle, co potkala knížete Myškina a Rogožina, jejichž pohlavní orgány, jak jsem řekl, se rozpustily ve velkém samovaru citu, vstoupila do zóny katastrof a zemřela. Anebo vám připomenu tu nádhernou scénu z Fromentinova Dominika: oba zamilovaní, kteří po sobě léta toužili a nikdy se jeden druhého nedotkli, si vyjeli na koních na projížďku a něžná, jemná, rezervovaná Madeleine se jala s nečekanou krutostí hnát koně do zběsilého běhu, protože věděla, že Dominik cválající vedle ní je špatný jezdec a může se zabít. Extrakoitální láska: hrnec na ohni přikrytý pokličkou, pod níž se cit varem mění ve vášeň, takže poklička nadskakuje a tančí na hrnci jako šílená.

Pojem evropské lásky má své kořeny v extrakoitální půdě. Dvacáté století, které se vychloubá, že osvobodilo mravy, a rádo by se vysmívalo romantickým citům, nebylo s to dát pojmu láska žádný nový obsah (v tom je jedno z jeho ztroskotání), takže mladý Evropan, když v duchu vysloví to velké slovo, vrací se na křídlech nadšení, ať chce nebo nechce, přesně tam, kde prožíval svou lásku k Lottě Werther a kde Dominik málem spadl z koně.

10

Je příznačné, že Rilke stejně jako obdivoval Bettinu, obdivoval i Rusko, v němž se určitou dobu domníval vidět svou duchovní vlast. Neboť Rusko je par excellence zemí křesťanské sentimentality. Bylo uchráněno jak racionalismu středověké scholastické filozofie, tak renesance. Novověk založený na karteziánském kritickém myšlení tam přišel se stoletým či dvousetletým zpožděním. *Homo sentimentalis* tam tedy nenašel dostatečnou protiváhu a stal se svou vlastní hyperbolou, která se běžně označuje názvem *slovanská duše.*

Rusko a Francie jsou dva póly Evropy, které se budou věčně přitahovat. Francie je stará, unavená země, kde už z citů zůstaly jen formy. Francouz vám napíše na konci dopisu: „buďte tak laskav, drahý pane, a přijměte ujištění o mých vybraných citech". Když jsem poprvé dostal takový dopis podepsaný sekretářkou nakladatelství Gallimard, žil jsem ještě v Praze. Vyskakoval jsem do stropu radostí: v Paříži je žena, která mne miluje! Podařilo se jí umístit na konec úředního dopisu milostné vyznání! Nejenom že pro mne chová city, ale výslovně zdůrazňuje, že jsou vybrané! Nic takového mi v životě žádná Češka neřekla!

Teprve o mnoho let později mi vysvětlili v Paříži, že existuje celý sémantický vějíř závěrečných dopisových formulí; díky jim může Francouz s přesností lékárníka odvažovat nejjemnější stupně citů, které — aniž je cítí — chce dát najevo adresátovi; mezi nimi „vybrané city" vyjadřují nejnižší stupeň úřední zdvořilosti hraničící téměř s pohrdáním.

Ó Francie! Jsi zemí Formy, tak jako Rusko je zemí Citu! Proto Francouz věčně frustrovaný, že necítí hořet v hrudi žádný plamen, hledí se závistí i nostalgií k zemi Dostojevského, kde muži mužům nastavují k polibku našpulená ústa připraveni podřezat toho, kdo je odmítne políbit. (Ostatně podřežou-li ho, je třeba jim to okamžitě odpustit, protože za ně jednala jejich zraněná láska a ta, jak víme od Bettiny, je činí nevinnými. V Paříži najde sentimentální vrah nejmíň sto dvacet advokátů, kteří vypraví do Moskvy zvláštní vlak, aby ho mohli obhajovat. Nebude je k tomu hnát nějaký soucit (cit příliš exotický a zřídka praktikovaný v jejich zemi), ale abstraktní zásady, které jsou jejich jedinou vášní. To ruský vrah nepochopí, a když bude osvobozen, pořítí se za svým francouzským obhájcem, aby ho objal a políbil na ústa. Francouz zděšeně ucouvne, Rus se urazí, vrazí mu nůž do těla a celá historie se opakuje jako písnička o psovi a jitrnici.)

11

Ach, Rusové...

Když jsem ještě žil v Praze, vyprávěla se tam tato anekdota o ruské duši. Český muž svede ve strhující rychlosti ruskou ženu. Po souloži mu Ruska řekne s nekonečným pohrdáním: „Mé tělo jsi měl. Mou duši nebudeš mít nikdy!"

Nádherná historka. Bettina napsala Goethovi padesát dva dopisy. Slovo duše se v nich vyskytuje padesátkrát, slovo srdce sto devatenáctkrát. Jen zřídka je slovo srdce míněno v doslovném anatomickém významu („bušilo mi srdce"), častěji je ho užito jako synekdochy označující hruď („chtěla bych tě přitisknout ke svému srdci"), ale v drtivé většině případů znamená totéž co slovo duše: *cítící já.*

Myslím, tedy jsem je věta intelektuála, který podceňuje bolest zubů. *Cítím, tedy jsem* je pravda mnohem obecněji platná a týká se všeho živého. Moje já se neliší podstatně od vašeho tím, co myslí. Lidí mnoho, myšlenek málo: všichni si myslíme přibližně totéž a myšlenky si navzájem předáváme, půjčujeme, krademe. Když mi však někdo šlápne na nohu, bolest cítím jenom já. Základem já není myšlení, ale utrpení, které je nejzákladnějším ze všech citů. V utrpení ani kočka nemůže pochybovat o svém nezaměnitelném já. V silném utrpení svět mizí a každý z nás je jen sám se sebou. Utrpení je univerzitou egocentrismu.

„Neopovrhujete mnou?" ptá se Hypolit knížete Myškina.

„Proč? Snad proto, že jste trpěl a trpíte více než my?"

„Ne, protože nejsem hoden svého utrpení."

Nejsem hoden svého utrpení. Veliká věta. Vyplývá z ní, že utrpení je nejen základem já, jeho jediným nepochybným ontologickým důkazem, ale že je též ze všech citů tím, jenž je nejvíc hodný úcty: hodnotou všech hodnot. Proto Myškin obdivuje všechny ženy, které trpí. Když poprvé vidí fotografii Nastasji Filippovny, řekne: „Ta žena musila mnoho trpět." Ta slova určila hned od počátku, ještě dřív než jsme ji mohli spatřit na scéně románu, že Nastasja Filippovna stojí nade všemi ostatními. „Já nejsem nic, ale vy, vy jste trpěla," řekne očarovaný Myškin Nastasji v patnácté kapitole prvního dílu a je od té chvíle ztracen.

Řekl jsem, že Myškin obdivoval všechny ženy, které trpí, ale mohl bych své tvrzení také obrátit: od chvíle, kdy se mu nějaká žena líbila, představoval si ji, jak trpí. A protože neuměl smlčet nic, co si myslil, hned jí to také povídal. Byla to ostatně vynikající svůdcovská metoda (škoda, že Myškin z ní uměl pro sebe tak málo vytěžit!), protože řekneme-li kterékoli ženě „vy jste velmi trpěla", je to jako bychom oslovovali její duši, hladili ji, zvedali ji do výše. Každá žena je připravena nám říci v takové chvíli: „I když mé tělo ještě nemáš, má duše ti už patří!"

Pod Myškinovým pohledem duše roste a roste, podobá se obrovskému hřibu vysokému jako pětiposchoďový dům, podobá se plynovému balónu, který se každou chvíli zvedne s posádkou vzduchoplavců k nebi. Dochází k úkazu, který nazývám: *hypertrofie duše.*

12

Když dostal Goethe od Bettiny návrh svého pomníku, ucítil, pamatujete-li si dobře, ve svém oku slzu a byl si jist, že jeho nejvnitřnější nitro mu dává takto vědět pravdu: Bettina ho opravdu miluje a on jí křivdil. Teprve později si uvědomil, že slza mu neobjevila žádnou pozoruhodnou pravdu o Bettině oddanosti, nýbrž jen banální pravdu o jeho ješitnosti. Styděl se za to, že podlehl znovu demagogii vlastní slzy. Měl s ní totiž od své padesátky dlouhé zkušenosti: pokaždé když ho někdo chválil anebo když zakusil prudké sebeuspokojení nad krásným či dobrým činem, který vykonal, cítil slzy v očích. Co je to slza? ptával se sám sebe a nenašel nikdy odpověď. Jedno mu však bylo jasné: slza byla až podezřele často vyprovokována dojetím, které v Goethovi vzbudil pohled na Goetha.

Asi týden po strašné Agnesině smrti navštívila Laura zdrceného Paula.

„Paule," řekla, „zůstali jsme sami na světě."

Paulovi zvlhly oči, takže obrátil hlavu, aby skryl před Laurou dojetí.

Právě to otočení hlavy ji přimělo, aby ho pevně chopila za paži: „Paule, neplač!"

Paul se díval přes slzy na Lauru a zjišťoval, že i ona má oči zavlhlé. Usmál se a řekl třesoucím se hlasem: „Já nepláču. Ty pláčeš."

„Kdybys cokoli potřeboval, Paule, víš, že jsem tu, že jsem úplně s tebou."

A Paul jí odpověděl: „Já vím."

Slza v oku Laury byla slza dojetí, které zakoušela Laura nad Laurou odhodlanou obětovat celý svůj život, aby stála po boku muže své zemřelé sestry.

Slza v oku Paula byla slza dojetí, které zakoušel Paul nad věrností Paula, nemohoucího žít nikdy s žádnou ženou kromě té, která je stínem jeho mrtvé ženy, jejím napodobením, — její sestrou.

A pak spolu jednoho dne ulehli na širokou postel a slza (milosrdenství slzy) způsobila, že neměli nejmenší pocit zrady, které by se dopouštěli na mrtvé.

Staré umění erotické mnohoznačnosti jim přišlo na pomoc: leželi vedle sebe nikoli jako manželé, ale jako sourozenci. Laura byla pro Paula až dosud tabu; snad ani v koutku mysli ji nikdy nespojoval s žádnou sexuální představou. Cítil se teď být jejím bratrem, který jí má nahradit ztracenou sestru. To mu nejdřív morálně usnadnilo, že s ní ulehl do postele, a poté ho naplnilo naprosto neznámým vzrušením: věděli všechno jeden o druhém (jako bratr a sestra) a to, co je oddělovalo, nebylo neznámo, ale zákaz; zákaz, který trval dvacet let a byl s přibývajícím časem čím dál nepřestupitelnější. Nic nebylo bližší než tělo toho druhého. Nic nebylo zakázanější než tělo toho druhého. S pocitem vzrušujícího incestu (a se zarosenýma očima) ji začal milovat a miloval ji tak divoce, jak nikdy nikoho v životě nemiloval.

13

Jsou civilizace, které měly větší architekturu než Evropa, a antická tragédie zůstane navždy nepřekonatelná. Žádná civilizace však nevytvořila z tónů ten zázrak, jímž jsou tisícileté dějiny evropské hudby s jejich bohatstvím forem a stylů! Evropa: velká hudba a homo sentimentalis. Dvojčata, která ležela tělo u těla ve stejné kolébce.

Hudba nenaučila Evropana jen bohatě cítit, ale i zbožňovat svůj cit a své cítící já. Znáte to přece: houslista na pódiu zavře oči a zahraje první dva dlouhé tóny. V té chvíli posluchač zavře oči též, pocítí, jak se mu duše šíří v hrudi, a řekne si: „Jaká krása!" A přitom to, co slyší, nejsou než dva tóny, které samy o sobě nemohou obsahovat žádnou skladatelovu myšlenku, žádnou tvořivost, tedy žádné umění ani krásu. Ale ty dva tóny se dotkly posluchačova srdce a umlčely jeho rozum i estetický soud. Pouhý hudební zvuk vykonává na nás přibližně stejný vliv jako Myškinův pohled upřený na ženu. Hudba: pumpa na nafukování duše. Hypertrofované duše proměněné ve veliké balóny se vznášejí pod stropem koncertního sálu narážejíce na sebe v neuvěřitelné tlačenici.

Laura milovala hudbu upřímně a hluboce; v její lásce k Mahlerovi vidím přesný smysl: Mahler je poslední velký evropský skladatel, který se ještě obrací naivně a přímo k homo sentimentalis. Po Mahlerovi se už stává cit v hudbě podezřelý; Debussy nás chce okouzlovat, ne dojímat a Stravinskij se za city stydí. Mahler je pro Lauru *poslední skladatel*, a když slyší z Brigitina pokoje hlasitě puštěný rock, její zraněná láska k evropské hudbě mizející pod rámusem elektrických kytar ji přivádí k zuřivosti; dává Paulovi ultimatum: buď Mahler, nebo rock; což znamená: buď já, nebo Brigita.

Ale jak volit mezi dvěma hudbami stejně nemilovanými? Rock je pro Paula (má uši choulostivé jako Goethe) příliš hlučný a romantická hudba v něm vyvolává pocity úzkosti. Kdysi během války, když všichni kolem něho byli v panice nad hrozivými zprávami, ozývaly se z rádia místo obvyklých tang a valčíků mollové akordy vážné a slavnostní hudby; do paměti dítěte se ty akordy navždy zapsaly jako ohlašovatelky katastrof. Později pochopil, že patos romantické hudby sjednocuje celou Evropu: je ji slyšet pokaždé, když je zavražděn nějaký státník, když je vyhlášena válka, pokaždé když je nutno nacpat lidem hlavu citem slávy, aby se šli dát ochotněji zabíjet. Národy, které se vzájemně vyvražďovaly, byly naplněny bratrsky identickým dojetím, když slyšely hřmot Chopinova *Smutečního pochodu* nebo Beethovenovy *Eroiky*. Ach, kdyby záleželo na Paulovi, svět by se klidně obešel bez rocku i bez Mahlera. Jenomže obě ženy mu nedopřály neutrality. Nutily ho, aby volil: mezi dvěma hudbami, mezi dvěma ženami. A on nevěděl, co dělat, protože měl ty dvě ženy obě stejně rád.

Zato ony se nenáviděly. Brigita se dívala s mučivým smutkem na bílý klavír, který po léta nesloužil než k odkládání předmětů; připomínal jí Agnes, která ji prosila z lásky k sestře, aby se na něj učila hrát. Jen co Agnes zemřela, klavír ožil a zvučel celé dny. Brigita toužila, aby rozběsněný rock pomstil zrazenou matku a vyhnal z bytu vetřelkyni. Když pochopila, že Laura zůstane, odešla sama. Rock zmlkl. Deska na gramofonu se otáčela, bytem zněly Mahlerovy pozouny a drásaly Paulovo srdce, zdrcené dceřiným odchodem. Laura přistoupila k Paulovi, vzala jeho hlavu do rukou a dívala se mu do očí. Pak řekla: „Chtěla bych ti dát dítě.“ Oba věděli, že lékaři ji už dávno varovali před porodem. Proto dodala: „Podstoupím všechno, čeho bude třeba.“

Bylo léto. Laura zavřela obchod a oba odjeli na čtrnáct dnů k moři. Vlny se rozbíjely o břeh a naplňovaly svým křikem Paulovu hruď. Hudba tohoto živlu byla jediná, kterou vášnivě miloval. Zjišťoval se šťastným údivem, že Laura mu s tou hudbou splývá; jediná žena v jeho životě, která se v jeho očích podobala moři; které byla mořem.

14

Romain Rolland, svědek obžaloby na věčném soudu vedeném proti Goethovi, vynikal dvěma vlastnostmi: adorativním přístupem k ženě („byla ženou, a už proto ji milujeme", píše o Bettině) a nadšenou touhou jít s pokrokem (což pro něho znamenalo: s komunistickým Ruskem a s revolucí). Je zvláštní, že tento ctitel žen se zároveň tolik obdivoval Beethovenovi za to, že odmítal ženy zdravit. Neboť o to jde, jestli jsme dobře pochopili příběh z lázní Teplic: Beethoven s kloboukem hluboko vraženým do čela a s rukama za zády kráčí proti císařovně a jejímu dvoru, v němž kromě pánů byly jistě i dámy. Jestli je nepozdravil, byl to nezdvořák, jemuž není rovno! Jenomže tomu se právě nedá věřit: i když byl podivín a morous, Beethoven nebyl nikdy hulvát vůči ženám! Celý ten příběh je očividná pitomost a mohl být důvěřivě přijímán a dále předáván jen proto, že lidé (a dokonce i romanopisec, což je hanba!) ztratili veškerý smysl pro skutečnost.

Namítnete mi, že je nepatřičné zkoumat pravděpodobnost anekdoty, která zcela zřejmě není svědectvím, ale alegorií. Dobře; dívejme se tedy na alegorii jako na alegorii; zapomeňme, jak vznikla (stejně to nikdy nebudeme přesně vědět), zapomeňme na stranický smysl, který jí chtěl podsunout ten či onen, a snažme se vystihnout její, možno-li tak říci, objektivní význam:

Co znamená Beethovenův klobouk hluboko vražený do čela? Že Beethoven odmítá moc šlechty jako reakční a nespravedlivou, zatímco klobouk v pokorné ruce Goethově prosí za zachování světa takového, jaký je? Ano, to je obecně přijatý výklad, který se však nedá obhájit: tak jako Goethe i Beethoven si musil vytvořit ve své době modus vivendi pro sebe a pro svou hudbu; věnoval proto své sonáty jednou tomu, podruhé jinému knížeti, a neváhal dokonce na počest vítězů, kteří se sešli po porážce Napoleona ve Vídni, složit kantátu, v níž sbor křičí: „Ať je svět zase takový, jaký byl!"; šel dokonce tak daleko, že pro ruskou carevnu napsal Polonézu, jako by symbolicky kladl ubohé Polsko (to Polsko, za které bude o třicet let později tak statečně bojovat Bettina) k nohám jeho uchvatitele.

Kráčí-li tedy na našem alegorickém obraze Beethoven proti hloučku šlechticů, aniž smeká klobouk, nemůže to znamenat, že šlechtici jsou opovrženíhodní reakcionáři a on obdivuhodný revolucionář, nýbrž že ti, kdo *tvoří* (sochy, básně, symfonie), si zaslouží větší úcty než ti, kdo *vládnou* (sluhům, úředníkům nebo celým národům). Že tvorba je víc než moc, umění víc než politika. Že nesmrtelná jsou díla, a nikoli války a bály knížat.

(Goethe si ostatně musil myslit úplně totéž, kromě toho, že nepovažoval za užitečné dávat pánům světa tuto nepříjemnou pravdu najevo už teď, za jejich života. Byl si jist, že na věčnosti to budou oni, kdo se budou klanět první, a to mu stačilo.)

Alegorie je jasná, a přesto je všeobecně vykládána proti svému smyslu. Ti, kdo při pohledu na ten alegorický obraz spěchají tleskat Beethovenovi, nerozumějí vůbec jeho pýše: jsou to povětšině lidé zaslepení politikou, kteří sami dávají přednost Leninovi, Guevarovi, Kennedymu či Mitterrandovi před Fellinim či Picassem. Romain Rolland by jistě smekl klobouk mnohem hlouběji než Goethe, kdyby v aleji lázní Teplic kráčel proti němu Stalin.

15

S úctou Romaina Rollanda k ženám je to nějaké divné. On, který obdivoval Bettinu jen proto, že byla ženou („byla ženou, a už proto ji milujeme“), nenašel žádný obdiv pro Christiánu, která byla přece beze všech pochyb ženou též! Bettina je pro něho „bláznivá a moudrá“ (folle et sage), je „bláznivě temperamentní smíšek“ se srdcem „něžným a bláznivým“ a ještě mnohokrát je nazvána bláznivou. A my víme, že pro homo sentimentalis slova blázen, bláznivý, bláznovství (která ve francouzštině znějí ještě poetičtěji než v jiných jazycích: *fou*, *folle*, *folie*) označují exaltaci citu osvobozeného od cenzury (aktivní třeštění vášně, řekl by Eluard), a jsou tedy vyslovována s dojatým obdivem. O Christiáně naopak ctitel žen a proletariátu nemluví nikdy, aniž by nepřidal k jejímu jménu proti všem pravidlům galantnosti adjektiva „žárlivá“, „tlustá“, „zarudlá a tučná“, „dotěrná“, „zvědavá“ a ještě mnohokrát „tlustá“.

Je to zvláštní, že přítel žen a proletariátu, hlasatel rovnosti a bratrství, nebyl nijak dojat, že Christiána je bývalá dělnice a že Goethe projevil docela mimořádnou odvahu, když s ní žil veřejně jako s milenkou a učinil ji pak přede všemi svou ženou. Musil nejenom čelit pomluvám výmarských salónů, ale i nesouhlasu svých intelektuálních přátel, Herdera a Schillera, kteří nad ní ohrnovali nos. Nedivím se, že Výmar aristokratů měl radost, když ji Bettina nazvala tlustým jelitem. Ale divím se, že z toho mohl mít radost přítel žen a dělnické třídy. Jak to, že mladá patricijka, která zlomyslně exhibovala své vzdělání před prostou ženou, mu byla tak blízká? A jak to, že Christiána, která ráda pila a tančila, nedávala si pozor na linii a radostně tloustla, neměla nikdy právo na to božské adjektivum „bláznivá“ a byla v očích přítele proletariátu jen „dotěrná“?

Jak to, že přítele proletariátu nenapadlo vyrobit ze scény s brýlemi alegorii, v níž prostá žena z lidu trestá právem mladou arogantní intelektuálku, a Goethe, zastavší se své ženy, kráčí vpřed se vztyčenou hlavou (a bez klobouku!) proti armádě aristokratů a jejich hanebných předsudků?

Samozřejmě, tato alegorie by nebyla o nic méně hloupá než ta předchozí. Otázka však zůstává: proč přítel proletariátu a žen zvolil jednu hloupou alegorii a ne tu druhou? Proč dal přednost Bettině před Christiánou?

Tato otázka jde k jádru věci.

Příští kapitola na ni odpoví:

16

Goethe vybízel Bettinu (v jednom z nedatovaných dopisů), aby „vystoupila ze sebe“. Dnes bychom řekli, že jí vyčítal její egocentrismus. Ale měl k tomu právo? Kdo se bil za povstavší horaly v Tyrolích, za slávu mrtvého Petöfiho, za život Mieroslawského? On nebo ona? Kdo myslil stále na jiné? Kdo byl připraven se obětovat?

Bettina. O tom není sporu. Goethova výtka tím však není vyvrácena. Neboť Bettina nikdy nevystoupila ze svého já. Ať šla kamkoli, její já za ní vlálo jako prapor. To, co ji inspirovalo, aby bojovala za tyrolské horaly, nebyli horalé, ale okouzlující obraz Bettiny bojující za tyrolské horaly. To, co ji hnalo k lásce ke Goethovi, nebyl Goethe, ale svůdný obraz Bettiny-dítěte zamilované do starého básníka.

Vzpomeňme na její gesto, které jsem nazval gestem touhy po nesmrtelnosti: přiložila nejdřív prsty k místu mezi svými ňadry, jako by chtěla ukázat na sám střed toho, co se nazývá já. Potom vymrštila ruce vpřed, jako by to já chtěla poslat někam daleko, k obzoru, do nesmírna. Gesto touhy po nesmrtelnosti zná jen dvě místa v prostoru: já zde, a obzor tam v dálce; jen dva pojmy: absolutno, jímž je já, a absolutno světa. To gesto nemá nic společného s láskou, protože druhý člověk, bližní, kdokoli se nachází mezi těma extrémními póly (já a svět), je předem vyloučen ze hry, vynechán, neviděn.

Dvacetiletý chlapec, který vstoupí do komunistické strany anebo jde s puškou do hor bojovat s gerilou, je fascinován svým vlastním obrazem revolucionáře, jímž se odlišuje od jiných, jímž se stává sám sebou. Na počátku jeho boje je rozjitřená a neuspokojená láska k jeho já, kterému chce dát výrazné obrysy a pak ho poslat (pohybem, který jsem nazval gesto touhy po nesmrtelnosti) na velikou scénu dějin, kam je upřeno tisíce očí; a my víme na příkladu Myškina a Nastasji Filippovny, že duše pod intenzívními pohledy roste, nafukuje se, je čím dál větší a nakonec se vznese k nebi jako nádherná rozsvícená vzducholoď.

To, co zvedá lidem pěsti do výše, dává jim pušku do ruky, žene je do společného boje za spravedlivé i nespravedlivé věci, není rozum, ale hypertrofovaná duše. To ona je tím benzínem, bez něhož by se motor dějin neotáčel a Evropa by ležela na trávě líně se dívajíc k nebi na plující oblaka.

Christiána netrpěla hypertrofií duše a netoužila se předvádět na velké scéně dějin. Podezírám ji, že raději ležela na trávě s očima upřenýma k nebi, po němž plula oblaka. (Podezírám ji dokonce, že uměla být v takových chvílích šťastna, což člověk s hypertrofovanou duší nerad vidí, protože, upalován na ohni svého já, sám nikdy šťastný není.) Romain Rolland, přítel pokroku a slzy, neváhal tedy ani vteřinu, když měl volit mezi ní a Bettinou.

17

Toulaje se po cestách onoho světa, Hemingway spatřil, jak z dálky proti němu jde mladý muž; byl elegantně oblečený a držel se nápadně zpříma. Tak jak se k němu elegán přibližoval, Hemingway mohl rozeznat na jeho ústech lehký šibalský úsměv. Když byli pár kroků od sebe, mladý muž zpomalil chůzi, jako by chtěl dát Hemingwayovi poslední příležitost ho poznat.

„Johanne!" vykřikl Hemingway překvapeně.

Goethe se spokojeně usmíval; byl pyšný, že se mu podařil výborný scénický efekt. Nezapomeňme, že byl dlouho ředitelem divadla a měl pro efekty smysl. Vzal pak svého přítele pod paží (je zajímavé, že i když teď byl mladší než Hemingway, choval se k němu se stále stejnou laskavou shovívavostí staršího) a odváděl ho na dlouhou procházku.

„Johanne," říkal Hemingway, „vy jste dnes krásný jako Bůh." Krása přítelova mu způsobovala upřímnou radost a on se šťastně smál: „Kde jste nechal své papuče? A tu zelenou destičku nad očima?" A když se přestal smát: „Takhle byste měl přijít k věčnému soudu. Rozdrtit své soudce ne argumenty, ale svou krásou!"

„Vy víte, že jsem u věčného soudu nepromluvil jediné slovo. To bylo z pohrdání. Ale nemohl jsem se ubránit, abych tam nechodil a neposlouchal je. Lituju toho."

„Co chcete? Byl jste odsouzen k nesmrtelnosti za hřích psát knihy. Sám jste mi to vysvětlil."

Goethe pokrčil rameny a řekl s jistou pýchou: „Naše knihy jsou možná v jistém smyslu nesmrtelné. Snad." Po pauze dodal tiše a s velkým důrazem: „Ale my ne."

„Právě naopak," protestoval trpce Hemingway. „Naše knihy se pravděpodobně brzo přestanou číst. Z vašeho Fausta zůstane jen přiblblá opera Gounodova. A pak snad ten verš o tom, že věčné ženství nás někam táhne..."

„Das Ewigweibliche zieht uns hinan," recitoval Goethe.

„Správně. Ale o váš život až do nejmenších podrobností se lidé nikdy nepřestanou starat."

„Vy jste pořád nepochopil, Erneste, že postavy, o kterých mluví, nejsme my?"

„Nesnažte se tvrdit, Johanne, že nemáte žádný vztah ke Goethovi, o němž všichni píšou a mluví. Připouštím, že obraz, co po vás zůstal, není s vámi zcela totožný. Připouštím, že jste v něm pořádně zkreslen. Ale přesto jste v něm přítomen."

„Nejsem," řekl Goethe velice pevně. „A řeknu vám ještě něco. Ani ve svých knihách nejsem přítomen. Ten, kdo není, nemůže být přítomen."

„To je na mě moc filozofická řeč."

„Zapomeňte na chvíli, že jste Američan, a namáhejte mozek: ten, kdo není, nemůže být přítomen. Je to tak složité? Ve chvíli, kdy jsem umřel, odešel jsem odevšad a naprosto. Odešel jsem i ze svých knih. Ty knihy jsou na světě beze mě. Nikdo mě v nich už nenajde. Protože nelze najít toho, kdo není."

„Budu s vámi rád souhlasit," řekl Hemingway, „ale vysvětlete mi: když obraz, který po vás zůstal, s vámi nemá nic společného, proč jste mu věnoval tolik péče, když jste žil? Proč jste k sobě pozval Eckermanna? Proč jste se dal do psaní *Básně a pravdy*?"

„Erneste, smiřte se s tím, že jsem byl stejný pošetilec jako vy. Ta starost o vlastní obraz, v tom je osudová nedospělost člověka. Je to tak těžké být lhostejný k vlastnímu obrazu. Taková lhostejnost je nad lidské síly. Člověk k ní dojde až po smrti. A ani to ne hned. Až dlouho po smrti. Vy jste k ní ještě nedošel. Pořád nejste dospělý. A to jste mrtev… jak je to vlastně dlouho?"

„Dvacet sedm let," řekl Hemingway.

„To nic není. Budete musit čekat ještě nejmíň dalších dvacet, třicet let, než si plně uvědomíte, že člověk je smrtelný, a budete z toho umět vyvodit všechny důsledky. Dřív se to nepodaří. Ještě nedlouho před smrtí jsem prohlásil, že v sobě cítím takovou tvořivou sílu, že je nemožné, aby zmizela beze zbytku. A samozřejmě jsem věřil, že budu žít v obraze, který tu po sobě zanechám. Ano, byl jsem jako vy. I po smrti mi bylo zatěžko smířit se s tím, že nejsem. Víte, to je hrozně zvláštní věc. Být smrtelný je nejzákladnější lidská zkušenost a přitom ji člověk nikdy nebyl s to přijmout, pochopit a chovat se podle toho. Člověk neumí být smrtelný. A když umře, neumí být ani mrtvý."

„A vy snad umíte být mrtvý, Johanne?" zeptal se Hemingway, aby zlehčil vážnost chvíle. „Myslíte opravdu, že nejlepší způsob být mrtvý je ztrácet čas povídáním se mnou?"

„Nedělejte ze sebe hlupáka, Erneste," řekl Goethe. „Víte dobře, že v této chvíli jsme jen frivolní fantazií romanopisce, který nás nechá říkat, co bychom pravděpodobně nikdy neřekli. Ale abych skončil. Všiml jste si, jakou mám dnes podobu?"

„Cožpak jsem vám to neřekl hned, když jsem vás uviděl? Jste krásný jako Bůh!"

„Takhle jsem vypadal, když mě celé Německo považovalo za nelítostného svůdce," řekl Goethe téměř slavnostně. Pak dojat dodal: „Chtěl jsem, abyste si mě právě takového odnesl do svých příštích let."

Hemingway se díval na Goetha s náhlou něžnou shovívavostí: „A vy, Johanne, kolik vy máte let po smrti?"

„Sto šestapadesát," odpověděl Goethe s jakýmsi ostychem.

„A to ještě pořád neumíte být mrtvý?"

Goethe se usmál: „Já vím, Erneste. Jednám trochu v rozporu s tím, co jsem vám před chvíli říkal. Ale dopřál jsem si této dětinské ješitnosti, protože se dnes vidíme naposledy." A pak, pomalu jako ten, kdo už víc nepromluví, pronášel tato slova: „Pochopil jsem totiž definitivně, že věčný soud je blbost. Rozhodl jsem se využít konečně toho, že jsem mrtvý, a jít, dá-li se to říci tímto nepřesným slovem, spát. Vychutnat slast totálního nebytí, o němž můj velký nepřítel Novalis říkal, že má modravou barvu."

PÁTÝ DÍL / NÁHODA

1

Po obědě se vrátila nahoru do svého pokoje. Byla neděle, hotel nečekal žádného nového hosta, nikdo nespěchal s jejím odstěhováním; široká postel v pokoji byla stále rozestlaná tak, jak z ní ráno vstala. Pohled na ni ji naplňoval štěstím: strávila tam dvě noci sama, slyšela jen svůj vlastní dech a ležela ve spánku napříč z jednoho rohu do druhého, jako by chtěla svým tělem obejmout celou tu velkou čtvercovou plochu, která patřila jen jí a jejímu spánku.

V rozevřeném kufříku na stole už bylo všechno zabaleno: nahoře na složené sukni leželo brožované vydání Rimbaudových básní. Vzala je s sebou, protože v posledních týdnech myslila velice na Paula. V době, kdy Brigita ještě nebyla na světě, si často sedla za jeho záda na veliký motocykl a jezdila s ním po Francii. S tou dobou a s tím motocyklem splývají její vzpomínky na Rimbauda: byl to jejich básník.

Vzala si ty polozapomenuté básně, jako by si brala starý deník, zvědavá, zda zápisky, zažloutlé časem, jí budou připadat dojemné, směšné, fascinující či bezvýznamné. Verše byly pořád stejně krásné, ale něco ji na nich překvapilo: neměly vůbec nic společného s velkým motocyklem, na kterém kdysi jezdili. Svět Rimbaudových básní byl mnohem bližší člověku Goethova století než Brigitě. Rimbaud, který všem nařídil, aby byli absolutně moderní, byl básníkem přírody, byl to tulák, v jeho básních byla slova, která dnešní člověk zapomněl anebo se z nich už neumí těšit: řeřicha, lípy, dub, cvrčci, ořešák, jilm, vřes, havrani, teplý trus starých holubníků a cesty, cesty zejména: *Za modrých večerů si vyjdu po pěšině šimrán obilím se brouzdat nízkou travou... Nebudu mluvit, nebudu na nic myslet... A půjdu daleko, daleko jak cikán přírodou, šťasten s ní jak s ženou...*

Zavřela kufřík. Pak vyšla na chodbu, seběhla před hotel, hodila kufřík na zadní sedadlo a sedla si za volant.

2

Bylo půl třetí a už se měla dát na cestu, protože nerada jezdila za tmy. Ale nebyla s to se odhodlat otočit startovacím klíčkem. Jako milenec, který jí nestačil říci všechno, co měl na srdci, krajina kolem ní jí bránila odejít. Vystoupila z auta. Kolem ní byly hory; ty vlevo byly jasné, sytě barevné a nad jejich zeleným obrysem svítily bílé ledovce; hory vpravo byly zahaleny žlutavým oparem, který je proměnil v pouhou siluetu. Byla to dvě úplně jiná osvětlení; dva jiné světy. Otáčela hlavou zleva doprava a zprava doleva a rozhodla se, že se ještě naposledy projde. A vyšla po cestě, která mírně stoupajíc vedla lukami vzhůru k lesům.

Je to už nějakých pětadvacet let, co přijela s Paulem do Alp na velkém motocyklu. Paul miloval moře a hory mu byly cizí. Chtěla ho získat pro svůj svět; chtěla, aby byl okouzlen pohledem na stromy a louky. Motocykl stál na kraji silnice a Paul říkal:

„Louka je jediné pole utrpení. Každou vteřinu v té krásné zeleni nějaký tvor umírá, mravenci zvolna požírají živé žížaly, ptáci ve výškách číhají, kdy uvidí lasičku nebo myš. Vidíš tu černou kočku, jak stojí nepohnutá v trávě? Ta jenom čeká, až se jí naskytne příležitost zabít. Protiví se mi ta naivní úcta k přírodě. Myslíš si, že laň zažívá v tlamě tygra menší hrůzu, než bys zažívala ty? Lidé si vymyslili, že zvíře nemá stejnou schopnost utrpení jako člověk, protože jinak by nemohli snést vědomí, že jsou obklopeni přírodou, která je hrůza a nic jiného než hrůza.“

Paul se těšil tím, že člověk postupně obaluje celou zemi do betonu. Bylo mu, jako by se díval, jak zazdívají za živa krutou vražedkyni. Agnes mu příliš rozuměla, než aby mu mohla mít za zlé jeho nelásku k přírodě motivovanou, lze-li to tak říci, smyslem pro lidskost a pro spravedlnost.

Ale možná že to byl spíš docela obyčejný žárlivý boj muže o ženu, kterou chtěl definitivně odtrhnout od otce. Protože přírodu naučil Agnes milovat její otec. S ním prochodila kilometry a kilometry cest a obdivovala se tichu lesů.

Kdysi ji přátelé vozili americkou přírodou. Byla to nekonečná a nepřístupná říše stromů protnutá dlouhými silnicemi. Ticho těch lesů jí znělo stejně nepřátelsky a cize jako rámus New Yorku. V lese, který miluje Agnes, se cesty větví do menších cest a do ještě menších pěšin; po pěšinách chodí myslivci. Na cestách jsou lavičky, z nichž je vidět krajinu plnou pasoucích se ovcí a krav. To je Evropa, to je srdce Evropy, to jsou Alpy.

3

Depuis huit jours, j'avais déchiré mes bottines
aux cailloux des chemins...

Už osm dní jsem si rozdíral své boty
o kamení cest...

píše Rimbaud.

Cesta: pruh země, po kterém se chodí pěšky. Silnice se liší od cesty nejenom tím, že se po ní jezdí autem, ale že je jen čarou, která spojuje jeden bod s druhým. Silnice nemá smysl v sobě samé; smysl mají jen dva body, které spojuje. Cesta je chvála prostoru. Každý úsek cesty má smysl sám v sobě a zve nás k zastavení. Silnice je vítězným znehodnocením prostoru, který její zásluhou není dnes než pouhou překážkou lidského pohybu a ztrátou času.

Předtím než se cesty ztratily z krajiny, ztratily se z lidské duše: člověk přestal toužit jít, jít po vlastních nohách a radovat se z toho. Ani svůj život už neviděl jako cestu, nýbrž jako silnici: jako čáru, která vede od bodu k bodu, z hodnosti kapitána k hodnosti generála, z funkce manželky do funkce vdovy. Čas života se mu stal pouhou překážkou, kterou je třeba zvládat čím dál většími rychlostmi.

Cesta a silnice, to jsou též dvě různá pojetí krásy. Když Paul řekne, že tam a tam je krásná krajina, znamená to: když tam zastavíš auto, uvidíš krásný zámek ze sedmnáctého století a u něho park; nebo: je tam jezero, na jehož lesklé hladině, která se táhne do dálky, plují labutě.

Ve světě silnic krásná krajina znamená: ostrov krásy spojený dlouhou čarou s jinými ostrovy krásy.

Ve světě cest je krása nepřetržitá a stále proměnlivá; na každém kroku nám říká: „Zastav se!“

Svět cest byl svět otce. Svět silnic byl svět manžela. A Agnesin příběh se uzavírá jako kruh: ze světa cest do světa silnic a teď zase zpátky. Protože Agnes se přestěhuje do Švýcarska. Už je to rozhodnuto a to je důvod, že se cítí v posledních dvou týdnech nepřetržitě a bláznivě šťastna.

4

Bylo už pozdní odpoledne, když se vrátila k autu. A právě v tu chvíli, když vsouvala klíček do zámku, přicházel profesor Avenarius v plavkách k malému bazénu, kde jsem ho již čekal v teplé vodě, nechávaje se šlehat prudkými proudy tryskajícími ze stěn pod hladinou.

Takto jsou události synchronizovány. Vždycky, když se uděje něco na místě Z, uděje se také něco jiného na místech A, B, C, D, E. „A právě v té chvíli když…", je jedna z kouzelných vět všech románů, věta, která nás očarovává, když čteme *Tři mušketýry*, nejmilejší román profesora Avenaria, kterému jsem řekl místo pozdravu: „Právě v této chvíli, kdy vstupuješ do bazénu, hrdinka mého románu otočila konečně startovacím klíčkem, aby se dala na cestu do Paříže."

„Nádherná náhoda," řekl profesor Avenarius zjevně potěšen a ponořil se.

„Takových náhod se ovšem děje na světě miliardy každou vteřinu. Sním o tom napsat velkou knihu: Teorie náhody. Popsat a klasifikovat různé typy náhod. Například: ‚Právě ve chvíli, kdy profesor Avenarius vstoupil do bazénu, aby pocítil hřejivý proud vody na svých zádech, spadl z kaštanu v obecním parku v Chicagu žlutý list.' To je nahodilá shoda událostí, ale nemá vůbec žádný smysl. Nazývám ji ve své klasifikaci náhod *němou náhodou.* Ale představ si, že řeknu: ‚Právě ve chvíli, kdy spadl *první* žlutý list ve městě Chicagu, vstoupil profesor Avenarius do bazénu, aby si masíroval záda.' Věta se stane melancholická, protože vidíme profesora Avenaria jako zvěstovatele podzimu, a voda, do které se ponořil, nám připadá být slaná slzami. Náhoda vdechla události nečekaný význam, a nazývám ji proto *poetickou náhodou.* Ale mohu též říci, co jsem ti oznámil, když jsem tě uviděl: ‚profesor Avenarius se ponořil do bazénu právě ve chvíli, kdy Agnes rozjela v Alpách svůj vůz.' Tu náhodu nelze nazvat poetickou, protože nedává žádný zvláštní smysl tvému vstupu do bazénu, ale je to přesto velmi cenná náhoda, kterou nazývám *kontrapunktická.* Je to jako když se dvě melodie spojí v jednu skladbičku. Znám to ze svého dětství. Jeden chlapec zpíval písničku a zároveň s ním jiný chlapec jinou písničku, a šlo to dohromady! Ale potom je ještě další typ náhody: ‚profesor Avenarius vešel do podzemí metra na Montparnassu právě ve chvíli, kdy tam stála krásná dáma s červenou pokladnicí v ruce.' Toto je tak zvaná *příběhotvorná* náhoda, kterou zbožňují romanopisci."

Udělal jsem za svými slovy pauzu, protože jsem ho chtěl vyprovokovat, aby mi řekl něco bližšího o svém setkání v metru, ale on jen kroužil svými zády, aby mu tryskající proud vody dobře masíroval lumbago, a tvářil se, jako by se ho můj poslední příklad vůbec netýkal.

„Nemohu se zbavit pocitu," řekl, „že se v lidském životě náhoda neřídí počtem pravděpodobnosti. Tím chci říci, že se nám děje mnoho náhod tak nepravděpodobných, že je nemůžeme matematicky ospravedlnit. Nedávno jsou šel naprosto bezvýznamnou ulicí naprosto bezvýznamné pařížské čtvrti a potkal jsem ženu z Hamburku, kterou jsem před pětadvaceti lety vídal skoro denně a pak ji ztratil úplně z očí. Šel jsem tou ulicí jen proto, že jsem omylem vystoupil z metra o stanici dřív. A ona byla na třídenním zájezdu do Paříže a zabloudila. Naše setkání, to byla jedna miliardina pravděpodobnosti!"

„Jakou metodou vypočítáváš počet pravděpodobnosti lidských setkání?"

„Ty snad znáš nějakou metodu?"

„Neznám. A lituju toho," řekl jsem. „Je to zvláštní, ale lidský život nebyl nikdy podroben matematickému zkoumání. Vem si třeba čas. Toužím po experimentu, který by pomocí elektrod přiložených k lidské hlavě zkoumal, kolik procent svého života věnuje člověk přítomnosti, kolik vzpomínkám a kolik budoucnosti. Došli bychom tak k poznání toho, kdo je skutečně člověk v poměru k času. Co je to lidský čas. A mohli bychom jistě vymezit tři základní typy člověka podle toho, která z podob času je pro ního dominantní. Abych se vrátil k náhodám. Co můžeme spolehlivého říci o náhodě v životě bez matematického zkoumání? Jenomže žádná existenciální matematika bohužel neexistuje."

„Existenciální matematika. Vynikající nápad," řekl Avenarius a zamyslil se. Pak řekl: „V každém případě, ať už šlo o miliontinu nebo biliontinu pravděpodobnosti, setkání bylo absolutně nepravděpodobné a právě v té nepravděpodobnosti byla jeho cena. Neboť existenciální matematika, která neexistuje, by razila asi tuto rovnici: cena náhody se rovná míře její nepravděpodobnosti."

„Setkat se uprostřed Paříže nečekaně s krásnou ženou, kterou jsme léta neviděli..." řekl jsem zasněně.

„Nevím, podle čeho jsi usoudil, že byla krásná. Byla to šatnářka pivnice, do které jsem tehdy denně chodil; přijela s klubem penzistů na třídenní zájezd do Paříže. Když jsme se poznali, dívali jsme se na sebe s rozpaky. Dokonce skoro se zoufalstvím, jaké ucítí beznohý chlapec, když vyhraje v tombole bicykl. Jako bychom oba věděli, že jsme dostali darem ohromně cennou náhodu, která nám však nebude k ničemu. Zdálo se nám, že se nám někdo směje, a jeden před druhým jsme se styděli."

„Tento typ náhod by se dal nazvat *morbidní*," řekl jsem. „Přemýšlím však marně, do jaké kategorie zařadit náhodu, která způsobila, že Bernard Bertrand dostal diplom totálního osla."

Avenarius řekl se vší autoritou: „Bernard Bertrand dostal diplom totálního osla, protože je totální osel. O žádnou náhodu tu nešlo. Byla to naprostá nutnost. Ani železné zákony dějin, o nichž mluví Marx, nejsou větší nutností než tento diplom."

A jako by ho má otázka popudila, vztyčil se ve vodě ve vší své hrozivé mohutnosti. Vztyčil jsem se též a vystoupili jsme z bazénu, abychom se šli posadit k baru na druhém konci haly.

5

Poručili jsme si sklenku vína, spolkli jsme první doušek a Avenarius řekl: „Je ti přece jasné, že vše, co dělám, je boj proti Diabolu."

„Samozřejmě že to vím," odpověděl jsem. „To je důvod, proč se ptám, jaký to má smysl útočit právě na Bernarda Bertranda."

„Ničemu nerozumíš," řekl Avenarius, jakoby unaven tím, že nechápu, co mi už tolikrát vysvětlil. „Neexistuje žádný účinný ani rozumný boj proti Diabolu. Marx to zkoušel, všichni revolucionáři to zkoušeli a Diabolum si nakonec vždycky přivlastnilo každou organizaci, která měla za původní cíl je zničit. Celá moje minulost revolucionáře skončila zklamáním a je pro mě dnes důležitá jen jediná otázka: co zbývá člověku, který pochopil, že žádný organizovaný, účinný a rozumný boj proti Diabolu není možný? Má jen dvě možnosti: buď rezignuje a přestane být sám sebou, anebo v sobě dále pěstuje vnitřní potřebu revolty a dá ji čas od času najevo. Ne proto, aby změnil svět, jak si to kdysi správně a marně přál Marx, ale že ho k tomu nutí intimní mravní imperativ. Myslil jsem v poslední době na tebe. I pro tebe je důležité, abys svou revoltu neprojevoval jen psaním románů, které ti nemohou přinést žádné skutečné uspokojení, ale činem. Dnes chci, aby ses ke mně konečně přidal!"

„Přesto mi zůstává nejasné," řekl jsem, „proč tě vnitřní mravní potřeba vedla k útoku na nějakého ubohého redaktora rozhlasu. Jaké tě k tomu vedly objektivní důvody? Proč právě on se pro tebe stal symbolem oslovství?"

„Zakazuju ti používat blbého slova symbol!" zvedal Avenarius hlas. „To je myšlení teroristických organizací! To je myšlení politiků, z nichž se dnes stali pouzí žongléři symbolů! Já pohrdám stejně těmi, kdo vyvěšují z oken státní vlajky, jako těmi, kdo je spalují na náměstích. Bernard pro mě není symbol.

Nic pro mě není konkrétnější než on! Slyším ho mluvit každé ráno! S jeho slovy vstupuju do dne! Jeho zženštile afektovaný, blbě žertující hlas mi jde na nervy! Nesnáším nic z toho, co říká! Objektivní důvody? Nevím, co to je! Jmenoval jsem ho totálním oslem na základě své nejpodivínštější, nejzlomyslnější, nejkapricióznější osobní svobody!"

„To jsem chtěl slyšet," řekl jsem. „Jednal jsi nikoli jako Bůh nutnosti, ale jako Bůh náhody."

„Ať už náhody, či nutnosti, mám radost, že jsem pro tebe Bůh," řekl profesor Avenarius opět svým normálním ztišeným hlasem. „Ale nechápu, proč se tolik divíš mé volbě. Ten, kdo blbě žertuje s posluchači a dělá kampaně proti euthanasii, je nade všechny pochyby totální osel a já si neumím představit jedinou námitku, kterou by bylo možno proti tomu vznést."

Když jsem slyšel poslední Avenariova slova, ustrnul jsem: „Ty si pleteš Bernarda Bertranda s Bertrandem Bertrandem!"

„Mám na mysli Bernarda Bertranda, který mluví do rozhlasu a bojuje proti sebevraždám a pivu!"

Chytil jsem se za hlavu: „To jsou dvě různé osoby! Otec a syn! Jak jsi mohl spojit do jedné osoby redaktora rozhlasu a poslance?! Tvůj omyl je dokonalý příklad toho, co jsme před chvílí označili jako morbidní náhodu."

Avenarius upadl na chvíli do rozpaků. Brzy se však vzpamatoval a řekl: „Obávám se, že se dost dobře nevyznáš ani ve své vlastní teorii náhody. Na mém omylu není nic morbidního. Podobá se naopak zřetelně tomu, co jsi nazval poetickou náhodou. Z otce a syna se stal jediný osel o dvou hlavách. Tak nádherné zvíře nevymyslila ani stará řecká mytologie!"

Dopili jsme víno, odešli se obléci do šaten a odtud jsme telefonovali do restaurace, aby pro nás rezervovali stůl.

6

Profesor Avenarius si právě oblékal ponožku, když si Agnes vzpomněla na tuto větu: „Každá žena dá vždycky přednost dítěti před manželem.“ Důvěrným tónem (za okolností od té doby zapomenutých) ji řekla matka Agnes, které mohlo být tehdy dvanáct, třináct let. Smysl věty se stane jasný, teprve když o něm chvíli přemýšlíme: říci, že máme raději A než B, není srovnání dvou stupňů lásky, ale znamená to, že B není milován. Když někoho milujeme, nemůžeme ho totiž srovnávat. Milovaný je nesrovnatelný. I když milujeme A i B, nemůžeme je srovnávat, protože srovnávajíce je, přestáváme už jednoho z nich milovat. A říkáme-li veřejně, že dáváme jednomu přednost před druhým, nikdy nám nejde o to, vyznat přede všemi lásku k A (protože v tom případě by stačilo říci pouze „Miluju A!“), ale dát diskrétně, a přece zřetelně najevo, že B je nám úplně lhostejný.

Malá Agnes nebyla ovšem schopna takové analýzy. Matka s tím určitě počítala; měla potřebu se svěřit, a zároveň nechtěla být zcela pochopena. Ale dítě, i když nebylo s to všechno pochopit, vycítilo přesto, že věta mluví v neprospěch otce. A malá Agnes ho milovala! Necítila se proto polichocena, že je jí dávána přednost, ale zarmoucena, že se milovanému děje křivda.

Věta se jí vryla do mysli; snažila si představit, co to se vší konkrétností znamená mít někoho raději a někoho méně; ležela před usnutím zachumlaná do deky ve své posteli a viděla před očima tuto scénu: otec stojí a drží za každou ruku jednu dceru. Naproti nim je seřazena popravčí četa, která už čeká jen na rozkaz: zalícit! střelit! Matka šla prosit nepřátelského generála o milost a on jí dal právo zachránit ze tří odsouzených dva. A tak těsně předtím, než dá velitel rozkaz ke střelbě, matka přibíhá, vytrhne otci z rukou dcery a ve vyděšeném spěchu je odvádí. Agnes je vlečena matkou, a hlavu má otočenu dozadu, k otci; má ji otočenu tak zarputile, vzdorovitě, že dostává do krku křeč; vidí otce, jak se za nimi dívá smutně a bez nejmenšího protestu: je smířen s matčinou volbou, protože ví, že mateřská láska je větší než manželská láska a že je na něm, aby šel zemřít.

Někdy si představila, že nepřátelský generál dal matce právo zachránit jen jednoho z odsouzených. Ani na okamžik nepochybovala, že by matka zachránila Lauru. Viděla v duchu, jak zůstali sami, ona a otec, tváří v tvář četě střelců. Drželi se za ruce. Agnes se v té chvíli vůbec nezajímala, co se děje s matkou a sestrou, nedívala se za nimi, věděla však, že se rychle vzdalují a ani jedna z nich se neohlédla! Agnes byla zamotána do deky na své postýlce, měla horké slzy v očích a cítila nevýslovné štěstí, že drží otce za ruku, že je s ním a že zemrou spolu.

7

Snad by byla Agnes na scénu popravy zapomněla, kdyby se jednoho dne nebyly obě sestry pohádaly, když překvapily otce nad kupou roztrhaných fotografií. Dívala se tehdy na křičící Lauru a vzpomněla si, že je to tatáž Laura, která ji nechala s otcem samu před popravčí četou a odcházela, *aniž se ohlédla*. Pochopila náhle, že jejich spor sahá hlouběji, než tuší, a právě proto se už k té hádce nikdy nevrátila, jako by se bála pojmenovat, co má zůstat nepojmenované, probouzet, co má zůstat spát.

Když tehdy sestra v pláči a hněvu odjela a ona zůstala s otcem sama, pocítila poprvé zvláštní pocit únavy z překvapujícího zjištění (nejvíc nás vždycky překvapí ta nejbanálnější zjištění), že bude mít po celý život pořád stejnou sestru. Bude moci střídat přátele, střídat milence, bude se moci, zachce-li se jí, rozvést s Paulem, ale nebude nikdy moci vyměnit sestru. Laura je konstanta jejího života, což je pro Agnes o to víc únavné, že se jejich vztah podobal už od dětství běhu: Agnes běžela vpředu a sestra za ní.

Někdy si připadala jako v pohádce, kterou znala z dětství: princezna uniká na koni zlému pronásledovateli; má v ruce kartáč, hřeben a stuhu. Hodí za sebe kartáč a mezi ní a pronásledovatelem vyrostou husté lesy. Získá tak čas, ale pronásledovatel je brzy opět v dohledu a ona za sebe hodí hřeben proměněný rázem ve špičaté skály. A když už je jí zase v patách, upustí stuhu, která se za ní rozvine jako široká řeka.

Pak už měla Agnes v ruce jen poslední předmět: černé brýle. Hodila je na zem a od pronásledovatele ji dělilo pásmo pokryté ostrými střepy.

Jenomže teď nemá v ruce nic a ví, že Laura je silnější než ona. Je silnější, protože proměnila slabost ve zbraň a mravní převahu: děje se jí křivda, je opuštěna milencem, trpí, pokouší se o sebevraždu, zatímco Agnes, šťastně vdaná, hází sestře na zem brýle, ponižuje ji a zakazuje vstup do svého bytu. Ano, od chvíle rozbitých brýlí je to už tři čtvrtě roku, co se spolu neviděly. A Agnes ví, že Paul, aniž to řekl, s ní nesouhlasí. Lituje Lauru. Běh se blíží ke konci. Agnes slyší dech sestry těsně za sebou a ví, že prohraje.

Pocit únavy je čím dál větší. Už nemá nejmenší chuť pokračovat v běhu. Není závodnice. Nechtěla nikdy závodit. Nevybrala si sestru. Nechtěla být ani jejím vzorem ani jejím soupeřem. Sestra je v jejím životě stejná náhoda jako tvar Agnesiných uší. Nevybrala si sestru ani tvar uší a musí celý život s sebou táhnout nesmysl náhody.

Když byla malá, otec ji učil hrát šachy. Upoutal ji jeden tah, kterému se odborně říká rošáda: hráč přemístí během jednoho tahu dvě figury: věž postaví na místo krále a krále přesune vedle místa, kde stála věž. Ten tah se jí líbil: nepřítel soustředí všechno úsilí, aby zasáhl krále, a ten mu náhle zmizí před očima; odstěhuje se. Snila celý život o tom tahu a snila o něm o to víc, oč byla unavenější.

8

Od té doby, co otec umřel a nechal jí peníze ve švýcarské bance, Agnes jezdila dvakrát třikrát v roce do Alp, vždycky do stejného hotelu a snažila se představit si, že by v těch končinách zůstala navždycky: mohla by žít bez Paula a bez Brigity? Jak to mohla vědět? Samota tří dnů, kterou byla zvyklá trávit v hotelu, taková „samota na zkoušku", ji málo poučila. Slovo „odejít!" jí znělo v hlavě jako nejkrásnější pokušení. Ale kdyby opravdu odešla, nelitovala by toho vzápětí? Je pravda, že toužila po samotě, ale měla přitom manžela i dceru ráda a měla o ně starosti. Vyžadovala by od nich zprávy, potřebovala by vědět, zda je s nimi všechno v pořádku. Ale jak být sám, oddělen od nich, a zároveň o nich všechno vědět? A jak by si svůj nový život zařídila? Hledala by si nové zaměstnání? To by nebylo lehké. Nedělala by nic? Ano, to bylo lákavé, ale nepřipadala by si náhle jako penzistka? Když o tom všem přemýšlela, jevil se jí její plán „odejít" čím dál víc umělý, nucený, neuskutečnitelný, podobný pouhé utopii, kterou se klame ten, kdo v hloubi duše ví, že je bezmocný a že nic neudělá.

A pak přišlo jednoho dne rozuzlení zvenčí, zároveň úplně nečekané a zároveň to nejobyčejnější. Její zaměstnavatel zakládal filiálku v Bernu, a protože všichni věděli, že mluví německy stejně dobře jako francouzsky, zeptali se jí, zda by tam nechtěla řídit výzkum. Věděli, že je vdaná, a nepočítali proto příliš s jejím souhlasem; překvapila je: řekla „ano" bez vteřiny úvahy; a překvapila i samu sebe: to spontánní „ano" dokazovalo, že její touha nebyla komedií, kterou hrála sama sobě, z koketerie a aniž jí věřila, ale něčím skutečným a vážným.

Ta touha se dychtivě chytila příležitosti, aby přestala být pouhým romantickým sněním, a stala se součástí něčeho naprosto prozaického: služebního postupu. Když Agnes přijala nabídku, jednala jako kterákoli ctižádostivá žena, takže skutečné osobní důvody jejího rozhodnutí nemohl nikdo odhalit ani tušit. A pro ni se stalo náhle všechno jasné; už nebylo třeba dělat pokusy a zkoušky a snažit si představovat „jak by to bylo, kdyby to bylo...“ Po čem toužila, bylo najednou tady a ona byla překvapena, že to přijímá jako jednoznačnou a nezkalenou radost.

Byla to radost tak prudká, že v ní probudila stud a pocit viny. Nenašla odvahu říci Paulovi o svém rozhodnutí. Proto odjela ještě naposledy do svého hotelu v Alpách. (Příště už tu bude mít svůj byt: buď na předměstí Bernu, nebo poblíž v horách.) Během těch dvou dnů si chtěla promyslit, jak všechno oznámit Brigitě a Paulovi, aby uvěřili, že je ctižádostivá a emancipovaná žena, zaujatá odbornou prací a úspěchem, když jí nikdy předtím nebyla.

9

Byla už tma; Agnes přejela s rozsvícenými světly hranici Švýcarska a octla se na francouzské dálnici, která jí vždycky naháněla strach; ukáznění Švýcaři dodržovali předpisy, kdežto Francouzi, vrtíce hlavou v krátkých horizontálních pohybech, dávali najevo rozhořčení nad těmi, kdo by chtěli lidem upřít jejich právo na rychlost, a proměňovali jízdu na silnicích v orgiastickou slavnost lidských práv.

Pocítila hlad a začala dávat pozor, nebude-li u dálnice nějaká restaurace nebo motel, kde by se najedla. Z levé strany ji předjížděly za strašného hluku tři velké motocykly; ve světle reflektorů bylo vidět jezdce v odění, které se podobalo skafandru astronautů a propůjčovalo jim vzhled mimozemských a nelidských bytostí.

V té chvíli se skláněl nad náš stůl číšník, aby odnesl prázdné talíře po předkrmu, a já jsem právě vyprávěl Avenariovi: „Přesně toho rána, co jsem se dal do třetího dílu svého románu, jsem v rozhlase slyšel zprávu, na kterou nejsem s to zapomenout. Nějaká dívka vyšla v noci na silnici a sedla si zády ke směru, z něhož přijížděla auta. Seděla, hlavu položenu na kolenou, a čekala smrt. Šofér prvního auta stočil v poslední chvíli volant a zahynul se ženou a dvěma dětmi. I druhé auto skončilo v příkopu. A za druhým autem třetí. Dívce se nic nestalo. Zvedla se, odešla a nikdo už nikdy nezjistil, kdo byla."

Avenarius řekl: „Jaké důvody si myslíš, že mohou pohnout mladou dívku, aby si sedla v noci na silnici a chtěla se dát rozdrtit auty?"

„Nevím," řekl jsem. „Ale vsadil bych se, že důvod byl neúměrně malý. Přesněji řečeno, že viděn zvenčí, zdál by se nám malý a docela nerozumný."

„Proč?" ptal se Avenarius.

Pokrčil jsem rameny: „Neumím si představit pro tak strašnou

sebevraždu žádný velký důvod, jakým by například byla nevyléčitelná nemoc nebo smrt nejbližšího člověka. V takovém případě by nikdo nevolil tenhle hrůzný konec, při němž zahynou jiní lidé! Jen důvod zbavený rozumnosti může vést ke hrůze tak nerozumné. Ve všech jazycích, které mají původ v latině, slovo důvod (*ratio, raison, reason*) znamená nejdřív to, čemu říkáme rozum. Takže důvod je vždycky pochopen jako racionální. Důvod, jehož racionálnost není průhledná, zdá se být neschopný zapříčinit nějaký následek. Ale německy se řekne důvod *Grund*, což je slovo, které nemá nic společného s latinským *ratio* a znamená původně půdu a pak základ. Z hlediska latinského *ratio* se chování dívky sedící na silnici jeví absurdní, nepřiměřené, bez rozumu, přesto však má svůj důvod, to jest svůj základ, svůj Grund. V hlubinách každého z nás je vepsán takový důvod, takový Grund, který je stálou příčinou našich činů, který je půdou, z níž se zvedá náš osud. Snažím se vystihnout Grund skrytý na dně každé z mých postav, a jsem čím dál víc přesvědčen, že má povahu metafory."

„Tvoje myšlenka mi uniká," řekl Avenarius.

„Škoda. Je to ta nejdůležitější myšlenka, jaká mě vůbec kdy napadla."

V té chvíli přicházel číšník s kachnou. Překrásně voněla a dala nám zapomenout předchozí rozhovor.

Až po chvíli přerušil Avenarius mlčení: „O čem teď vlastně píšeš?"

„To se nedá vyprávět."

„Škoda."

„Žádná škoda. Výhoda. Nová doba se vrhá na všechno, co bylo kdy napsáno, aby to proměnila ve filmy, televizní vysílání anebo kreslené obrázky. Protože podstatné na románu je právě jen to, co se nedá říci jinak než románem, v každé adaptaci zůstane jen to nepodstatné. Chce-li blázen, který je ještě dnes píše, chránit své romány, musí je napsat tak, aby se nedaly adaptovat, jinými slovy, aby se nedaly vyprávět."

Nesouhlasil: „*Tři mušketýry* od Alexandra Dumase ti mohu vyprávět s největším potěšením a kdykoli mě o to požádáš, od začátku do konce!"

„Jsem jako ty a nedám na Alexandra Dumase dopustit," řekl jsem. „Přesto lituju, že skoro všechny romány, které byly kdy napsány, jsou příliš poslušny pravidla jednoty děje. Chci tím říci, že jejich základem je jeden jediný řetěz činů a událostí příčinně spojených. Ty romány se podobají úzké ulici, po níž někdo žene bičem postavy. Dramatické napětí je skutečné prokletí románu, protože proměňuje všechno, i ty nejkrásnější stránky, i ty nejpřekvapivější scény a pozorování v pouhé stupně vedoucí k závěrečnému rozuzlení, v němž je soustředěn smysl všeho, co předcházelo. Román je stráven v ohni vlastního napětí jako snopek slámy."

„Když tě slyším," řekl nesměle profesor Avenarius, „bojím se, aby tvůj román nebyl nuda."

„Copak všechno, co není bláznivý běh za konečným rozuzlením, je nuda? Když chutnáš toto nádherné stehno, nudíš se snad? Pospícháš k cíli? Naopak, chceš, aby kachna do tebe vstupovala co nejpomaleji a aby její chuť nikdy nekončila. Román se nemá podobat cyklistickému závodu, ale hostině o mnoha chodech. Strašně se už těším na šestý díl. Do románu vstoupí úplně nová postava. A na konci dílu odejde tak, jak přišla, a nezůstane po ní stopa. Není ničeho příčinou a nezanechá žádný následek. A právě to se mi líbí. Šestý díl, to bude román v románu a ten nejsmutnější erotický příběh, jaký jsem kdy napsal. I tobě z něho bude smutno."

Avenarius chvíli rozpačitě mlčel a pak se mne laskavě zeptal: „A jak se bude tvůj román jmenovat?"

„Nesnesitelná lehkost bytí."

„Ale to už myslím někdo napsal."

„Já! Ale zmýlil jsem se tehdy v názvu. Ten měl patřit teprve románu, který píšu teď."

Potom jsme se odmlčeli, soustřeďujíce se na chuť vína a kachny.

Uprostřed žvýkání Avenarius řekl: „Myslím, že moc pracuješ. Měl bys myslit na své zdraví."

Věděl jsem dobře, kam Avenarius míří, ale tvářil jsem se, že nic netuším, a mlčky jsem chutnal víno.

10

Po delší chvíli Avenarius opakoval: „Zdá se mi, že moc pracuješ. Měl bys myslit na své zdraví."

Řekl jsem: „Myslím na své zdraví. Chodím pravidelně zvedat činky."

„To je nebezpečné. Může tě ranit mrtvice."

„Přesně toho se obávám," řekl jsem a vzpomněl jsem si na Roberta Musila.

„To, co potřebuješ, je běh. Noční běh. Něco ti ukážu," řekl pak tajemně a rozepjal sako. Viděl jsem, že má kolem prsou a přes své mohutné břicho upevněný podivný systém řemenů, který připomínal vzdáleně postroj koně. Vpravo dole byl na řemení závěs, do něhož byl zasunut veliký, hrozivý kuchyňský nůž.

Pochválil jsem mu jeho výstroj, ale protože jsem chtěl oddálit rozhovor o tématu, které jsem dobře znal, zavedl jsem řeč na to jediné, na čem mi záleželo a co jsem se chtěl od něho dovědět: „Když jsi uviděl Lauru v podzemí metra, poznala tě a ty jsi ji poznal."

„Ano," řekl Avenarius.

„Zajímá mě, odkud jste se znali."

„Zajímají tě hlouposti a vážné věci tě nudí," řekl s jistým zklamáním a zapnul si opět sako. „Jsi jak stará domovnice."

Pokrčil jsem rameny.

Pokračoval: „Není na tom vůbec nic zajímavého. Než jsem udělil totálnímu oslovi diplom, objevila se na ulicích jeho fotografie. Čekal jsem v hale rozhlasu, abych ho uviděl živého. Když vystoupil z výtahu, běžela k němu nějaká žena a políbila ho. Sledoval jsem je pak častěji a několikrát se moje pohledy setkaly s jejími, takže se jí moje tvář musila zdát známá, i když nevěděla, kdo jsem."

„Líbila se ti?"

Avenarius ztišil hlas: „Přiznám se ti, že kdyby nebylo jí, asi bych svůj plán s diplomem nikdy neuskutečnil. Mám takových plánů tisíce a většinou zůstanou jen mými sny."

„Ano, to vím," přisvědčil jsem.

„Ale když člověka zaujme nějaká žena, dělá všechno, aby se alespoň nepřímo, alespoň oklikou, s ní dostal do styku, dotkl se aspoň z dálky jejího světa a uvedl ho do pohybu."

„Takže Bernard se stal totálním oslem, protože se ti líbila Laura."

„Možná že se nemýlíš," řekl Avenarius zamyšleně a pak dodal: „V té ženě je něco, co ji předurčuje stát se obětí. Právě to mě na ní přitahovalo. Byl jsem nadšen, když jsem ji viděl v rukou dvou ožralých, smrdutých klošárdů! Nezapomenutelná chvíle!"

„Ano, až potud je mi tvůj příběh známý. Ale chci vědět, co bylo dál."

„Má docela mimořádný zadek," pokračoval Avenarius nedbaje mé otázky. „Když chodila do školy, musili ji do něho štípat spolužáci. Slyším v duchu, jak pokaždé vyjekla vysokým sopránovým hlasem. Ten zvuk už byl sladkým příslibem jejích budoucích rozkoší."

„Ano, mluvme o nich. Vypravuj mi, co se dělo dál, když jsi ji odvedl z metra jako zázračný zachránce."

Avenarius se tvářil, že mne neslyší. „Estét by řekl," pokračoval, „že její zadek je příliš objemný a trochu nízko posazený, což je o to rušivější, že její duše touží po výškách. Ale právě v tom rozporu je pro mě koncentrován lidský úděl: hlava je plná snů a zadek jako železná kotva nás drží při zemi."

Poslední Avenariova slova zazněla bůhvíproč melancholicky, snad proto, že naše talíře byly prázdné a po kachně nezbylo stopy. Už opět se nad nás skláněl číšník, aby odnesl talíře. Avenarius k němu zvedl hlavu: „Nemáte kus papíru?"

Číšník mu podal účtenku, Avenarius vytáhl pero a udělal na papír tuto kresbu:

Pak řekl: „To je Laura: hlava plná snů se dívá k nebi. A tělo je přitahováno k zemi: její zadnice i její prsa, též značně těžká, se dívají dolů."

„To je zvláštní," řekl jsem a nakreslil vedle Avenariovy kresby svoji:

„Kdo je to?" zeptal se Avenarius.

„Její sestra Agnes: tělo se zvedá jako plamen. A hlava je ustavičně mírně sklopená: skeptická hlava dívající se k zemi."

„Dám přednost Lauře," řekl Avenarius pevně a dodal: „Ze všeho nejvíc dám však přednost nočnímu běhu. Máš rád kostel Saint-Germain-des-Prés?"

Přisvědčil jsem.

„A přitom jsi ho nikdy skutečně neviděl."

„Nerozumím ti," řekl jsem.

„Šel jsem nedávno po rue de Rennes k bulváru a počítal jsem, kolikrát jsem s to vrhnout na ten kostel pohled, aniž by do mě vrazil spěchající chodec anebo mě přejelo auto. Napočítal jsem sedm velice krátkých pohledů, které mě stály modřinu na levé paži, protože mi dal ránu loktem netrpělivý jinoch. Osmý pohled mi byl dopřán, když jsem se postavil přímo před vchod chrámu a zvedl hlavu vzhůru. Ale viděl jsem jen průčelí ve velmi zkreslující žabí perspektivě. Z těch letmých či deformovaných pohledů mám v mysli sestaven jakýsi přibližný znak, který nemá s tím chrámem společného víc než Laura s mou kresbou složenou ze dvou šipek. Chrám Saint-Germain-des-Prés zmizel a všechny kostely ve všech městech takto zmizely jako měsíc, když přijde chvíle jeho zatmění. Auta, která zaplnila silnice, zmenšila chodníky, na kterých se tlačí chodci. Když se chtějí podívat jeden na druhého, vidí auta v pozadí, když se chtějí podívat na protější dům, vidí auta v popředí; neexistuje jediný úhel pohledu, v němž by vzadu, vpředu, na okraji nebylo vidět auta. Jejich všudypřítomný hluk rozleptává každou chvíli kontemplace jako žíravina. Auta způsobila, že někdejší krása měst se stala neviditelná. Nejsem jako blbí moralisté, kteří se rozhořčují, že je na silnicích každý rok deset tisíc mrtvých. Tak aspoň ubývá šoférů. Ale protestuju proti tomu, že auta způsobila zatmění katedrál."

Profesor Avenarius se odmlčel a pak řekl: „Mám ještě chuť na sýr."

11

Sýry mi daly postupně zapomenout na kostel a víno mi vyvolalo smyslný obraz dvou na sobě stojících šipek: „Jsem si jist, že jsi ji doprovodil domů a ona tě pozvala k sobě. Svěřovala se ti, že je tou nejnešťastnější ženou na světě. Její tělo se přitom roztékalo pod tvými doteky, bylo bezbranné a nebylo s to udržet slzy ani moč."

„Slzy ani moč!" zvolal Avenarius. „Nádherná představa!"

„A potom jsi ji miloval a ona se ti dívala do tváře, vrtěla hlavou a říkala: ‚Vás já nemiluju! Vás já nemiluju!' "

„Je to ohromně vzrušující, co říkáš," řekl Avenarius, „ale o kom mluvíš?"

„O Lauře!"

Přerušil mne: „Je naprosto nutné, abys cvičil. Noční běh je jediná věc, která tě může odvést od tvých erotických fantazií."

„Nejsem vyzbrojen jako ty," řekl jsem s narážkou na jeho řemení. „Víš dobře, že bez pořádné výstroje se do takového podniku nelze pustit."

„Buď klidný. Výstroj není tak důležitá. Také jsem nejdřív běhal bez ní. Toto," sáhl si na prsa, „je rafinovanost, k níž jsem došel až po mnoha letech, a nevedla mě k ní ani tak praktická potřeba, jako spíš jakási ryze estetická a skoro neužitečná touha po dokonalosti. Zatím můžeš mít nůž klidně v kapse. Důležité je jen, abys dodržoval toto pravidlo: u prvního auta pravou přední, u druhého levou přední, u třetího pravou zadní, u čtvrtého..."

„... levou zadní..."

„Omyl!" smál se Avenarius jako zlý učitel, který se raduje ze špatné odpovědi žáka: „U čtvrtého všechny čtyři!"

Chvíli jsme se smáli a Avenarius pokračoval: „Vím, že jsi v poslední době posedlý matematikou, musíš proto ocenit tuto geometrickou pravidelnost. Trvám na ní jako na bezpodmínečném pravidlu, které má dvojí význam: jednak uvede na falešnou stopu policii, která bude vidět ve zvláštním rozvržení propíchnutých pneumatik nějaký smysl, poselství, kód, a bude se ho marně snažit dešifrovat; ale hlavně dodržování tohoto geometrického vzorce vnese do naší destruktivní akce princip matematické krásy, která nás radikálně odliší od vandalů, kteří poškrábou auto hřebíkem a vyserou se na střechu. Vypracoval jsem svou metodu do všech podrobností před mnoha lety v Německu, kdy jsem ještě věřil v možnost organizovaného odporu proti Diabolu. Navštěvoval jsem spolek ekologů. To jsou ti, co vidí hlavní zlo Diabola v tom, že ničí přírodu. Proč ne, i tak se dá Diabolum pochopit. Sympatizoval jsem s nimi. Vypracoval jsem plán na zřízení komand, která by v noci propichovala pneumatiky. Kdyby se byl plán uskutečnil, ručím ti za to, že by auta přestala existovat. Pět komand po třech mužích by během měsíce učinilo používání aut v městě střední velikosti nemožným! Přednášel jsem jim svůj návrh se všemi podrobnostmi, mohli se ode mne všichni učit, jak se dělá perfektní podvratná akce, účinná a zároveň neodhalitelná policií. Ale ti blbci mě považovali za provokatéra! Pískali a hrozili mi pěstmi! O čtrnáct dnů později vyjeli na svých velikých motocyklech a ve svých malých autech na protestní manifestaci kamsi do lesů, kde se měla stavět atomová elektrárna. Zničili spoustu stromů a smrdělo to tam po nich ještě čtyři měsíce. Tehdy jsem pochopil, že se stali už dávno součástí Diabola, a byl to můj poslední pokus snažit se změnit svět. Dnes už používám starých revolučních praktik jen k vlastnímu, zcela egoistickému potěšení. Běžet nočními ulicemi a propichovat pneumatiky je báječná radost pro duši a výborný trénink pro tělo. Ještě jednou ti to důrazně doporučuju. Budeš lépe spát. A nebudeš myslit na Lauru."

„Řekni mi jen jednu věc. Tvoje žena věří, že odcházíš v noci z domu propichovat pneumatiky? Nepodezírá tě, že je to jen záminka, která má zastřít noční avantýry?"

„Uniká ti jeden detail. Chrápu. Tím jsem si vysloužil právo spát v nejvzdálenějším pokoji bytu. Jsem naprostým pánem svých nocí."

Usmíval se a já měl velkou chuť uposlechnout jeho výzvy a slíbit mu, že půjdu s ním: jednak mi jeho podnik připadal chvályhodný, jednak jsem měl svého přítele rád a chtěl mu udělat radost. Ale dřív než jsem byl s to promluvit, zavolal silným hlasem na číšníka, aby nám připravil účet, takže se nit rozhovoru přetrhla a zaujala nás jiná témata.

12

Žádná z restaurací při dálnici se jí nelíbila, míjela je a její hlad a únava se zvětšovaly. Bylo už velmi pozdě, když zabrzdila před jakýmsi motelem.

V sále jídelny nebyl nikdo kromě matky s šestiletým chlapcem, který chvílemi seděl, chvílemi pobíhal po místnosti a nepřetržitě povykoval.

Objednala si nejjednodušší večeři a pozorovala panáčka, který stál uprostřed stolu. Byla to malá soška z kaučuku, reklama na nějaké zboží. Panáček měl veliké tělo a krátké nohy, na tváři obludný nos, zelený, který mu sahal až dolů k pupku. Docela rozmarná věc, řekla si, vzala panáčka do ruky a dlouho si ho prohlížela.

Napadlo ji, že by panáčka někdo oživil. Obdařen duší, cítil by pravděpodobně velkou bolest, kdyby mu někdo kroutil jeho zeleným gumovým nosem, jako to teď dělá Agnes. Rychle by se v něm narodil strach z lidí, protože každý by měl chuť si hrát s tím směšným nosem a jeho život by byl jen strach a utrpení.

Cítil by snad posvátnou úctu ke svému Stvořiteli? Děkoval by mu za život? Modlil by se snad k němu? Jednou by mu někdo nastavil zrcadlo a od té doby by toužil přikrýt si před lidmi rukama tvář, protože by se strašně styděl. Ale nemohl by si ji přikrýt, protože jeho Stvořitel ho vyrobil tak, že rukama nemůže pohybovat.

Je to zvláštní, říkala si Agnes, myslit si, že by se panáček styděl. Copak je odpovědný za to, že má zelený nos? Nepokrčil by spíš lhostejně rameny? Ne, nepokrčil by rameny. Styděl by se. Když člověk poprvé odhalí své tělesné „já", to první a hlavní, co pocítí, není ani lhostejnost ani hněv, ale stud: základní stud, který ho už bude provázet celý život, ať silnější, či mírnější a otupený časem.

Když jí bylo šestnáct let, byla na návštěvě u známých svých rodičů; uprostřed noci dostala menses a zakrvavila prostěradlo.

Když to časně ráno zjistila, zachvátila ji panika. Vyplížila se tajně do koupelny pro mýdlo a drhla pak prostěradlo mokrou žínkou; nejenže se skvrna ještě zvětšila, ale zašpinila i matraci; styděla se až k smrti.

Proč se tak styděla? Copak netrpí všechny ženy měsíčním krvácením? Copak snad ona vymyslila ženská rodidla? Copak za ně byla odpovědna? Nebyla. Ale odpovědnost nemá se studem nic společného. Kdyby dejme tomu rozlila inkoust a zničila lidem, u nichž byla na návštěvě, koberec a ubrus, bylo by to trapné a nepříjemné, ale nestyděla by se. Základem studu není nějaká chyba, které jsme se dopustili, ale potupa, ponížení, které cítíme nad tím, že musíme být tím, čím jsme, aniž jsme si to vyvolili, a nesnesitelný pocit, že je to ponížení odevšad vidět.

Nelze se divit panáčkovi s dlouhým zeleným nosem, že se stydí za svou tvář. Ale jak má Agnes pochopit otce? Ten byl přece krásný!

Ano, byl. Ale co je to krása matematicky vzato? Krása znamená, že se exemplář co nejvíc podobá původnímu prototypu. Představme si, že do computeru byly dány maximální a minimální rozměry všech tělesných částí: nos dlouhý mezi třemi a sedmi centimetry, čelo vysoké mezi třemi a osmi centimetry a tak dál. Ošklivý člověk má čelo vysoké osm centimetrů a nos dlouhý jen tři. Ošklivost: poetická kapricióznost náhody. U krásného člověka volila hra náhod průměr všech rozměrů. Krása: apoetická průměrnost. V kráse ještě víc než v ošklivosti se vyjevuje ne-osobitost, ne-osobnost tváře. Krásný člověk vidí ve své tváři původní technický plán, jak ho narýsoval navrhovatel prototypu, a těžko může uvěřit, že to, co vidí, je nějaké originální „já“. Stydí se proto stejně jako oživený panáček s dlouhým zeleným nosem.

Když otec umíral, seděla na okraji jeho lůžka. Než vstoupil do konečné fáze agonie, řekl jí: „Nedívej se už na mě,“ a to byla poslední slova, která slyšela z jeho úst, jeho poslední poselství.

Uposlechla ho; sklonila hlavu k podlaze, zavřela oči, jen jeho ruku držela a nepouštěla; nechala ho, aby pomalu a neviděn odcházel do světa, kde už nejsou tváře.

13

Zaplatila a vyšla ven k autu. Proti ní se vyřítil chlapec, kterého viděla povykovat v restauraci. Přidřepl si před ní a držel před sebou ruce, jako by v nich měl automatickou pistoli. Napodoboval zvuk střelby: „Paf, paf, paf!" a zabíjel ji imaginárními střelami.

Zastavila se nad ním a řekla mírným hlasem: „Ty jsi idiot?"

Přestal střílet a podíval se na ni velkýma dětskýma očima.

Opakovala: „Ano, zřejmě jsi idiot."

Chlapci se stáhla tvář do plačtivé grimasy: „Já to řeknu mamince!"

„Utíkej! Utíkej jí žalovat!" řekla Agnes. Nasedla do auta a rychle ho rozjela.

Byla ráda, že se nesetkala s matkou. Představovala si ji, jak na ni křičí a vrtí přitom rozrušeně hlavou krátkými horizontálními pohyby zvedajíc ramena a obočí, aby hájila uražené dítě. Samozřejmě, práva dítěte stojí nad všemi jinými právy. Proč vlastně dala jejich matka přednost Lauře před Agnes, když jí nepřátelský generál povolil zachránit ze tří členů rodiny jen jednoho? Odpověď byla zcela jasná: dala přednost Lauře, protože byla mladší. V hierarchii věků je na nejvyšším místě nemluvně, pak dítě, pak jinoch, pak teprve dospělý člověk. Starý člověk je až úplně při zemi, na úpatí té pyramidy hodnot.

A mrtvý? Mrtvý je pod zemí. Tedy ještě níž než starý člověk. Starému člověku jsou zatím přiznána všechna lidská práva. Mrtvý naproti tomu je ztrácí od první vteřiny smrti. Žádný zákon ho už nechrání před pomluvou, jeho soukromí přestalo být soukromím; ani dopisy, co mu psaly jeho lásky, ani památník, co mu odkázala maminka, nic, nic, nic mu už nepatří.

V posledních letech před smrtí otec po sobě všechno postupně ničil: nezůstaly po něm ani obleky ve skříni, žádný rukopis, žádné poznámky k přednáškám, žádné dopisy. Zametal po sobě stopy a nikdo to netušil. Jen u těch fotografií ho náhodou přistihli. Přesto nezabránili, aby je zničil. Ani jedna po něm nezůstala.

Laura proti tomu protestovala. Bojovala za práva živých proti neoprávněným nárokům mrtvých. Neboť tvář, která zítra zmizí v hlíně nebo v ohni, nepatří budoucímu mrtvému, ale jen a jen živým, kteří jsou hladoví a mají potřebu pojídat mrtvé, jejich dopisy, jejich peníze, jejich fotografie, jejich staré lásky, jejich tajemství.

Ale otec jim všem unikl, říkala si Agnes.

Myslila na něho a usmívala se. A najednou ji napadlo, že otec byl její jediná láska. Ano, bylo to úplně jasné: otec byl její jediná láska.

V té chvíli kolem ní znovu projely ohromnou rychlostí veliké motocykly; ve světle Agnesiných reflektorů bylo vidět postavy sehnuté nad řidítky a nabité agresivitou, kterou se chvěla noc. To byl právě ten svět, jemuž chtěla uniknout, už navždy uniknout, a proto se rozhodla, že na první křižovatce odbočí z dálnice na nějakou méně rušnou silnici.

14

Ocitli jsme se na pařížské avenue plné hluku a světel a mířili jsme k Avenariovu mercedesu, který byl zaparkován o několik ulic dál. Myslili jsme opět na dívku, která seděla na noční silnici s hlavou zabořenou do dlaní a čekala na náraz auta.

Řekl jsem: „Snažil jsem se ti vysvětlit, že v každém z nás je vepsán důvod našich činů, to, čemu Němci říkají Grund; kód obsahující esenci našeho osudu; ten kód má podle mého mínění povahu metafory. Bez básnického obrazu nemůžeš tu dívku, o níž mluvíme, pochopit. Například: jde životem jako údolím; každou chvíli někoho potká a osloví ho; ale lidé se na ni nechápavě podívají a jdou dál, protože její hlas je tak slabý, že ho nikdo neslyší. Takhle si ji představuju a jsem si jist, že i ona se tak vidí: jako žena jdoucí údolím mezi lidmi, kteří ji neslyší. Anebo jiný obraz: je v přeplněné čekárně u zubního lékaře; do čekárny vejde nový pacient, jde k pohovce, na níž sedí ona, a posadí se jí na klín; neudělal to úmyslně, ale proto, že viděl na pohovce prázdné místo; ona se brání, ohání se pažemi, křičí ‚Pane! Copak nevidíte! Místo je obsazené! Tady sedím já!‘, ale muž ji neslyší, pohodlně se na ní usadil a baví se vesele s jiným čekajícím pacientem. To jsou dva obrazy, dvě metafory, které ji určují, které mi umožňují ji chápat. Její touha po sebevraždě nebyla vyprovokována něčím, co přišlo zvnějšku. Byla zasazena do půdy její bytosti, pomalu rostla a rozvinula se jako černý květ.“

„Připouštím,“ řekl Avenarius. „Ale nějak musíš přesto vysvětlit, že se rozhodla vzít si život právě toho dne a ne jiného.“

„A jak vysvětlíš, že květ se rozvine právě toho dne a ne jindy? Přijde jeho čas. Touha po sebezničení rostla pomalu a jednoho dne jí už nebyla s to odolat. Příkoří, která se jí děla, byla, hádám, docela malá: lidé jí neodpovídali na pozdrav; nikdo se na ni neusmál; čekala ve frontě na poště a nějaká tlustá žena ji odstrčila a předběhla; byla zaměstnána jako prodavačka ve velkoobchodě a vedoucí ji obvinil, že se špatně chová k zákazníkům. Tisíckrát se chtěla vzepřít a křičet, ale nikdy se k tomu neodhodlala, protože měla slabý hlas, který jí ve chvíli rozčilení přeskakoval. Byla slabší než všichni jiní a byla nepřetržitě urážena. Když na člověka dopadá zlo, člověk ho od sebe odrazí na jiné. Tomu se říká spor, hádka nebo msta. Ale slabý člověk nemá sílu odrazit zlo, které na něho dopadne. Jeho vlastní slabost ho uráží a ponižuje a je před ní absolutně bezbranný. Nezbývá mu nic jiného než zničit svou slabost spolu se sebou samým. A tak se narodil její sen o vlastní smrti.“

Avenarius se rozhlížel, kde je jeho mercedes, a zjistil, že ho hledá ve špatné ulici. Obrátili jsme se a šli zpátky.

Pokračoval jsem: „Smrt, po které toužila, neměla podobu zmizení, ale odhození. Sebeodhození. Nebyla spokojena s jedním jediným dnem svého života, s jedním jediným slovem, co vyslovila. Nesla sama sebe životem jako cosi monstrózního, co nenávidí a čeho není možno se zbavit. Proto tolik toužila odhodit sebe samu, jako se odhazuje zmačkaný papír, jako se odhazuje shnilé jablko. Toužila se odhodit, jako by ta, která odhazuje, a ta, která je odhazována, byly dvě různé osoby. Představovala si, že se shodí z okna. Ale ta představa byla k smíchu, protože bydlila v prvním poschodí a obchod, v kterém pracovala, byl v přízemí a neměl vůbec žádná okna. A ona toužila zemřít tak, že na ni dopadne pěst a ozve se zvuk, jako když rozdrtíš krovku chrousta. Byla to téměř fyzická touha být rozdrcen, jako když máš potřebu přitisknout silně dlaň na místo, které tě bolí.“

Došli jsme k Avenariovu honosnému mercedesu a zastavili se.

Avenarius řekl: „Tak jak ji líčíš, by k ní člověk málem cítil sympatie...“

„Vím, co chceš říct. Kdyby nebyla rozhodnuta poslat kromě sebe na smrt i jiné. Ale i to je vyjádřeno v těch dvou metaforách, kterými jsem ti ji představil. Když někoho oslovila, nikdo ji neslyšel. Ztrácela svět. Když říkám svět, myslím tím tu část jsoucna, která odpovídá na naše volání (byť třeba jen sotva slyšitelnou ozvěnou) a jehož volání my sami slyšíme. Pro ni se svět stával němý a přestával být jejím světem. Byla docela uzavřena sama do sebe a do svého trápení. Mohl ji z její uzavřenosti vytrhnout alespoň pohled na trápení jiných? Ne. Protože trápení jiných se dělo ve světě, který ztratila, který nebyl její. Jestliže planeta Mars není než jedno velké utrpení, kde i kámen křičí bolestí, není s to nás to dojmout, protože Mars nepatří k našemu světu. Člověk, který se octl mimo svět, není citlivý na bolest světa. Jediná událost, která ji na chvíli vytrhla z jejího trápení, byla nemoc a smrt jejího pejska. Sousedka se pohoršovala: nemá soucit s lidmi, ale pláče nad psem. Plakala nad psem, protože pes byl částí jejího světa, kdežto sousedka nikoli; pes odpovídal na její hlas, lidé na něj neodpovídali."

Odmlčeli jsme se v myšlenkách na ubohou dívku a Avenarius pak otevřel dveře auta a pokynul mi: „Pojď! Vezmu tě s sebou! Půjčím ti tenisky a nůž!"

Věděl jsem, že nepůjdu-li s ním propichovat pneumatiky já, nenajde nikdy nikoho jiného a zůstane ve svém podivínství opuštěn jako ve vyhnanství. Měl jsem tisíc chutí jít s ním, ale byl jsem líný, tušil jsem kdesi v dálce spánek, jak se ke mně blíží, a běhat po půlnoci po ulicích mi připadalo jako nemyslitelná oběť.

„Půjdu domů. Projdu se pěšky," řekl jsem a podal mu ruku.

Odjížděl. Díval jsem se za jeho mercedesem s pocity výčitek, že jsem zradil přítele. Pak jsem se dal na cestu domů a myšlenky se mi po chvíli vrátily k dívce, ve které touha po sebezničení rostla jak černý květ.

Řekl jsem si: A jednoho dne, když jí skončila práce, nešla domů, ale dala se pryč z města. Neviděla nic kolem sebe, nevěděla, zda je léto, podzim či zima, zda jde po břehu moře nebo podél továrny; už dávno přece nežila ve světě; její jediný svět byla její duše.

15

Neviděla nic kolem sebe, nevěděla, zda je léto či podzim či zima, zda jde po břehu moře nebo podél továrny, a jestli šla, šla jen proto, že duše, plna nepokoje, si žádá pohyb, není s to zůstat na místě, protože když se nehýbá, začne strašně bolet. Je to jako když máte velikou bolest zubu: něco vás nutí přecházet po pokoji od stěny ke stěně; není v tom žádný rozumný důvod, protože pohyb nemůže bolest zmenšit, ale aniž víte proč, bolavý zub o ten pohyb prosí.

A tak dívka šla a octla se na velké dálnici, po které svištělo jedno auto za druhým, šla po okraji, od patníku k patníku, nevnímala nic, dívala se jen do své duše, v níž viděla několik stále stejných obrazů ponížení. Nemohla od nich odtrhnout oči; jen občas, když kolem hlasitě projel motocykl a ji zabolely tím rámusem ušní bubínky, uvědomila si, že vnější svět existuje; ale ten svět neměl žádný význam, byl to prázdný prostor vhodný jen k tomu, aby šla a přemísťovala svou bolavou duši od místa k místu v naději, že bude méně bolet.

Už dávno myslila na to, že se dá přejet autem. Ale auta jezdící ohromnou rychlostí po dálnici jí teď naháněla strach, byla tisíckrát silnější než ona; neuměla si představit, kde by vzala odvahu, aby se vrhla pod jejich kola. Musela by se vrhnout *na* ně, *proti* nim a na to neměla sil, stejně jako je neměla, když chtěla křičet na vedoucího, který jí něco neprávem vyčítal.

Vyšla, když se stmívalo, a teď už byla noc. Bolely ji nohy a věděla, že nemá sil dojít daleko. V tom okamžiku únavy uviděla na velké směrové tabuli osvětlené slovo *Dijon*.

Rázem zapomněla na svou únavu. To slovo jako by jí něco připomnělo. Snažila se zachytit unikající vzpomínku: někdo byl z Dijonu anebo jí někdo vyprávěl něco veselého, co se tam přihodilo. Najednou uvěřila, že to město je příjemné a že jsou tam jiní lidé než ti, které až dosud poznala. Bylo to, jako když se uprostřed pouště ozve taneční hudba. Bylo to, jako když na hřbitově vytryskne pramen stříbřité vody.

Ano, pojede do Dijonu! Začala mávat na auta. Ale auta ji míjela, oslepovala ji světly a nezastavovala. Pořád se opakovala stejná situace, z níž jí nebylo dáno uniknout: obrátí se na někoho, osloví ho, mluví na něho, volá, a nikdo ji neslyší.

Už půl hodiny marně natahovala paži: auta nezastavovala. Osvětlené město, veselé město Dijon, taneční orchestr uprostřed pouště, se znovu propadalo do temnot. Svět se od ní znovu odtahoval a ona se vracela do své duše, kolem níž široko daleko byla jen prázdnota.

Pak došla na místo, kde z dálnice odbočovala menší silnice. Zastavila se: ne, auta na dálnici nejsou k ničemu: ani ji nerozdrtí, ani neodvezou do Dijonu. Dala se točitou silnicí dolů z dálnice.

16

Jak žít ve světě, s kterým člověk nesouhlasí? Jak žít s lidmi, když člověk nepovažuje ani jejich trápení ani jejich radosti za své? Když ví, že k nim nepatří?

Agnes jede po tiché silnici a odpovídá si: Láska, nebo klášter. Láska, nebo klášter: dva způsoby, jak může člověk odmítnout boží computer, jak mu může uniknout.

Láska: už dávno si Agnes představuje takovou zkoušku: zeptají se vás, zda byste se po smrti chtěli znovu probudit k životu. Milujete-li skutečně, budete souhlasit jen pod tou podmínkou, že se znovu shledáte se svým milovaným. Život je pro vás hodnota podmíněná, ospravedlněná jenom tím, že vám umožní žít vaši lásku. Ten, koho milujete, je pro vás víc než boží Stvoření, víc než život. To je ovšem rouhavý výsměch Stvořitelovu computeru, který považuje sama sebe za vrchol všeho a za smysl bytí.

Ale většina lidí nepoznala lásku a z těch, co se ji domnívali znát, jen málokteří by prošli úspěšně zkouškou, kterou vymyslila Agnes; utíkali by za příslibem nového života, aniž by si kladli jakoukoli podmínku; dali by přednost životu před láskou a spadli Stvořiteli dobrovolně zpátky do jeho pavoučí sítě.

Není-li člověku dáno žít s milovaným a podřídit všechno lásce, zbývá pak druhý způsob jak uniknout Stvořiteli: odejít do kláštera. Agnes si vzpomíná na větu ze Stendhalovy *Kartouzy parmské*: „il se retira à la chartreuse de Parme.“ Fabricius odešel; stáhl se do kartouzy parmské. Nikde předtím se v románu žádná kartouza neobjevuje, a přesto je ta jediná věta na poslední stránce tak důležitá, že podle ní Stendhal nazval svůj román; protože vlastní cíl všech Fabriciových dobrodružství byla kartouza; místo odvrácené od světa a od lidí.

Do kláštera odcházeli kdysi lidé, kteří nesouhlasili se světem a nebrali jeho trápení ani radosti za své. Ale naše století odmítá přiznat lidem právo nesouhlasit se světem, a proto kláštery, do nichž by se mohl utéci Fabricius, se už nevyskytují. Není už místa odvráceného od světa a od lidí. Zůstala po takovém místě jen vzpomínka, ideál kláštera, sen o klášteře. Kartouza. Il se retira à la chartreuse de Parme. Vidina kláštera. Za tou vidinou jezdí Agnes už sedm let do Švýcarska. Za kartouzou od světa odvrácených cest.

Agnes si vzpomněla na zvláštní chvíli, kterou zažila odpoledne v den odjezdu, když se šla naposledy toulat po krajině. Došla k potoku a lehla si do trávy. Ležela tam dlouho a měla pocit, že proud do ní vstupuje a odplavuje z ní všechny bolesti a špínu: její já. Zvláštní, nezapomenutelná chvíle: zapomínala já, ztrácela já, byla bez já; a v tom bylo štěstí.

Ve vzpomínce na tu chvíli napadá Agnes myšlenka, nejasná, unikavá, a přece tak důležitá, možná nejdůležitější ze všech, že se ji snaží pro sebe zachytit slovy:

To, co je na životě nesnesitelné, není *být*, ale *být svým já*. Stvořitel se svým computerem vpustil do světa miliardy já a jejich životy. Ale kromě té spousty životů je možno si představit nějaké základnější bytí, které tu bylo, ještě než Stvořitel začal tvořit, bytí, na které neměl a nemá vliv. Když dnes ležela v trávě a vstupoval do ní monotónní zpěv potoka, který z ní vyplavoval její já, špínu já, podílela se na tomto základním bytí projevujícím se v hlase plynoucího času a v modři oblohy; ví teď, že není nic krásnějšího.

Silnice, po níž jede, je tichá a svítí nad ní daleké, nesmírně daleké hvězdy. Agnes si říká:

Žít, v tom není žádné štěstí. Žít: nést svoje bolavé já světem.

Ale být, být to je štěstí. Být: proměnit se v kašnu, kamennou nádrž, do které padá vesmír jako vlahý déšť.

17

Dívka šla ještě dlouho, bolely ji nohy, potácela se a pak si sedla na asfalt přesně doprostřed pravé půle silnice. Hlavu měla schovánu mezi rameny, nosem se dotýkala kolenou a ohnutá záda ji pálila vědomím, že jsou nastavena kovu, plechu, nárazu. Hruď měla skrčenu, svou nebohou útlou hruď, v které hořel trpký plamen bolavého já a nedával jí myslit na nic jiného než na sebe. Toužila po nárazu, který by ji rozdrtil a ten plamen udusil.

Když slyšela přijíždějící auto, skrčila se ještě víc, hluk se stal nesnesitelný, ale místo rány, na kterou čekala, ji zasáhl jen silný úder vzduchu zprava a pootočil její sedící tělo. Bylo slyšet skřípění brzd, pak ohromný rámus nárazu; nic neviděla majíc zavřené oči a tvář přitištěnu ke kolenům, jen žasla, že žije a sedí, jako seděla před tím.

A znovu uslyšela hluk přibližujícího se motoru; tentokrát ji úder vzduchu srazil na zem, rána nárazu se ozvala z veliké blízkosti a vzápětí za ní bylo slyšet křik, nepopsatelný křik, strašný křik, který ji vymrštil ze země. Stála uprostřed prázdné silnice; ve vzdálenosti asi dvou set metrů viděla plameny a z jiného místa, blíž u ní, se zvedal z příkopu k temnému nebi stále ten stejný nepopsatelný, strašný křik.

Křik byl tak naléhavý, tak strašný, že svět kolem ní, svět, který ztratila, se stal skutečný, barevný, oslepující, hlučný. Stála uprostřed silnice, rozpřáhla ruce a připadala si najednou veliká, mocná, silná; svět, ten ztracený svět, který ji odmítal slyšet, se k ní s křikem vracel a bylo to tak krásné a tak strašné, že i jí se chtělo křičet, ale nemohla, její hlas byl v jejím krku udušen a nebyla s to ho vzkřísit.

Octla se v oslepujícím světle třetího auta. Chtěla uskočit, ale nevěděla, na kterou stranu; slyšela skřípění brzd, auto kolem ní projelo a ozval se náraz. Tehdy křik, který měla v hrdle, se konečně probudil. Z příkopu, stále ze stejného místa, se nepřestával ozývat řev bolesti a ona mu teď odpovídala.

Pak se obrátila a utíkala pryč. Utíkala křičíc, fascinována, že její slabý hlas je s to vydávat takový křik. Tam, kde se silnice spojovala s dálnicí, byl na sloupu telefon. Dívka ho zvedla: „Haló! Haló!“ Na druhé straně se ozval konečně hlas. „Stalo se neštěstí!“ Hlas ji žádal, aby udala místo, ale ona nevěděla, kde je, a tak zavěsila a utíkala zpátky k městu, z něhož odpoledne vyšla.

18

Ještě před několika hodinami mi kladl na srdce, že se pneumatiky mají propichovat v přísně dodržovaném pořadí: nejdřív přední pravá, pak přední levá, pak zadní levá, pak všechna čtyři kola. Ale to byla jen teorie, kterou chtěl ohromit publikum ekologů anebo svého příliš důvěřivého přítele. Ve skutečnosti postupoval Avenarius bez jakéhokoli systému. Běžel ulicí, a když se mu to zlíbilo, napřáhl nůž a vbodl ho do nejbližší pneumatiky. Když jsme byli v restauraci, vysvětloval mi, že po každé ráně je třeba nůž zasunout zpátky pod sako, zavěsit na řemen a potom běžet dál s volnýma rukama. Jednak proto, že se tak lépe běží, jednak z bezpečnostních důvodů: není radno se vystavovat riziku, že vás někdo zahlédne s nožem v ruce. Akce probodnutí musí být prudká a krátká, nesmí trvat než několik vteřin.

Naneštěstí však, čím větší dogmatik byl Avenarius v teorii, tím se v praxi choval nedbaleji, bez metody a s nebezpečným sklonem k pohodlnosti. Teď právě v prázdné ulici propíchl u jednoho auta dvě pneumatiky (místo čtyř), napřímil se a pokračoval v běhu třímaje nůž dál proti všem pravidlům bezpečnosti. Další auto, k němuž mířil, stálo na rohu. Napřáhl ruku ve vzdálenosti čtyř, pěti kroků (tedy opět proti pravidlům: příliš brzy!) a v té chvíli uslyšel u pravého ucha výkřik. Dívala se na něho žena zkamenělá hrůzou. Musila se vynořit zpoza rohu právě ve chvíli, kdy všechna Avenariova pozornost byla upřena k vyhlédnutému terči u chodníku. Tyčili se teď jeden proti druhému, a protože i on strnul úlekem, zůstala jeho ruka nehybně vztyčena. Žena nemohla spustit oči z napřaženého nože a znovu zařvala. Pak se teprve Avenarius vzpamatoval a zavěsil nůž na řemen pod sako. Aby ženu uklidnil, usmál se na ni a zeptal se: „Kolik je hodin?“

Jako by ta otázka nahnala ženě ještě větší hrůzu než nůž, vyrazila třetí strašný výkřik.

V té chvíli sem přicházeli přes silnici noční chodci a Avenarius se dopustil osudné chyby. Kdyby byl znovu vytáhl nůž a začal jím zuřivě mávat, žena by se probrala ze strnutí a dala se na útěk strhnuvši s sebou i všechny náhodné kolemjdoucí. Ale on si usmyslil, že se bude chovat, jako by se bylo nic nestalo, a opakoval vlídným hlasem: „Mohla byste mi říci, kolik je hodin?"

Když viděla, že se k ní blíží lidé a Avenarius jí nemíní ublížit, vyrazila ze sebe čtvrtý strašný výkřik a pak žalovala hlasitě všem, kdo ji mohli slyšet: „Mířil na mě nožem! Chtěl mě znásilnit!"

Pohybem, který vyjadřoval naprostou nevinnost, rozpřáhl Avenarius ruce: „Nechtěl jsem nic jiného," řekl, „než znát správný čas."

Z malého shluku, který se kolem utvořil, se oddělil malý muž v uniformě, policista. Ptal se, co se děje. Žena opakovala, že ji chtěl Avenarius znásilnit.

Malý policista se nesměle přiblížil k Avenariovi, který v celé své majestátní výšce napřáhl před sebe ruku a řekl mohutným hlasem: „Jsem profesor Avenarius!"

Ta slova a důstojný způsob, jakým byla pronesena, učinila na strážníka veliký dojem; zdálo se, že vyzve okolostojící, aby se rozešli, a Avenaria nechá odejít.

Ale žena, když přestala mít strach, se stala útočná:„I kdybyste byl profesor Kapilarius," křičela, „vyhrožoval jste mi nožem!"

Ze dveří domu, pár metrů odtud, vyšel muž. Šel zvláštním krokem jako náměsíčník a zastavil se ve chvíli, kdy Avenarius vysvětloval pevným hlasem: „Neudělal jsem nic jiného, než že jsem se té dámy ptal, kolik je hodin."

Žena, jako by cítila, že si Avenarius svou důstojností získává přízeň kolemstojících, začala na policistu křičet: „Má nůž pod sakem! Schoval ho pod sako! Obrovský nůž! Jenom ho prošacujte!"

Policista pokrčil rameny a řekl Avenariovi téměř omluvným hlasem: „Byl byste tak laskav a rozepjal své sako?"

Avenarius se chvíli nehýbal. Pak pochopil, že nemůže než poslechnout. Pomalu rozpínal sako a rozevřel ho tak, že všichni mohli vidět důmyslný systém řemenů obepínajících jeho hruď i strašlivý kuchyňský nůž, který byl na nich zavěšen.

Kruh lidí okolo vydechl úžasem, zatímco náměsíčný muž se přiblížil k Avenariovi a řekl mu: „Jsem advokát. Kdybyste potřeboval mou pomoc, zde je má vizitka. Chci vám říci jen jedno. Nemáte žádnou povinnost odpovídat na otázky. Můžete vyžadovat od počátku vyšetřování přítomnost advokáta."

Avenarius přijal vizitku a vstrčil ji do kapsy. Strážník ho uchopil za paži a obrátil se k lidem: „Rozejděte se! Rozejděte se!"

Avenarius se nebránil. Pochopil, že je zatčen. Poté, co všichni viděli veliký kuchyňský nůž zavěšený na jeho břichu, nenacházel už u nikoho nejmenší projev sympatie. Otočil se za mužem, který se prohlásil za advokáta a dal mu vizitku. Jenomže ten už odcházel a neohlížel se: zamířil k jednomu ze zaparkovaných aut a vsunul do zámku klíček. Avenarius ještě viděl, jak muž odstupuje od vozu a přiklekává k jednomu kolu.

V té chvíli stiskl policista silně Avenariovu paži a odváděl ho stranou.

Muž u auta vzdychl: „Můj bože!" a celé tělo se mu začalo otřásat pláčem.

19

Běžel v pláči nahoru do bytu a hnal se hned k telefonu. Volal taxíky. V sluchátku neobyčejně sladký hlas říkal: „Taxíky, Paříž. Mějte, prosím, strpení, čekejte u telefonu...“, pak se ozvala v sluchátku hudba, veselé zpívání ženských hlasů, bubnování; po dlouhé chvíli byla hudba přerušena a zase k němu mluvil sladký hlas žádaje ho, aby čekal u telefonu. Měl chuť řvát, že nemá trpělivost, protože jeho žena umírá, ale věděl, že nemá smysl křičet, protože hlas, který na něho mluví, je nahraný na pásce a nikdo by jeho protesty neslyšel. Potom se zase ozvala hudba, zpívající ženské hlasy, křičení, bubnování a za dlouhou chvíli uslyšel skutečný ženský hlas, což poznal ihned podle toho, že ten hlas nebyl sladký, ale velice nepříjemný a netrpělivý. Když řekl, že potřebuje taxík, aby ho odvezl několik set kilometrů za Paříž, hlas ho okamžitě odmítl, a když se snažil vysvětlovat, že taxík zoufale potřebuje, uhodila ho do ucha zase veselá hudba, bubnování, zpívající ženské hlasy a potom za dlouhou dobu sladký hlas z magnetofonového pásku ho vyzval, aby trpělivě čekal u telefonu.

Položil sluchátko a vytočil číslo svého asistenta. Ale místo asistenta se na druhé straně ozval jeho hlas nahraný na přístroji: žertovný, koketní hlas, deformovaný úsměvem: „Jsem rád, že jste si na mě konečně vzpomněli. Nevíte ani, jak toho lituju, že s vámi nemohu mluvit, ale necháte-li mi vaše telefonní číslo, s radostí vám zavolám, jak budu moci...“

„Blbče,“ řekl a zavěsil.

Proč není Brigita doma? Proč už dávno není doma, říkal si už asi po sté a šel se podívat do jejího pokoje, i když bylo vyloučeno, že by ji byl neslyšel přijít domů.

Na koho se má ještě obrátit? Na Lauru? Ta by mu vůz jistě ráda půjčila, ale trvala by na tom, že pojede s ním; a to právě nechtěl připustit: Agnes se se sestrou rozešla a Paul nechtěl udělat nic proti její vůli.

Pak si vzpomněl na Bernarda. Důvody, proč se s ním přestal stýkat, se mu zdály být náhle směšně malicherné. Vytočil jeho číslo. Bernard byl doma.

Paul ho požádal, aby mu půjčil auto; Agnes měla silniční neštěstí; volali mu z nemocnice.

„Okamžitě jsem u tebe," řekl Bernard a Paula zalila v té chvíli veliká láska ke starému příteli. Toužil ho obejmout a plakat mu na prsou.

Byl rád, že Brigita není doma. Přál si, aby nepřijela a mohl jet za Agnes sám. Najednou všechno zmizelo, švagrová, dcera, celý svět, zůstal jen on a Agnes; nechtěl, aby s nimi byl někdo třetí. Byl si jist, že Agnes umírá. Kdyby její stav nebyl tragický, nevolali by ho z venkovské nemocnice uprostřed noci. Myslil teď jen na to zastihnout ji ještě naživu. Moci ji ještě políbit. Byl posedlý touhou ji políbit. Toužil po polibku, závěrečném, posledním polibku, do kterého by zachytil jako do čeřenu její tvář, která brzy zmizí a z níž mu zůstane jen vzpomínka.

Nezbývalo mu teď než čekat. Začal uklízet nepořádek na svém psacím stole a vzápětí se podivil, že se v této chvíli může věnovat tak bezvýznamné činnosti. Co mu záleží na tom, jestli je na stole pořádek či ne? A proč dával před chvílí na ulici neznámému muži svou vizitku? Ale nebyl s to se zastavit: rovnal knihy na jednu stranu stolu, mačkal obálky od starých dopisů a házel je do koše. Uvědomoval si, že právě takto člověk jedná, když se stane neštěstí: jako náměsíčník. Setrvačnost všednodennosti se ho snaží udržet v kolejích života.

Podíval se na hodinky. Ztratil kvůli propíchnutým pneumatikám už skoro půl hodiny. Spěchej, spěchej, říkal v duchu Bernardovi, ať mě tu už Brigita nenajde, ať mohu jet za Agnes sám a ať přijedu včas.

Ale neměl štěstí. Brigita se vrátila domů těsně před tím, než přijel Bernard. Oba bývalí přátelé se objali, Bernard zase odjel domů a Paul nasedl s Brigitou do jejího auta. Řídil sám a jel, jak nejrychleji uměl.

20

Agnes viděla postavu dívky vztyčené uprostřed silnice, postavu prudce osvětlenou silným reflektorem, s rozpřaženýma rukama jako v tanci, a bylo to jako zjevení baletky, která zatahuje oponu na konci představení, protože pak už nebylo nic a z celého předchozího divadla, rázem zapomenutého, zůstal jen ten poslední obraz. Pak už byla jen únava, únava tak velká, podobná hluboké studni, že sestry a lékaři ji považovali za zbavenu vědomí, zatímco ona vnímala vše a byla si s podivuhodnou jasností vědoma svého umírání. Byla s to cítit dokonce jakýsi údiv nad tím, že nepociťuje žádný stesk, žádnou lítost, žádnou hrůzu, nic z toho, co si až dosud spojovala s představou smrti.

Pak viděla, že se nad ni sklonila ošetřovatelka, a slyšela, že jí šeptá: „Váš muž je na cestě. Přijede za vámi. Váš manžel."

Agnes se usmála. Ale proč se usmála? Něco se jí vybavilo z představení, které bylo zapomenuto: ano, je vdaná. A pak se vynořilo i jméno: Paul! Ano, Paul. Paul. Paul. Byl to úsměv náhlého shledání se ztraceným slovem. Jako když vám ukážou medvídka, kterého jste neviděli padesát let, a vy ho poznáte.

Paul, říkala si v duchu a usmívala se. Ten úsměv pak zůstal na jejích ústech, i když už zase zapomněla jeho důvod. Byla unavená a všechno ji unavovalo. Zejména neměla sílu snést žádný pohled. Měla zavřené oči, aby nikoho a nic neviděla. Všechno, co se kolem ní dělo, ji obtěžovalo a rušilo a ona toužila, aby se nedělo nic.

Pak si znovu vzpomněla: Paul. Co jí to říkala sestra? Že přijede? Vzpomínka na zapomenuté představení, jímž byl její život, se náhle stala jasnější. Paul. Paul přijede! V té chvíli zatoužila prudce, vášnivě, aby ji už neuviděl. Byla unavená, nechtěla žádný pohled. Nechtěla Paulův pohled. Nechtěla, aby ji viděl umírat. Musí si pospíšit umřít.

A ještě naposledy se opakovala základní situace jejího života: utíká a někdo ji honí. Paul ji honí. A nemá teď už v ruce žádný předmět. Ani kartáč, ani hřeben, ani stuhu. Je odzbrojená. Je nahá, jen v jakémsi nemocničním bílém rubáši. Ocitla se na poslední cílové rovince, kde už jí nic nepomůže, kde se může spolehnout jen na rychlost svého běhu. Kdo bude rychlejší? Paul, nebo ona? Její umírání, nebo jeho příjezd?

Únava se stala ještě hlubší a ona měla pocit, že se rychle vzdaluje, jako by někdo táhl její postel dozadu. Otevřela oči a viděla sestru v bílém plášti. Jakou měla tvář? Nerozeznávala ji. A vybavila se jí slova: „Ne, tam nejsou tváře."

21

Když přistoupil s Brigitou k lůžku, viděl Paul tělo, které bylo celé, i s hlavou, přikryté prostěradlem. Žena v bílé blůze jim řekla: „Zemřela před čtvrt hodinou."

Krátkost doby, která ho dělila od chvíle, kdy byla ještě naživu, rozjitřila jeho zoufalství. Minul ji o patnáct minut. Minul o patnáct minut naplnění vlastního života, který zůstal náhle přerušený, nesmyslně přeťatý. Zdálo se mu, že během všech těch let, která spolu prožili, nebyla nikdy opravdu jeho, neměl ji; a že k tomu, aby teď dovršil a dokončil příběh jejich lásky, chyběl mu poslední polibek; poslední polibek, aby ji ještě zachytil živou svými ústy, aby ji podržel ve svých ústech.

Žena v bílé blůze odhrnula prostěradlo. Viděl důvěrně známou tvář, bledou, krásnou, a přece úplně jinou: její rty, i když stejně mírné, tvořily linii, kterou nikdy neznal. Její tvář měla výraz, kterému nerozuměl. Byl neschopen se k ní sklonit a políbit ji.

Brigita vedle něho se rozplakala, skryla mu hlavu na prsa a otřásala se vzlyky.

Znovu se díval na Agnes: ten zvláštní úsměv, který na ní nikdy neviděl, ten neznámý úsměv ve tváři se zavřenými víčky neplatil jemu, platil někomu, koho neznal, a říkal něco, čemu nerozuměl.

Žena v bílé blůze chytila Paula prudce za paži; byl na pokraji mdlob.

ŠESTÝ DÍL / CIFERNÍK

1

Když se dítě narodí, začne cucat maminčin prs. Až ho maminka od prsu odstaví, cucá si palec.

Kdysi se Rubens ptal jedné dámy: „Proč necháte svého synáčka, aby si cucal palec? Vždyť už má deset let!" Rozčilila se: „Chtěl byste mu to zakazovat? Prodlužuje to jeho styk s mateřským prsem! Chcete, abych mu působila trauma?"

A tak dítě cucá palec až do chvíle, kdy ho ve třinácti letech vymění harmonicky za cigaretu.

Když Rubens později miloval matku, která hájila právo svého klacka na cucání palce, položil jí během soulože svůj vlastní palec na ústa a ona začala svou hlavou otáčet zvolna nalevo a napravo a palec olizovala. Měla zavřené oči a snila o tom, že ji milují dva muži.

Ta malá příhoda byla pro Rubense významným datem, protože takto objevil způsob, jak testovat ženy: pokládal jim palec na ústa a zkoušel, jak na to reagují. Ty, které ho olizovaly, byly zcela nepochybně přitahovány kolektivní láskou. Ty, které zůstávaly k palci netečné, byly beznadějně hluché k perverzním pokušením.

Jedna z žen, v níž „zkouškou palcem" odhalil orgiastické sklony, ho měla opravdu ráda. Po milování vzala jeho palec a neobratně ho políbila, což znamenalo: teď chci, aby se tvůj palec stal znovu palcem, a jsem šťastna, že po všem, co jsem si představovala, jsem tady s tebou úplně sama.

Proměny palce. Anebo: jak se pohybují rafičky po ciferníku života.

2

Ručičky na ciferníku hodin se otáčejí v kruhu. Také zodiak, jak ho kreslí astrolog, má podobu ciferníku. Horoskop, to jsou hodiny. Ať už věříme či nevěříme předpovědím astrologie, horoskop je metafora života, která v sobě skrývá velkou moudrost.

Jak vám nakreslí astrolog horoskop? Udělá kruh, obraz nebeské sféry, a rozdělí ho na dvanáct částí představujících jednotlivá znamení: beran, býk, blíženci a tak dále. Do toho kruhu-zodiaku vkreslí pak grafické znaky slunce, měsíce a sedmi planet přesně tam, kde ty hvězdy stály ve vteřině vašeho zrození. Je to jako by vkreslil do ciferníku orloje pravidelně rozděleného na dvanáct hodin ještě dalších devět číslic nepravidelně rozmístěných. Na ciferníku se otáčí devět ručiček: jsou to zase slunce, měsíc a planety, ale takové, jak se skutečně pohybují vesmírem během vašeho života. Každá planeta-ručička se ocitá ve stále nových a nových vztazích s planetami-číslicemi, těmi nehybnými znaky vašeho horoskopu.

Neopakovatelné seskupení hvězd ve chvíli vašeho zrození, to je trvalé téma vašeho života, jeho algebraická definice, otisk prstů vaší osobnosti; hvězdy znehybněné na vašem horoskopu tvoří jedna ve vztahu k druhé úhly, jejichž hodnota vyjádřená ve stupních má různý význam (negativní, pozitivní, neutrální): představte si, že vaše milostná Venuše je v napjatém vztahu s vaším agresivním Marsem; že Slunce představující vaši společenskou osobnost je posíleno konjunkcí s energickým a dobrodružným Uranem; že sexualita symbolizovaná Lunou je spojena s blouznivým Neptunem a tak podobně. Ale během své cesty se budou rafičky pohybujících se hvězd dotýkat pevných bodů horoskopu a uvádět do hry (zeslabovat, podporovat, ohrožovat) různé elementy vašeho životního tématu. A to je život: nepodobá se pikaresknímu románu, v němž je hrdina od kapitoly ke kapitole překvapován stále novými událostmi nemajícími žádný společný jmenovatel. Podobá se skladbě, kterou hudebníci nazývají: *téma s variacemi.*

Uranus kráčí po nebi poměrně pomalu. Trvá to sedm let, než projde jedním znamením. Předpokládejme, že je dnes v dramatickém vztahu k nehybnému Slunci vašeho horoskopu (dejme tomu v úhlu 90 stupňů): žijete těžké období; za jednadvacet let se ta situace bude opakovat (Uranus bude k vašemu Slunci v úhlu 180 stupňů, což má stejně neblahý význam), ale bude to opakování jen zdánlivé, protože ve stejné době, kdy vaše Slunce bude napadeno Uranem, Saturn na nebi bude v tak harmonickém vztahu k vaší Venuši, že bouřka projde kolem vás jako po špičkách. Bude to, jako by se vám vrátila stejná nemoc, ale prožili jste ji v báječné nemocnici, kde jsou místo netrpělivých sester zaměstnáni andělé.

Astrologie nás prý učí fatalismu: neunikneš svému osudu! Podle mne astrologie (rozumějte, astrologie jako metafora života) říká něco mnohem subtilnějšího: neunikneš svému životnímu *tématu*! Z toho například plyne, že je čirá iluze chtít začít někde uprostřed života „nový život", který se nepodobá předchozímu, začít, jak se říká, od nuly. Váš život bude vždycky vystavěn ze stejného materiálu, ze stejných cihel, ze stejných problémů, a to, co se vám bude jevit v první chvíli jako „nový život", ukáže se velmi brzy jen jako pouhá variace toho předchozího.

Horoskop se podobá hodinám a hodiny, to je škola konečnosti: jakmile rafička opíše kruh a vrátí se do místa, odkud vyšla, je jedna fáze uzavřena. Na ciferníku horoskopu se otáčí devět ručiček v různé rychlosti a každou chvíli se nějaká fáze uzavírá a jiná začíná. Když je člověk mladý, není s to vnímat čas jako kruh, nýbrž jako cestu vedoucí přímo vpřed ke stále jiným obzorům; netuší ještě, že jeho život obsahuje jen jedno téma; pochopí to až ve chvíli, kdy jeho život začne uskutečňovat své první variace.

Rubensovi bylo asi čtrnáct let, když ho zastavila na ulici holčička asi o polovinu mladší než on a zeptala se ho: „Prosím vás, pane, kolik je hodin?" To bylo poprvé, co mu nějaká neznámá vykala a nazvala ho pánem. Byl unesen štěstím a zdálo se mu, že se před ním otvírá nová etapa života. Pak na tu epizodu úplně zapomněl a vzpomněl si na ni, když mu jedna hezká paní řekla: „Když jste byl mladý, myslil jste si také, že..." To bylo poprvé, kdy někdo oslovil jeho mládí jako minulost. Vybavil si v té chvíli obraz zapomenuté holčičky, která se ho kdysi ptala, kolik je hodin, a pochopil, že ty dvě ženské postavy patří k sobě. Byly to postavy samy o sobě bezvýznamné, potkané náhodou, a přece ve chvíli, kdy je uvedl do vzájemné souvislosti, objevily se mu jako dvě významné události na ciferníku jeho života.

Řeknu to ještě jinak: představme si, že ciferník Rubensova života je umístěn na obrovském středověkém orloji, třeba na takovém, kolem kterého jsem chodil dvacet let v Praze na Staroměstském náměstí. Hodiny bijí a nad ciferníkem se otevře okénko: vychází z něho loutka — sedmiletá dívenka, která se ptá, kolik je hodin. A pak, když se ta stejná velice pomalá ručička za mnoho let dotkne další číslice, zvony začnou zvonit, znovu se otevře okénko a vyjde z něho loutka mladé dámy, která se ptá: „A když jste byl mladý...?"

3

Když byl velice mladý, netroufal si svěřit žádné ženě své erotické fantazie. Myslil si, že všechnu milostnou energii musí beze zbytku proměnit v ohromující fyzický výkon na ženině těle. Jeho mladičké partnerky byly ostatně stejného názoru. Vzpomíná si matně na jednu z nich, označme ji písmenem A, která vzepřevši se náhle uprostřed milování na loktech a na patách, vzklenula své tělo do mostu, takže se na ní zakymácel a málem by byl spadl z postele. To sportovní gesto bylo plné vášnivých významů, za které jí byl Rubens vděčný. Žil své první období: *období atletické němoty.*

Tu němotu pak postupně ztrácel; připadal si velmi odvážný, když poprvé označil před nějakou dívkou nahlas proneseným slovem tu či onu sexuální část jejího těla. Ale ta odvaha nebyla tak velká, jak se mu zdálo, protože výraz, který zvolil, byla něžná zdrobnělina nebo poetická perifráze. Přesto byl unesen svou odvahou (i překvapen, že ho dívka neokřikla) a začal vymýšlet nejkomplikovanější metafory, aby mohl poetickou oklikou mluvit o sexuálním aktu. To bylo druhé období: *období metafor.*

V té době chodil s dívkou B. Po obvyklé slovní předehře (plné metafor) se milovali. Když se jí blížila rozkoš, řekla mu najednou větu, v níž označila svůj pohlavní orgán jednoznačným a nemetaforickým výrazem. Toho dne poprvé uslyšel toto slovo z ženských úst (což je mimochodem také jedna ze slavných vteřin na ciferníku). Překvapen, oslněn, pochopil, že v tom brutálním termínu je víc půvabu a explozívní síly než ve všech metaforách, co byly kdy vymyšleny.

O něco později ho k sobě pozvala žena C. Byla asi o patnáct let starší než on. Než k ní přišel, předříkával svému příteli M nádherné obscenity (ne, už žádné metafory!), které byl připraven říci té dámě při souloži. Ztroskotal zvláštním způsobem:

dříve než se odhodlal je vyslovit, vyslovila je ona. A zase byl ohromen. Nejenom tím, že ho předběhla ve své erotické odvaze, ale něčím ještě podivnějším: použila doslova stejných slov, která si on sám už po několik dnů připravoval. Ta shoda ho uchvátila. Připisoval ji nějaké erotické telepatii či tajemné příbuznosti jejich duší. Tak zvolna vstupoval do třetího období: *období obscénní pravdy.*

Čtvrté období bylo úzce spojeno s přítelem M: *období tiché pošty.* Tichá pošta se nazývala hra, kterou se bavil mezi svým pátým a sedmým rokem: děti seděly v řadě a jedno druhému pošeptalo větu, kterou to druhé zase předalo šeptem dál třetímu, třetí čtvrtému, až to poslední ji pak řeklo nahlas a všichni se smáli rozdílu mezi prvotní větou a její konečnou proměnou. Dospělí Rubens a M si hráli na tichou poštu tak, že říkali ženám, které byly jejich milenkami, velmi originálně formulované obscénní věty a ženy, nevědouce, že se zúčastňují tiché pošty, je předávaly dále. A protože Rubens a M měli několik společných milenek (anebo si je diskrétně jeden druhému předávali), posílali si jejich prostřednictvím veselé pozdravy. Jednou řekla Rubensovi při milování jedna žena větu tak nepravděpodobnou, tak podivně šroubovanou, že v ní okamžitě poznal zlomyslnou invenci přítele. Zachvátilo ho nepřemožitelné nutkání smíchu, a protože žena považovala zadržovaný smích za milostné křeče, povzbuzena opakovala tu větu ještě jednou, potřetí ji vykřikla a Rubens viděl v duchu nad svým souložícím tělem přízrak chechtajícího se přítele.

V té souvislosti si vzpomněl na dívku B, která mu na konci období metafor z ničeho nic řekla obscénní slovo. Teprve nyní, z odstupu, si položil otázku: bylo to poprvé, co to slovo pronesla? Tehdy o tom vůbec nepochyboval. Myslil si, že je do něho zamilovaná, podezíral ji, že se za něho chce vdát, a byl si jist, že nemá kromě něho nikoho jiného. Teprve teď chápal, že ji musel nejdřív někdo jiný naučit (řekl bych, nacvičit) vyslovovat nahlas to slovo, než byla s to říci ho Rubensovi. Ano, teprve po letech si díky zkušenosti tiché pošty uvědomil, že v době, kdy se mu zapřísahala svou věrností, měla B určitě jiného milence.

Zkušenost tiché pošty ho proměnila: ztrácel pocit (všichni mu podléháme), že akt tělesné lásky je okamžik absolutní intimity, kdy se svět kolem nás promění v nekonečnou poušť, uprostřed níž se k sobě tisknou dvě osamělá těla. Teď najednou chápal, že ten okamžik neposkytuje žádnou intimní samotu. Když kráčí v davu po Champs Elysées, je mnohem intimněji osamocen, než když ho svírá v náručí nejtajnější z jeho milenek. Neboť období tiché pošty je společenským obdobím lásky: díky několika slovům se všichni podílejí na objetí dvou zdánlivě osamělých bytostí; společnost zásobuje neustále trh neřestných představ a umožňuje jejich rozšiřování a koloběh. Rubens tehdy razil tuto definici národa: společenství jednotlivců, jejichž erotický život je spojen stejnou tichou poštou.

Ale pak se seznámil s dívkou D, která byla nejverbálnější ze všech žen, které kdy potkal. Už při druhém setkání se mu svěřila, že je fanatická masturbantka a způsobuje si rozkoš tím, že si pro sebe vypráví pohádky. „Pohádky? Jaké pohádky? Vypravuj!" a začal ji milovat. A ona vyprávěla: plovárna, kabiny, ve stěnách díry vyvrtané v dřevěné stěně, oči, které na sobě cítila, když se svlékala, dveře, které se náhle otevřely, čtyři muži v nich a tak dál a tak dál a tak dál, pohádka byla krásná, byla banální a on byl s D navýsost spokojen.

Ale děla se mu od té doby zvláštní věc: když se setkával s jinými ženami, nacházel v jejich představách fragmenty těch dlouhých pohádek, co mu vyprávěla při milování D. Potkal se často se stejným slovem, se stejnou vazbou, i když to slovo a ta vazba byly zcela neobvyklé. Monolog D byl zrcadlo, v němž nacházel všechny ženy, které znal, byla to ohromná encyklopedie, osmisvazkový Larousse erotických představ a vět. Vysvětloval si její velký monolog nejdříve podle principu tiché pošty: prostřednictvím stovky milenců snášel celý národ do její hlavy jako do úlu neřestné představy posbírané po všech koutech vlasti. Ale později zjistil, že to vysvětlení je nepravděpodobné. Setkával se s fragmenty monologu D i u žen, o nichž s jistotou věděl, že nemohly vejít v nepřímý styk s D, neboť neexistoval žádný společný milenec, aby mezi nimi sehrál roli listonoše.

Ostatně vzpomněl si tehdy na příhodu s C: připravil si neslušné věty, které jí řekne při souloži, ale ona ho předběhla. Říkal si tehdy, že to byla telepatie. Ale přečetla skutečně ty věty z jeho hlavy? Pravděpodobnější bylo, že ty věty měla ve své vlastní hlavě dávno před tím, než ho poznala. Ale jak to, že měli v hlavě oba stejné věty? Zřejmě proto, že tu byl nějaký společný pramen. A tehdy ho napadlo, že všemi ženami a muži protéká jeden a stejný proud, společná a jediná řeka erotických představ. Jedinec nedostává svůj příděl neřestné fantazie od milence či milenky na způsob tiché pošty, ale z tohoto neosobního (nadosobního či podosobního) proudu. Ale říkám-li, že tato řeka, jež námi protéká, je neosobní, znamená to, že nenáleží nám, ale tomu, kdo nás stvořil a kdo ji do nás vložil, jinak řečeno, že náleží Bohu, anebo dokonce, že ona je právě Bůh anebo jedna z jeho proměn. Když si Rubens poprvé formuloval tuto myšlenku, připadala mu svatokrádežná, ale pak se zdání rouhavosti rozplynulo, a on se potápěl do podzemní řeky s jakousi nábožnou pokorou: věděl, že v tomto proudu jsme všichni spojeni, ne jako národ, ale jako děti boží; pokaždé, když se do toho proudu ponořil, zakoušel pocit, že splývá v jakémsi mystickém úkonu s Bohem. Ano, páté období bylo *mystickým obdobím.*

4

Ale což je příběh Rubensova života jen pouhý příběh fyzické lásky?

Je možno ho tak pochopit, a chvíle, kdy se náhle odhalil jako takový, byla též významnou událostí na ciferníku.

Už jako gymnazista trávil celé hodiny v muzeích před obrazy, namaloval doma stovky kvašů a byl slavný mezi spolužáky svými karikaturami profesorů. Kreslil je tužkou pro cyklostylovaný studentský časopis a v přestávkách křídou na tabuli k velkému veselí třídy. Ta doba mu umožnila poznat, co je to sláva: znalo a obdivovalo ho celé gymnázium a všichni mu říkali z legrace Rubens. Jako vzpomínku na ta krásná léta (jediná léta slávy) si tu přezdívku podržel po celý život a naléhal na přátele (s překvapující naivitou), aby ho tak nazývali.

Sláva skončila zároveň s maturitou. Chtěl potom, aby ho přijali na školu výtvarných umění, ale neudělal zkoušku. Byl horší než jiní? Nebo měl smůlu? Zvláštní je, že na tu jednoduchou otázku neumím odpovědět.

S lhostejností se dal do studia práv obviňuje z neúspěchu malost rodného Švýcarska. Doufal, že naplní jinde své malířské poslání, a pokoušel ještě dvakrát své štěstí: nejdřív, když se přihlásil ke zkoušce na Beaux Arts v Paříži a neuspěl, potom, když nabídl své kresby několika časopisům. Proč mu ty kresby odmítli? Nebyly dobré? Anebo ti, kteří je posuzovali, byli pitomci? Anebo už kresby nikoho nezajímaly? Mohu jen znovu říci, že na ty otázky nemám odpověď.

Unaven neúspěchy, vzdal se dalších pokusů. Z toho ovšem vyplývalo (a on si to dobře uvědomoval), že jeho vášeň kreslit a malovat byla slabší, než si myslil, a že tedy nebyl předurčen ke dráze umělců, jak předpokládal, když byl gymnazista. Nejdřív byl tím poznáním zklamán a pak mu v duši vzdorně zazněla obhajoba vlastní rezignace: proč by měl mít k malování vášeň?

Co je tak chvályhodného na vášni? Nevzniká většina špatných obrazů a špatných románů jen proto, že umělci spatřují ve své vášni pro umění něco svatého, jakési poslání, ne-li povinnost (povinnost k sobě, ba k lidstvu)? Pod dojmem vlastní rezignace začal vidět v umělcích a literátech lidi spíš posedlé ctižádostí než nadané tvořivostí a vyhýbal se jejich společnosti.

Jeho největší konkurent, stejně starý chlapec N pocházející ze stejného města, vystudovavší stejné gymnázium jako on, byl nejenom přijat na Školu krásných umění, ale měl brzy potom i podivuhodné úspěchy. Za jejich středoškolských studií všichni pokládali Rubense za mnohem nadanějšího než N. Znamená to, že se tehdy všichni mýlili? Anebo že talent je něco, co se může po cestě ztratit? Jak už tušíme, není odpověď na ty otázky. Důležitá je ostatně jiná okolnost: v době, kdy ho jeho neúspěchy přiměly, aby se definitivně zřekl malířství (ve stejné době, kdy N slavil své první úspěchy), chodil Rubens s velice krásnou mladičkou dívkou, zatímco jeho konkurent se oženil se slečnou z bohaté rodiny, tak ošklivou, že při pohledu na ni Rubens ztrácel řeč. Zdálo se mu, že tou shodou okolností mu dává osud najevo, kde je těžiště jeho života: nikoli ve veřejném, ale v soukromém životě, nikoli v honbě za profesionálním úspěchem, ale v úspěchu u žen. A náhle to, co se ještě včera jevilo jako porážka, se ukázalo jako překvapivé vítězství: ano, zříká se slávy, boje o uznání (marného a smutného boje), aby se oddal životu samému. Ani si nekladl otázku, proč právě ženy jsou „život sám“. To mu připadalo samozřejmé a jasné nad všechny pochyby. Byl si jist, že si zvolil lepší cestu než jeho konkurent obdařený bohatou ošklivkou. Za těchto okolností byla pro něho jeho mladičká krasavice nejen slibem štěstí, ale především triumfem a pýchou. Aby své nečekané vítězství stvrdil a dal mu pečeť neodvolatelnosti, oženil se s krasavicí, přesvědčen, že mu celý svět závidí.

5

Ženy znamenají pro Rubense „život sám", a přesto nemá nic pilnějšího na práci než se oženit s krasavicí a tím se žen vzdát. Jedná nelogicky, ale úplně normálně. Rubensovi bylo čtyřiadvacet let. Vstoupil tehdy právě do období obscénní pravdy (to znamená, že to bylo krátce poté, co poznal dívku B a dámu C), ale jeho nové zkušenosti nezměnily nic na jeho jistotě, že vysoko nad milováním je láska, veliká láska, ta největší hodnota života, o které mnoho slyšel, mnoho četl, mnoho tušil, a nic nevěděl. Nepochyboval o tom, že láska je korunou života (onoho „života sama", jemuž dal přednost před kariérou), a že ji tedy musí přivítat s otevřenou náručí a bez kompromisů.

Jak jsem řekl, ručičky na sexuálním ciferníku ukazovaly hodinu obscénní pravdy, ale jen co se zamiloval, nastala okamžitě regrese do předchozích stadií: v posteli buď mlčel, anebo říkal své budoucí nevěstě něžné metafory, přesvědčen, že obscenita by je oba přenesla mimo území lásky.

Řeknu to ještě jinak: láska ke krasavici ho přivedla zpátky do stavu panice, neboť jak jsem již řekl při jiné příležitosti, každý Evropan, když vysloví slovo láska, vrací se na křídlech nadšení do prekoitálního (či mimokoitálního) smýšlení a cítění, přesně do těch míst, kde se trápil mladý Werther a kde Fromentinův Dominik málem spadl z koně. Když potkal svou krasavici, byl proto Rubens připraven postavit hrnec s citem na oheň a čekat, až se na bodu varu cit promění ve vášeň. Určitá komplikace byla jen v tom, že měl v té době v jiném městě milenku (označme ji písmenem E), o tři roky starší než on, s níž se stýkal dlouho předtím, než potkal svou příští nevěstu, a ještě několik měsíců potom. Přestal se s ní vídat až toho dne, kdy pojal rozhodnutí se oženit. Rozchod nebyl způsoben spontánním ochlazením citů k E (ukáže se brzy, že ji měl až příliš rád) jako spíš vědomím, že vstoupil do velkého a slavnostního období života, kdy je třeba posvětit velkou lásku věrností. Jenomže týden přede dnem svatby (o jejíž nezbytnosti přece jen v koutku duše pochyboval) ho přepadl nesnesitelný stesk po E, kterou opustil, aniž jí byl cokoli vysvětlil. Protože vztah k ní nikdy nenazýval láskou, byl překvapen, že po ní tak nesmírně touží tělem, srdcem, duší. Neovládl se a odjel za ní. Týden se ponižoval, aby mu dovolila ji milovat, prosil ji, obléhal něhou, smutkem, naléháním, ale ona mu neposkytovala než pohled na svou zarmoucenou tvář; jejího těla se nesměl ani dotknout.

Nespokojen a rozesmutněn se vrátil domů v den svatby. Při slavnostní hostině se opil a večer odvedl nevěstu do společného bytu. Oslepen vínem a steskem ji uprostřed milování oslovil jménem své bývalé milenky. To byla katastrofa! Nikdy nezapomene na velké oči, které se na něho dívaly ve strašném údivu! V té vteřině, kdy se všechno zhroutilo, napadlo ho, že jeho odvržená milenka se mu pomstila a že ve stejný den, co uzavřel sňatek, podminovala svým jménem navždy jeho manželství. A snad si v té krátké chvíli uvědomoval i nepravděpodobnost toho, co se stalo, hloupost a grotesknost svého přeřeknutí, grotesknost, která učiní nevyhnutelný krach jeho manželství ještě nesnesitelnějším. Byly to strašné tři či čtyři vteřiny, kdy nevěděl, co udělat, až pak náhle začal křičet: „Evo! Elisabeto! Marlen!“ byl neschopen si vzpomenout rychle na jiná ženská křestní jména a opakoval: „Marlen! Elisabeto! Ano, ty jsi pro mne všechny ženy! Všechny ženy celého světa! Evo! Kláro! Marlen! Ty jsi všechny ženy! Ty jsi žena v množném čísle! Marlen, Gretchen, všechny ženy celého světa jsou v tobě, ty máš všechna jejich jména!...“ a miloval ji zrychlenými pohyby jako skutečný atlet sexu; po několika vteřinách mohl zjistit, že její vytřeštěné oči nabyly už zase normálního výrazu a její tělo, které pod ním před chvílí zkamenělo, se pohybuje opět v rytmu, jehož pravidelnost mu vracela klid a jistotu.

Způsob, jak se dostal z té pekelné situace, byl na pokraji neuvěřitelného a můžeme se divit tomu, že mladá novomanželka vzala vážně tak bláznivou komedii. Nezapomeňme však, že žili oba v zajetí prekoitálního myšlení, které zpříbuzňuje lásku s absolutnem. Jaké je kritérium lásky panického období? Jen kvantitativní: láska je cit velice, velice, velice veliký. Falešná láska je malý cit, pravá láska (die wahre Liebe!) je velký cit. Ale není z hlediska absolutna každá láska malá? Ovšem. Proto láska, aby dokázala, že je pravá, chce se vymknout rozumnému, chce neznat míru, nechce být pravděpodobná, touží se proměnit v „aktivní třeštění vášně" (nezapomeňme na Eluarda!), jinak řečeno, chce být šílená! Nepravděpodobnost přehnaného gesta může tedy přinést jen výhody. Způsob, jak se Rubens dostal z bryndy, není pro vnějšího pozorovatele ani elegantní ani přesvědčující, ale v dané situaci byl jediný, který mu umožnil vyhnout se katastrofě: jednaje jako blázen, dovolal se Rubens bláznivého absolutna lásky a to platilo.

6

Jestliže se Rubens tváří v tvář své mladičké manželce stal opět lyrickým atletem lásky, neznamená to, že se jednou provždy zřekl erotických neřestí, ale že chtěl i neřest dát do služeb lásky. Představoval si, že v monogamní extázi zažije s jednou ženou více než se stovkou jiných. Jen jednu otázku musil vyřešit: v jakém tempu má kráčet dobrodružství smyslnosti po cestě lásky? Protože cesta lásky měla být dlouhá, co nejdelší, možno-li bez konce, stanovil si jako zásadu: brzdit čas a nespěchat.

Dejme tomu, že si představoval svou sexuální budoucnost s krasavicí jako výstup na vysokou horu. Kdyby došel na vrchol hned v prvním dnu, co by pak dělal dál? Musel tedy cestu rozplánovat tak, aby zaplnila celý jeho život. Proto se miloval se svou mladou ženou sice vášnivě, s fyzickou horlivostí, ale způsoby, řekl bych, klasickými a bez jakékoli obscénnosti, která ho lákala (a s ní ještě více než s kteroukoli jinou ženou), ale kterou odkládal na příští léta.

A pak se najednou stalo, co neočekával: přestali si rozumět, šli si na nervy, začali bojovat o moc v domácnosti, ona tvrdila, že potřebuje víc prostoru pro svou životní dráhu, on se zlobil, že mu nechce uvařit vajíčka, a stalo se rychleji, než sami tušili, že se najednou rozvedli. Velký cit, na kterém chtěl postavit celý svůj život, zmizel tak rychle, že pochyboval o tom, zda ho kdy cítil. To zmizení citu (náhlé, rychlé, snadné!) bylo pro něho něčím závratným a neuvěřitelným! Fascinovalo ho ještě mnohem víc než před dvěma lety jeho náhlá zamilovanost.

Ale nejenom citová, i erotická bilance jeho manželství byla nulová. Kvůli pomalému tempu, které si nařídil, zažil s tou nádhernou bytostí jen naivní milování bez velkých vzrušení. Nejenom že s ní nedošel na vrchol hory, ale ani ne na první vyhlídku. Snažil se s ní proto po rozvodu ještě několikrát sejít (nebyla proti tomu: od chvíle, co přestal boj o moc v domácnosti, se s ním zase ráda milovala) a uskutečnit rychle alespoň několik malých perverzí, které schraňoval na pozdější léta. Ale neuskutečnil skoro nic, protože tentokrát volil zase tempo příliš rychlé a rozvedená krasavice si vysvětlila jeho netrpělivou smyslnost (zavlekl ji přímo do období obscénní pravdy) jako cynismus a nedostatek lásky, takže jejich pomanželské styky brzy skončily.

Jeho krátké manželství bylo v jeho životě pouhou závorkou, což mne svádí, abych řekl, že se vrátil přesně tam, kde byl, než svou nevěstu potkal; ale nebyla by to pravda. To nadmutí milostného citu a jeho neuvěřitelně nedramatické a bezbolestné splasknutí prožil jako šokující poznání, které mu oznamovalo, že se ocitá neodvolatelně *za hranicemi lásky.*

7

Velká láska, která ho přede dvěma lety oslnila, mu dala zapomenout na malířství. Ale když uzavřel závorku manželství a s melancholickým zklamáním zjišťoval, že se octl na území za hranicemi lásky, vyjevilo se mu náhle jeho zřeknutí se malířství jako neospravedlnitelná kapitulace.

Začal znovu skicovat do náčrtníku obrazy, které toužil namalovat. Uvědomil si však, že návrat je už nemožný. Když byl gymnazista, představoval si všechny malíře světa, jak jdou po stejné velké cestě; byla to královská cesta vedoucí od gotických malířů k velkým Italům renesance, a dále k Holanďanům, od nich k Delacroixovi, od Delacroixe k Manetovi, od Maneta k Monetovi, od Bonnarda (ach, jak měl rád Bonnarda!) k Matissovi, od Cézanna k Picassovi. Malíři nešli po té cestě v houfu jako vojáci, ne, každý šel sám, ale přece to, co objevil jeden, sloužilo jako inspirace druhému a všichni věděli, že se prosekávají dopředu do neznáma, které bylo jejich společným cílem a všechny je spojovalo. A pak se najednou stalo, že cesta zmizela. Bylo to, jako když se probudíme z krásného snu; chvíli ještě hledáme blednoucí představy, než konečně pochopíme, že sny se nedají přivolat zpátky. Cesta zmizela, ale v duši malířů přesto zůstala v podobě neuhasitelné touhy „jít vpřed“. Ale kde je „vpřed“, když už není cesta? V kterém směru hledat ztracené „vpřed“? A tak se touha jít vpřed stala neurózou malířů; utíkali každý na jinou stranu a přitom se ustavičně křižovali jako dav, který chodí sem a tam po stejném náměstí. Chtěli se odlišit jeden od druhého a každý z nich znovu objevoval jiný objevený objev. Naštěstí se brzy našli lidé (nebyli to malíři, nýbrž obchodníci a organizátoři výstav s jejich agenty a publicistickými poradci), kteří vtiskli řád tomu nepořádku a určovali, který objev je třeba v tom kterém roce znovu objevit. To znovuzavedení pořádku velice zvýšilo prodej současných obrazů. Kupovali je teď do svých salónů ti stejní boháči, kteří se ještě před deseti lety posmívali Picassovi a Dalímu, za což je Rubens vášnivě nenáviděl. Teď se boháči rozhodli, že budou moderní, a Rubens si oddechl, že není malířem.

Jednou navštívil v New Yorku Muzeum moderního umění. V prvním poschodí byli Matisse, Braque, Picasso, Miró, Dalí, Ernst a on byl šťasten. Tahy štětcem na plátno vyjadřovaly divoký požitek. Skutečnost byla nádherně znásilňována jako žena faunem, anebo se utkávala s malířem jako býk s toreadorem. Ale když vystoupil do vyššího poschodí s obrazy z nejsoučasnější doby, octl se na poušti; nikde neviděl stopu po veselém tahu štětce na plátně; nikde stopu po požitku; zmizeli býk i toreador; obrazy ze sebe vypudily skutečnost anebo ji napodobovaly s cynickou a bezduchou doslovností. Mezi dvěma poschodími tekla řeka Léthé, řeka smrti a zapomnění. Tehdy si řekl, že jeho zřeknutí se malířství mělo možná hlubší smysl než nedostatek nadání či tvrdošíjnosti: na ciferníku evropského malířství odbila půlnoc.

Čím by se zabýval geniální alchymista přesazen do devatenáctého století? Co by se stalo z Kryštofa Kolumba dnes, kdy jsou mořské cesty obslouženy tisícem dopravních společností? Co by psal Shakespeare v době, kdy divadlo ještě neexistuje nebo přestalo existovat?

To nejsou rétorické otázky. Když je člověk nadaný pro činnost, které už odbila půlnoc (anebo ještě neodbila první hodina), co se stane s jeho talentem? Promění se? Přizpůsobí se? Stane se Kryštof Kolumbus ředitelem cestovní společnosti? Bude Shakespeare psát scénáře pro Hollywood? Bude Picasso vyrábět kreslené seriály? Anebo se všechny ty velké talenty stáhnou do ústraní, odejdou, abych tak řekl do kláštera dějin, plny kosmického zklamání nad tím, že se narodily v nepravý čas, mimo dobu, která je jejich, mimo ciferník, pro jehož čas byli stvořeni? Zanechají svého nevčasného nadání, jako Rimbaud zanechal v devatenácti letech básnění?

Ani na tyto otázky není samozřejmě odpověď ani pro mne, ani pro vás, ani pro Rubense. Měl v sobě Rubens mého románu neuskutečněné možnosti velkého malíře? Anebo žádný talent neměl? Zanechal malířství z nedostatku sil, anebo právě naopak pro sílu své jasnozřivosti, která prohlédla marnost malířství? Samozřejmě že myslil často na Rimbauda a že se k němu v duchu přirovnával (i když nesměle a s ironií). Rimbaud nejenom že zanechal poezie radikálně a bez lítosti, ale činnost, které se pak věnoval, byla výsměšným popřením poezie: říká se, že obchodoval v Africe se zbraněmi, a dokonce i s otroky. Druhé tvrzení je se vší pravděpodobností pomlouvačná legenda, která však jako hyperbola vystihuje dobře sebeničivé násilí, vášeň, vztek, které oddělily Rimbauda od vlastní minulosti umělce. Byl-li Rubens čím dál víc přitahován finančnictvím a burzou, bylo to snad i proto, že mu tato činnost (ať právem či neprávem) připadala jako protiklad jeho snů o umělecké dráze. Jednoho dne, kdy se stal jeho spolužák N slavný, Rubens prodal obraz, který od něho kdysi dostal darem. Dík tomu prodeji získal nejen dost peněz, ale objevil i způsob své budoucí obživy: bude prodávat boháčům (kterými opovrhoval) obrazy současných malířů (jichž si nevážil).

Na světě je jistě mnoho lidí, kteří se živí prodejem obrazů, a ani ve snu je nenapadne, aby se za své povolání styděli. Což Velásquez, Vermeer, Rembrandt nebyli také obchodníky s obrazy? Rubens to ovšem ví. Ale je-li s to se srovnávat s Rimbaudem, obchodníkem s otroky, nikdy se nebude přirovnávat k velkým malířům, obchodníkům s obrazy. Ani na okamžik nebude pochybovat o totální neužitečnosti své práce. Nejdřív z toho byl smutný a vyčítal si amorálnost. Ale pak si řekl: co to vlastně znamená být užitečný? Suma užitečnosti všech lidí všech dob je plně obsažena ve světě takovém, jaký dnes je. Z čehož vyplývá: není nic mravnějšího než být neužitečný.

8

Od jeho rozvodu uplynulo asi dvanáct let, když za ním přišla F. Vyprávěla mu, jak ji nedávno pozval na návštěvu jeden muž a nechal ji nejdřív dobrých deset minut čekat v salónu pod záminkou, že musí ve vedlejším pokoji dokončit důležitý telefonický rozhovor. Spíš ten rozhovor jen předstíral, aby jí zatím umožnil prohlížet pornografické časopisy ležící na stolku před křeslem, které jí nabídl. F ukončila vyprávění touto poznámkou: „Kdybych bývala mladší, tak by mě měl. Kdybych měla sedmnáct. To je věk nejbláznivějších fantazií, kdy člověk ničemu neodolá..."

Rubens poslouchal F spíš nesoustředěně, až její poslední slova ho vytrhla z lhostejnosti. Tohle se mu už bude dít pořád: někdo pronese větu a ta na něho nečekaně zapůsobí jako výčitka: připomene mu něco, co v životě minul, propásl, propásl nenapravitelně. Když F mluvila o svých sedmnácti letech, kdy nebyla s to odolat žádnému svodu, vzpomněl si na svou ženu, které, když ji poznal, bylo také sedmnáct. Vybavil si provinční hotel, kde se s ní ubytoval nějaký čas před svatbou. Milovali se v pokoji, za jehož stěnou se chystal ke spánku jejich přítel. „On nás slyší!" šeptala Rubensovi. Teprve teď (když sedí naproti F, která mu vypráví o pokušeních svých sedmnácti let) si uvědomuje, že tehdy vzdychala hlasitěji než jindy, že dokonce křičela, a že tedy křičela schválně, aby ji přítel slyšel. I v příštích dnech se často vracela k té noci a ptala se: „Opravdu myslíš, že nás neslyšel?" Vysvětloval si tehdy její otázku jako projev vyplašeného studu a utěšoval svou nevěstu (teď je rudý až po uši, když myslí na svou tehdejší hloupost!), že přítel je proslulý svým tvrdým spánkem.

Díval se na F a uvědomoval si, že nemá žádnou zvláštní chuť se s ní milovat za přítomnosti jiné ženy nebo jiného muže. Ale jak to, že vzpomínka na vlastní ženu, která před čtrnácti lety hlasitě vzdychala a křičela myslíc na přítele ležícího za tenkou stěnou, jak to, že ta vzpomínka mu teď rozbušila srdce?

Napadlo ho: milování ve třech, ve čtyřech může být vzrušující jen v přítomnosti milované ženy. Jedině láska může probudit úžas a vzrušující hrůzu z pohledu na ženské tělo v náručí jiného muže. Stará moralistní pravda o tom, že sexuální styk nemá smyslu bez lásky, byla náhle ospravedlněna a nabyla nového významu.

9

Další den ráno odletěl do Říma, kam ho volaly povinnosti. Ke čtvrté hodině byl volný. Byl naplněn nevykořenitelným steskem: myslil na svou ženu, a nemyslil jen na ni; všechny ženy, které znal, mu defilovaly před očima a zdálo se mu, že je všechny minul, že s nimi zažil mnohem méně, než mohl a měl. Chtěl ze sebe setřást ten stesk, to neuspokojení, navštívil obrazárnu paláce Berberini (ve všech městech vždycky navštěvoval obrazárny) a pak se dal ke Španělskému náměstí a vystoupil po širokých schodech do parku Villy Borghese. Na štíhlých podstavcích lemujících v dlouhých řadách aleje byly postaveny mramorové busty slavných Italů. Jejich tváře strnulé do finální grimasy tu byly vystaveny jako resumé jejich života. Rubens měl zvláštní pochopení pro komično pomníků. Usmíval se. Vzpomněl si na pohádku z dětství: čaroděj zaklel lidi při hostině: všichni zůstali v té pozici, v níž se právě nacházeli, s otevřenými ústy, s tváří zkřivenou žvýkáním, s okusovanou kostí v ruce. Jiná vzpomínka: lidé prchající ze Sodomy se nesměli ohlédnout pod hrozbou, že budou proměněni v solný sloup. Ta příhoda z Bible dává jasně na srozuměnou, že není větší hrůzy, není většího trestu než proměnit vteřinu ve věčnost, vytrhnout člověka z času, zastavit ho uprostřed jeho přirozeného pohybu. Ponořen do těch myšlenek (zapomněl je v příští vteřině!), uviděl ji náhle proti sobě. Ne, nebyla to jeho žena (ta, která hlasitě vzdychala, protože věděla, že ji slyší ve vedlejším pokoji přítel), byl to někdo jiný.

Vše se rozhodlo ve zlomku vteřiny. Poznal ji totiž až ve chvíli, kdy už se jejich těla octla bok po boku a kdy by je další krok neodvratně vzdálil. Musil v sobě najít rozhodnost i rychlost, aby se zastavil, otočil (ona na jeho pohyb okamžitě reagovala) a promluvil na ni.

Měl pocit, jako by právě po ní toužil už po mnoho let, jako by ji celou tu dobu hledal po celém světě. Sto metrů od nich byla kavárna, jejíž stoly byly venku pod korunami stromů a nádherně modrým nebem. Sedli si proti sobě.

Měla na tváři černé brýle. Vzal je mezi prsty, sundal jí je opatrně z očí a položil na stůl. Nebránila se.

Řekl: „Kvůli těm brýlím jsem vás málem nepoznal.“

Pili minerální vodu a nebyli s to ze sebe spustit oči. Byla v Římě se svým manželem a měla čas sotva hodinu. Věděl, že kdyby to bylo možné, byli by se milovali ještě tentýž den a tutéž minutu.

Jak se jmenuje? Jaké je její křestní jméno? Zapomněl to, a bylo nemožné se jí zeptat. Vyprávěl jí (a myslil to naprosto upřímně), že celou dobu, co se neviděli, měl pocit, že na ni čeká. Jak jí měl tedy zároveň přiznat, že neví, jak se jmenuje?

Řekl jí: „Víte, jak jsme vám říkali?“

„Nevím.“

„Loutnistka.“

„Loutnistka?“

„Protože jste byla něžná jako loutna. To já sám jsem pro vás vymyslil to jméno.“

Ano, on sám je vymyslil. Ne před lety, když se spolu krátce znali, ale teď v parku Villy Borghese, protože ji potřeboval oslovit jménem; a protože mu připadala elegantní a něžná jako loutna.

10

Co o ní věděl? Málo. Matně si vzpomínal, že ji znal od vidění z tenisového hřiště (mohlo mu být sedmadvacet, jí o deset méně) a pozval ji jednou do nočního klubu. Tehdy byl v oblibě tanec, při kterém muž a žena stáli na krok od sebe, každý z nich se kroutil v bocích a pohyboval střídavě jednou a druhou rukou směrem k partnerovi. V tomto pohybu se mu vepsala do paměti. Co na ní bylo tak zvláštního? Především se na Rubense ani nepodívala. Kam se tedy dívala? Do prázdna. Všichni tanečníci měli paže pokrčené v lokti a dělali jimi střídavě pohyby vpřed. I ona dělala ty pohyby, ale trochu jinak: při pohybu paže vpřed dělala zároveň pravým předloktím malý oblouk vlevo, levým předloktím malý oblouk vpravo. Bylo to, jako by za těmi kroužívými pohyby chtěla skrýt svou tvář. Jako by ji chtěla smazat. Tanec byl na tu dobu považován za relativně necudný a dívka jako by toužila tančit necudně a zároveň chtěla tu necudnost skrýt. Rubens byl okouzlen! Jako by až do té doby neviděl nic něžnějšího, krásnějšího, víc vzrušujícího. Pak se ozvalo tango a páry se k sobě přitiskly. Neodolal náhlému popudu a položil dívce ruku na prs. Sám se toho lekl. Co dívka udělá? Neudělala nic. Tančila dál s jeho rukou na prsu a dívala se před sebe. Zeptal se jí skoro třesoucím se hlasem: „Už se někdo dotkl vašeho prsu?“ A ona stejně třesoucím se hlasem (opravdu, bylo to jako by se někdo lehce dotkl struny loutny) odpověděla: „Ne.“ A on nepouštěl ruku z jejího prsu a vnímal to „ne“ jako nejkrásnější slovo světa; byl unesen: zdálo se mu, že vidí zblízka stud; že vidí stud, jak *je*; že by se ho mohl dotknout (ostatně dotýkal se ho; její stud odešel do jejího prsu, sídlil v jejím prsu, byl proměněn v její prs).

Proč už se s ní víckrát nesetkal? Kdyby si lámal sebevíc hlavu, neví. Nepamatuje si už.

11

Arthur Schnitzler, vídeňský spisovatel z přelomu století, napsal krásnou novelu *Slečna Elsa*. Hrdinkou je dívka, jejíž otec je zadlužen a hrozí mu zkáza. Věřitel slíbil odpustit otci dluh, když se mu jeho dcera ukáže nahá. Po dlouhém vnitřním boji Elsa souhlasí, ale stydí se tolik, že při své exhibici zešílí a zemře. Aby nedošlo k omylu: to není mravokárná povídka, která chce obžalovat zlého a neřestného boháče! Ne, je to erotická novela, při které se nám tají dech: dává nám pochopit moc, jakou měla kdysi nahota: znamenala pro věřitele nesmírnou sumu peněz a pro dívku nekonečný stud a z něho plynoucí vzrušení, které hraničilo se smrtí.

Schnitzlerova povídka označuje na ciferníku Evropy významnou vteřinu: erotická tabu byla na konci puritánského devatenáctého století ještě mocná, ale uvolnění mravů probudilo k životu stejně mocnou touhu ta tabu překročit. Stud a nestoudnost se protľaly ve chvíli, kdy měly stejnou sílu. To byla chvíle mimořádného erotického napětí. Vídeň ji poznala na přelomu století. Ta chvíle už se nevrátí.

Stud znamená, že se bráníme tomu, co chceme, a cítíme hanbu, že chceme, čemu se bráníme. Rubens patřil k poslední evropské generaci vychované ve studu. Proto byl tolik vzrušen, když položil dívce ruku na prs a uvedl její stud do chodu. Jako gymnazista se jednou vplížil do chodby, odkud bylo vidět oknem místnost, kde se shromáždily jeho spolužákyně, čekající, do půl těla nahé, na rentgen plic. Jedna z nich ho uviděla a začala křičet. Ostatní si přes sebe přehodily pláště, vyběhly s křikem na chodbu a začaly ho honit. Rubens zažil chvíli strachu; najednou to nebyly spolužákyně, kolegyně, kamarádky ochotné žertovat a flirtovat. V jejich tvářích byla skutečná zloba násobená ještě jejich počtem, kolektivní zloba, která se rozhodla ho štvát. Unikl jim, ale ony pokračovaly ve své honbě a udaly ho ředitelství školy. Dostal veřejnou důtku před shromážděnou třídou. Ředitel ho nazval se skutečným opovržením v hlase voyeurem.

Bylo mu asi čtyřicet let, když ženy nechaly v zásuvkách prádelníků své podprsenky a ležíce na plážích ukazovaly ňadra celému světu. Chodil po mořském břehu a vyhýbal se očima jejich nenadálé nahotě, protože v něm byl pevně zakořeněn starý imperativ: nezranit ženský stud! Když potkal nějakou známou bez podprsenky, například ženu přítele nebo kolegyni, zjišťoval s překvapením, že se nestydí ona, ale on. Byl v rozpacích a nevěděl, co s očima. Snažil se prsům vyhýbat pohledem, ale nebylo to možné, protože obnažená prsa jsou vidět, i když se muž dívá ženě na ruce nebo do očí. A tak se jim snažil dívat na prsa se stejnou přirozeností, jako kdyby se díval na jejich koleno nebo čelo. Ale to též nebylo snadné, protože prsa nejsou ani čelo ani koleno. Ať dělal co dělal, zdálo se mu, že ho ta nahá prsa obžalovávají stěžujíce si, že dostatečně nesouhlasí s jejich obnažeností. A měl silný pocit, že ženy, co potkává na pláži, jsou ty stejné, které ho před dvaceti lety udaly řediteli pro voyeurství: stejně zlé a seřazené do houfu, vyžadující se stejnou agresivitou, znásobenou jejich počtem, aby uznal jejich právo ukazovat se nahé.

Nakonec se s obnaženými prsy jakž takž smířil, ale nemohl se zbavit dojmu, že se stalo něco vážného: na ciferníku Evropy odbila zase jedna hodina: zmizel stud. A nejenom zmizel, ale zmizel tak lehce, téměř přes jedinou noc, že se zdálo, že vlastně nikdy neexistoval. Že si ho muži jen vymyslili, když stáli tváří v tvář ženám. Že stud byl jejich iluze. Jejich erotický sen.

12

Když se Rubens rozvedl se svou ženou, ocitl se, jak jsem již řekl, jednou provždy „za hranicemi lásky". Ta formule se mu líbila. Často si v duchu opakoval (někdy melancholicky, někdy vesele): prožiju svůj život „za hranicemi lásky".

Ale území, které nazval „za hranicemi lásky", se nepodobalo stinnému, zanedbanému dvoru nádherného paláce (paláce lásky), ne, to území bylo rozlehlé, bohaté, krásné, nekonečně rozmanité, a možná větší a krásnější než palác lásky sám. Na tomto území se pohybovaly různé ženy, některé mu byly lhostejné, jiné ho bavily, ale do některých byl zamilován. Je třeba pochopit tento zdánlivý protismysl: za hranicemi lásky existuje láska.

To, co vytlačilo Rubensova milostná dobrodružství „za hranice lásky", nebyl totiž nedostatek citu, ale vůle omezit je na pouhou erotickou sféru života, zakázat jim jakýkoli vliv na jeho životní dráhu. Ať definujeme lásku jakkoli, vždycky bude k té definici patřit, že láska je něčím podstatným, že dělá z života osud: příhody, které se dějí „za hranicemi lásky", i kdyby byly sebekrásnější, jsou v důsledku toho nezbytně epizodické.

Avšak opakuji: i když vyhoštěny „za hranice lásky" na území epizodického, byly mezi Rubensovými ženami takové, k nimž cítil něhu, na které myslil s posedlostí, které mu působily bolest, když mu unikaly, nebo žárlivost, když daly přednost jinému. Jinými slovy, i za hranicemi lásky existovaly lásky, a protože slovo láska bylo zakázáno, byly to všechno tajné lásky, a proto o to víc přitažlivé.

Když seděl v zahradní kavárně parku Borghese proti ženě, kterou nazýval loutnistkou, věděl okamžitě, že to bude „milovaná žena za hranicemi lásky". Věděl, že ho nebude zajímat její život, její manželství, její rodina, její starosti, věděl, že se spolu uvidí jen velmi zřídka, ale věděl i to, že k ní bude cítit docela mimořádnou něhu.

„Vzpomínám si ještě na jiné jméno, které jsem vám dal," řekl jí. „Nazýval jsem vás gotickou dívkou."

„Já? Gotická dívka?"

Nikdy ji tak nenazýval. Ta slova ho napadla před chvílí, když šli vedle sebe alejí ke kavárně. Její chůze mu vybavovala představu gotických obrazů, které prohlížel odpoledne v paláci Barberini.

Pokračoval: „Ženy na gotických obrazech mají v chůzi dopředu vystrčená bříška. A hlavu sklopenu k zemi. Vaše chůze je chůze gotické panny. Hráčky na loutnu z andělských orchestrů. Vaše prsa jsou obrácena k nebi, vaše břicho je obráceno k nebi, ale vaše hlava, která ví o marnosti všeho, se dívá do prachu."

Šli zpátky tou stejnou alejí soch, kde se potkali. Useknuté hlavy slavných mrtvých byly posazeny na sloupy a tvářily se nesmírně pyšně.

U východu z parku se s ním rozloučila. Domluvili se, že za ní přijede do Paříže. Dala mu své jméno (jméno svého manžela), telefonní číslo a vysvětlila, které hodiny je bezpečně sama doma. Pak s úsměvem zvedla k tváři černé brýle: „Teď už si je můžu nasadit?"

„Ano," řekl Rubens a dlouho se za ní díval, jak se vzdaluje.

13

Všechna bolestná touha, která ho zachvátila při myšlence, že navždy zmeškal svou vlastní ženu, se proměnila v jeho posedlost loutnistkou. Myslil na ni v příštích dnech skoro nepřetržitě. Znovu se snažil vzpomenout na všechno, co mu po ní zbylo v paměti, ale nenašel nic než ten jeden večer v nočním klubu. Vybavil si už po sté stejný obraz: byli mezi tančícími páry, ona vzdálena na krok od něho. Dívala se mimo něho, do prázdna. Jako by nechtěla vidět nic z vnějšího světa, soustředěna jen na sebe. Jako by ve vzdálenosti jednoho kroku od ní nebyl on, ale velké zrcadlo, v němž se pozorovala. Pozorovala v něm své boky, jak se střídavě vysunují dopředu, pozorovala své paže opisující kruhy před jejími prsy a před její tváří, jako by je tak chtěla skrýt, jako by je tak chtěla smazat. Jako by je smazávala a zase je nechávala vystoupit, dívajíc se přitom na sebe do imaginárního zrcadla, vzrušena vlastním studem. Její tančení, to byla *pantomima studu*: ustavičné poukazování na skrytou nahotu.

Za týden po jejich setkání v Římě měli schůzku v hale velkého pařížského hotelu plného Japonců, jejichž přítomnost jim poskytla dojem příjemné anonymity a vykořenění. Když za nimi zavřel dveře pokoje, přistoupil k ní a položil jí ruku na prs: „Takhle jsem se vás dotýkal, když jsme spolu tančili," řekl. „Vzpomínáte si?"

„Ano," řekla a bylo to, jako když někdo zlehka ťukne na tělo loutny.

Styděla se jako před patnácti lety? A styděla se před patnácti lety? Styděla se Bettina, když se Goethe dotkl jejího prsu v lázních Teplice? Byl Bettinin stud jen Goethovým snem? Byl loutnistčin stud jenom snem Rubensovým? Ať tomu bylo jakkoli, ten stud, i když byl jen zdáním studu, i když byl jen vzpomínkou na zdání studu, ten stud byl zde, byl s nimi v malém hotelovém pokoji, omamoval je svou magií a dával všemu smysl.

Svlékal ji a bylo mu, jako by ji byl právě přivedl z nočního klubu jejich mládí. Miloval se s ní a viděl ji, jak tančí: skrývala tvář za krouživými pohyby rukou a dívala se přitom na sebe do imaginárního zrcadla.

Položili se oba dychtivě do vln onoho proudu, který protéká všemi ženami a všemi muži, toho mystického proudu obscénních představ, kde se sice každá žena podobá každé ženě, ale kde různá tvář dává stejným představám a slovům jinou sílu a opojnost. Poslouchal, co mu loutnistka říká, poslouchal své vlastní řeči, díval se do něžné tváře gotické panny, na něžné rty vyslovující hrubá slova, a cítil se čím dál opilejší.

Gramatický čas jejich obscénního snění byla budoucnost: příště uděláš to a to, zinscenujeme takovou a takovou situaci... Ten gramatický budoucí čas proměňuje snění v ustavičný slib (slib, který ve chvíli vystřízlivění přestává platit, ale protože není nikdy zapomenut, stává se znovu a znovu slibem). Muselo proto dojít k tomu, že ji jednou v hale hotelu čekal se svým přítelem M. Šli všichni tři nahoru do pokoje, pili, bavili se a potom ji začali svlékat. Když jí sundali podprsenku, chytila se rukama za prsa snažíc se přikrýt je celá dlaněmi. Vedli ji pak (byla jen v kalhotkách) k zrcadlu (oprýskanému zrcadlu na dveřích skříně) a ona tam stála mezi nimi, levou ruku na levém, pravou na pravém prsu a dívala se, fascinována, do zrcadla. Rubens si velice dobře všiml, že zatímco oni dva se dívají na ni (na její tvář a na její ruce přikrývající prsa), ona je nevidí, pozorujíc jako hypnotizovaná samu sebe.

14

Epizoda je důležitý pojem Aristotelovy *Poetiky*. Aristoteles nemá rád epizodu. Ze všech událostí, podle něho, jsou nejhorší (z hlediska poezie) události epizodické. Epizoda není nezbytným důsledkem toho, co předcházelo, ani příčinou toho, co bude následovat; nalézá se mimo kauzální zřetězení událostí, jímž je příběh. Je pouhou sterilní náhodou, která může být vynechána, aniž tím příběh ztratí svou srozumitelnou souvislost, a v životě postav není s to zanechat žádnou trvalou stopu. Jedete metrem na schůzku se ženou vašeho života a chvíli před tím, než máte vystoupit, je neznámá dívka, které jste si před tím nevšiml (jel jste přece za ženou vašeho života a nic jiného jste nevnímal), zachvácena náhlou nevolností, ztratí vědomí a začne se hroutit k zemi. Protože stojíte vedle ní, zachytíte ji a držíte několik vteřin v náručí, než otevře oči. Posadíte ji na sedadlo, které někdo pro ni uvolnil, a protože v té chvíli vlak začal brzdit, odtrhnete se od ní téměř netrpělivě, abyste vystoupil a utíkal za ženou vašeho života. V té chvíli je už dívka, kterou jste měl před chvílí v náručí, zapomenuta. Ten příběh je typická epizoda. Život je vystlán epizodami jako matrace žíněmi, ale básník (podle Aristotela) není čalouník a musí všechny vycpávky z děje pečlivě odstranit, i když skutečný život nepozůstává než právě jen z takových vycpávek.

Setkání s Bettinou bylo pro Goetha bezvýznamnou epizodou; nejenom že zabírala kvantitativně nepatrné místo v čase jeho života, ale Goethe se všemožně snažil, aby v něm nikdy nesehrála roli příčiny, a držel ji pečlivě vně své biografie. Ale zde právě zjišťujeme relativnost pojmu epizoda, relativnost, kterou Aristoteles nedomyslil: nikdo totiž nemůže zaručit, že nějaká zcela epizodická událost v sobě nemá uloženu sílu, která způsobí, že se jednou, nečekaně, přece jen stane příčinou dalších událostí. Říkám-li jednou, může to být dokonce až po smrti, což byl právě triumf Bettiny, která se stala příběhem Goethova života, až už Goethe nežil.

Můžeme tedy doplnit Aristotelovu definici epizody a říci: žádná epizoda není a priori odsouzena zůstat navždy epizodou, neboť každá událost, i ta nejnepatrnější, má v sobě skrytu možnost stát se dříve či později příčinou jiných událostí, a proměnit se takto v příběh či dobrodružství. Epizody jsou jako miny. Většina z nich nikdy nevybuchne, ale právě ta nejnenápadnější se jednoho dne promění v příběh, který se vám stane osudným. Na ulici půjde proti vám žena a z dálky se vám bude dívat do očí pohledem, který vám bude připadat poněkud bláznivý. Jak se k vám bude blížit, zpomalí krok, zastaví se a řekne: ,,To jste vy? Hledám vás už tak dlouho!" a vrhne se vám kolem krku. Je to ta dívka, která vám padla omdlelá do náruče, když jste jel metrem na schůzku se ženou vašeho života, s kterou jste se mezitím oženil a měl dítě. Ale dívka, která vás nenadále potkala na ulici, si usmyslila zamilovat se do svého zachránce a považovat vaše náhodné setkání za pokyn osudu. Bude vám telefonovat pětkrát denně, psát dopisy, navštěvovat vaši ženu, vysvětlovat jí tak dlouho, že vás miluje a má na vás právo, až žena vašeho života ztratí trpělivost, vyspí se ze vzteku s popelářem a pak vám uteče i s dítětem z domu. Vy, abyste unikl zamilované dívce, která si mezitím přenesla do vašeho bytu obsah svých skříní, se odstěhujete za moře, kde zemřete v zoufalství a bídě. Kdyby naše životy byly nekonečné jako životy antických bohů, pojem epizoda by ztratil smysl, protože v nekonečnu by každá i sebenepatrnější událost našla svůj následek a rozvinula by se v příběh.

Loutnistka, s kterou tančil, když mu bylo sedmadvacet let, byla pro Rubense jen epizodou, arciepizodou, totální epizodou až do chvíle, kdy ji o patnáct let později potkal náhodou v římském parku. Tehdy se náhle stal ze zapomenuté epizody malý příběh, ale i ten příběh zůstal vzhledem k Rubensovu životu příběhem zcela epizodickým. Neměl nejmenší naději proměnit se v součást toho, co bychom mohli nazvat jeho životopisem.

Životopis: sled událostí, které považujeme za důležité pro náš život. Jenomže co je důležité a co není? Protože to sami nevíme (a ani nás nenapadne si tak hloupě prostou otázku klást), přijímáme jako důležité to, co za důležité považují ostatní, třeba zaměstnavatel, jehož dotazník vyplňujeme: narození, zaměstnání rodičů, studium, změny zaměstnání a bydliště, svatby, rozvody, narození dětí, vážné nemoci, úspěchy, neúspěchy. Je to hrozné, ale je to tak: naučili jsme se vidět vlastní život očima úředních či policejních dotazníků. Už to je malá vzpoura, zařadíme-li do svého životopisu jinou ženu než vlastní manželku, a i taková výjimka se může připustit jen za podmínky, že ta žena sehrála v našem životě zvlášť dramatickou roli, což by Rubens naprosto nemohl říci o loutnistce. Ostatně veškerým svým zjevem i chováním odpovídala loutnistka představě ženy-epizody: byla elegantní, ale nenápadná, krásná, aniž oslňovala, ochotná k fyzické lásce, a přece nesmělá; nikdy neobtěžovala Rubense zpověďmi o svém soukromém životě, ale nikdy také své diskrétní mlčení nedramatizovala a neproměňovala v zneklidňující tajemství. Byla to skutečná princezna epizody.

Setkání loutnistky s dvěma muži ve velkém pařížském hotelu bylo strhující. Milovali se tehdy všichni tři? Nezapomeňme, že se loutnistka stala pro Rubense „milovanou ženou za hranicemi lásky“; starý imperativ zpomalovat vývoj událostí, aby se sexuální náboj lásky příliš rychle nevyčerpal, se znovu probudil. Těsně před tím, než ji vedl nahou k posteli, dal pokyn příteli, aby se tiše vytratil z místnosti.

Jejich rozhovor během milování se tedy opět děl v budoucím gramatickém čase jako slib, který se však nikdy nenaplnil: přítel M mu zmizel krátce poté zcela z obzoru a strhující setkání dvou mužů a jedné ženy zůstalo epizodou bez pokračování. Rubens se s loutnistkou dále vídal sám dvakrát či třikrát v roce, když se mu naskytla příležitost navštívit Paříž. Pak se stalo, že už se příležitost nenaskytla, a znovu mu téměř zmizela z paměti.

15

Plynula léta a jednoho dne seděl se svým známým v kavárně švýcarského města pod Alpami, kde bydlil. U stolku naproti viděl dívku, která ho pozorovala. Byla hezká, s protáhlými smyslnými rty (které by byl rád přirovnal k žabím ústům, kdyby se o žábách dalo říci, že jsou krásné) a zdálo se mu, že je to přesně ta žena, po které vždycky toužil. I na tu dálku tří, čtyř metrů mu bylo její tělo příjemné na dotek a dával mu v té chvíli přednost před všemi ostatními těly žen. Dívala se na něho tak upřeně, že pohlcen jejím pohledem nevěděl, co mu jeho společník říká, a myslil jen s bolestí na to, že za několik minut, až odejde z kavárny, ztratí tu ženu navždy.

Ale neztratil ji, protože ve chvíli, kdy zaplatil dvě kávy a zvedl se, zvedla se i ona mířic stejně jako oba muži do protější budovy, kde se měla odbývat v příštích chvílích dražba obrazů. Když přecházeli ulici, octla se tak blízko Rubense, že nebylo možno ji neoslovit. Chovala se, jako by na to čekala, dala se s ním do řeči neberouc na vědomí jeho známého, který mlčky a v rozpacích kráčel vedle nich do prodejního sálu. Když seance skončila, našli se spolu ve stejné kavárně. Nemajíce pro sebe více než půl hodiny volného času, spěchali si říci všechno, co se říci dalo. Jenomže po chvíli se ukázalo, že si toho říci příliš moc nemají a půlhodina trvala déle, než předpokládal. Dívka byla australská studentka, měla čtvrtinu černošské krve (nebylo to na ní vidět, ale o to raději o tom mluvila), studovala u curyšského profesora sémiologii malířství a jistou dobu se v Austrálii živila tím, že tančila polonahá v nočním podniku. Všechny ty informace byly zajímavé, ale zároveň pro Rubense tak cizí (proč tančila polonahá v Austrálii? proč studovala sémiologii ve Švýcarsku? a co je to sémiologie?), že místo aby probudily jeho zvědavost, unavovaly ho jako překážka, kterou bude nucen zdolávat. Byl proto rád, když půlhodina uplynula; v té chvíli se obnovilo jeho původní nadšení (neboť se mu nepřestávala líbit) a domluvil si s ní schůzku na zítřek.

Toho dne mu šlo všechno napříč: vzbudil se s bolestí hlavy, pošťák mu donesl dva nepříjemné dopisy a při telefonickém rozhovoru s nějakým úřadem netrpělivý ženský hlas odmítal pochopit, co žádá. Když se studentka objevila na prahu dveří, jeho špatné tušení bylo potvrzeno: proč se oblékla úplně jinak než včera? Měla na nohou velikánské tenisky, nad teniskami bylo vidět tlusté ponožky, nad ponožkami šedivé plátěné kalhoty, které jí podivně zmenšovaly postavu, nad kalhotami bundu; teprve nad bundou mohl konečně s potěšením spočinout pohledem na jejích žabích ústech, která byla stále stejně krásná, ale pod podmínkou, že si od nich odmyslí vše, co bylo vidět pod nimi.

Že jí oblečení neslušelo, nebylo tak vážné (nemohlo to nic změnit na tom, že byla hezká žena), více ho zneklidňovalo, že jí nerozumí: proč dívka, která jde na schůzku s mužem, s nímž se chce milovat, se neoblékne tak, aby se mu líbila? chce mu snad naznačit, že oblečení je něco vnějšího, na čem nezáleží? anebo považuje svou bundu za elegantní a obrovské tenisky za svůdné? anebo nemá prostě k muži, s nímž jde na schůzku, žádný ohled?

Snad proto, aby si tak předem vyžádal omluvu, kdyby jejich setkání nemělo splnit všechny své sliby, jí oznámil, že má špatný den: snaže se o humorný tón, vypočítal jí všechny zlé události, které se mu od rána přihodily. A ona se usmála svými krásnými protaženými rty: „Láska je lék proti všem špatným znamením." Upoutalo ho slovo láska, kterému odvykl. Nevěděl, co jím míní. Měla na mysli tělesný akt milování? Anebo cit lásky? Zatímco o tom přemýšlel, svlékla se rychle v koutě místnosti a pak vklouzla do postele zanechávajíc na židli své plátěné kalhoty a pod židlí obrovské tenisky s tlustými ponožkami, které do nich vsunula, tenisky, které se tu v Rubensově bytě na chvíli zastavily na své dlouhé pouti australskými univerzitami a evropskými městy.

Bylo to neuvěřitelně klidné a mlčenlivé milování. Řekl bych, že se Rubens rázem vrátil do období atletické němoty, ale slovo

„atletický“ tu nebylo docela na místě, protože někdejší mladickou ctižádost prokázat fyzickou a sexuální sílu už dávno ztratil; činnost, které se oddávali, zdála se mít spíš symbolický než atletický ráz. Jenomže Rubens neměl nejmenší tušení, co měly pohyby, které prováděli, symbolizovat. Něhu? lásku? zdraví? radost ze života? neřest? přátelství? víru v Boha? prosbu o dlouhý život? (Dívka studovala sémiologii malířství. Neměla by mu raději něco prozradit o sémiologii fyzické lásky?) Dělal prázdné pohyby a poprvé si uvědomoval, že neví, proč je dělá.

Když udělali mezi milováním pauzu (Rubense napadlo, že její profesor sémiologie dělá určitě též uprostřed dvouhodinového semináře desetiminutovou pauzu), dívka pronesla (stále stejně klidným, vyrovnaným hlasem) větu, v níž se opět vyskytlo nesrozumitelné slovo „láska“; Rubense napadla tato představa: z hloubi vesmíru sestoupí na Zemi nádherné ženské exempláře. Jejich těla se budou podobat tělu pozemských žen, budou však zcela dokonalá, protože planeta, z níž přicházejí, nezná nemoce a těla jsou tam bez poruch. Jenomže pozemští muži, kteří se s nimi setkají, nebudou nikdy nic vědět o jejich mimozemské minulosti, a proto jim nebudou vůbec rozumět; nikdy nebudou vědět, jak bude na ty ženy působit, co řeknou a udělají; nikdy nebudou vědět, jaké pocity se skrývají za jejich krásnými tvářemi. S ženami do té míry neznámými by bylo nemožné se milovat, říkal si Rubens. Pak se opravil: možná že naše sexualita je natolik zautomatizována, že by konec konců umožnila tělesnou lásku i s mimozemskými ženami, ale byla by to láska mimo jakékoli vzrušení, milostný akt proměněný v pouhé fyzické cvičení prosté citu i neřesti.

Přestávka byla u konce, druhá půle milostného semináře měla každou chvíli započít a on toužil něco říci, nějakou nehoráznost, která by ji vyvedla z míry, ale věděl, že se k tomu neodhodlá. Bylo mu jako cizinci, který musí vést hádku v jazyku, který nevalně ovládá; nemůže zakřičet ani žádnou nadávku, protože napadený protivník by se ho nevinně zeptal: „Co jste chtěl říct, pane? Nerozuměl jsem vám!“ A tak žádnou nehoráznost neřekl a miloval ji ještě jednou v mlčenlivé vyrovnanosti.

Pak ji vyprovodil před dům (nevěděl, zda je spokojena či zklamána, ale vypadala spíš spokojeně) a byl rozhodnut se s ní už nikdy nesetkat; věděl, že tím bude zraněna, protože si bude jeho tak náhlou ztrátu zájmu (musila přece vědět, jak jí byl ještě včera okouzlen!) vysvětlovat jako porážku o to horší, oč nepochopitelnější. Věděl, že jeho vinou poputují teď její tenisky světem ještě o něco melancholičtějším krokem než doposud. Rozloučil se s ní a ve chvíli, kdy mu zmizela za roh ulice, přepadl ho silný, mučivý stesk po ženách, které až dosud měl. Bylo to brutální a nečekané jako nemoc, která vypukne v jediné vteřině a bez ohlášení.

Pomalu začal chápat, oč jde. Na ciferníku se rafička dotkla nové číslice. Slyšel odbíjet hodiny a viděl, jak se na velikém orloji otevírá okénko, a díky tajemnému středověkému mechanismu z něho vychází žena ve velikých teniskách. Její objevení znamenalo, že jeho touha udělala čelem vzad; nebude už toužit po nových ženách; bude toužit jen po ženách, které měl; jeho touha bude od nynějška posedlá minulostí.

Viděl chodit po ulicích krásné ženy a byl udiven tím, že si jich nevšímá. Dokonce myslím, že mnohé si všimly jeho a on to nevěděl. Kdysi toužil jen po nových ženách. Toužil po nich do té míry, že se s některými z nich miloval jen jednou a víckrát ne. Jako by měl pykat za tu posedlost novým, za tu nepozornost všemu, co bylo trvalé a stálé, za tu pošetilou netrpělivost, která ho hnala vpřed, chtěl se teď obrátit, najít ženy své minulosti, opakovat jejich milování, dovést ho dál, vytěžit z něho, co zůstalo nevytěženo. Pochopil, že od nynějška jsou velká vzrušení jen vzadu, a chce-li najít ještě nová vzrušení, bude si pro ně musit jít do minulosti.

16

Když byl velice mladý, byl stydlivý a snažil se, aby při milování byla tma. Ve tmě však měl doširoka otevřené oči, aby alespoň něco uviděl díky slabému paprsku, který prosvítal pod staženou žaluzií.

Pak si na světlo nejenom zvykl, ale vyžadoval ho. Když zjistil, že partnerka má zavřené oči, nutil ji, aby je otevřela.

A jednoho dne si s překvapením uvědomil, že se miluje při světle, ale má zavřené oči. Miloval se a vzpomínal.

Tma s otevřenýma očima.

Světlo s otevřenýma očima.

Světlo se zavřenýma očima.

Ciferník života.

17

Sedl si nad list papíru a snažil se psát do sloupce jména žen, které kdy měl. Už v té chvíli zkonstatoval první porážku. Jen u málokterých si pamatoval obě jména a u některých ani jedno. Ženy se staly (nenápadně, nepozorovaně) ženami beze jmen. Možná že kdyby si s nimi byl častěji dopisoval, utkvělo by mu jejich jméno, protože by je musil psát často na obálku, ale „za hranicemi lásky" se žádná milostná korespondence nepěstuje. Snad kdyby byl zvyklý oslovovat je křestním jménem, byl by si ho zapamatoval, ale od nešťastného příběhu své svatební noci si předsevzal, že bude všechny ženy nazývat nadále jen banálními něžnými přezdívkami, které může kterákoli z nich kdykoli bez podezření přijmout za své.

Popsal půl stránky (experiment nevyžadoval, aby byl seznam úplný) nahrazuje často zapomenuté jméno nějakou charakteristikou („pihovatá"; nebo: „učitelka" a podobně) a snažil si pak vybavit u každé z nich její curriculum vitae. To byla ještě horší porážka! Nevěděl o jejich životě vůbec nic! Zjednodušil si tedy úkol a omezil se jen na jedinou otázku: kdo byli její rodiče? S výjimkou jediného případu (znal otce, ještě než znal dceru) neměl o nich nejmenší představu. A přece v životě každé z nich musili rodiče zaujímat obrovské místo! Určitě mu o nich mnoho vyprávěly! Jakou cenu přikládal tedy životu svých přítelkyň, když si o nich nebyl ochoten zapamatovat ani ty nejzákladnější údaje?

Připustil (i když s jistým ostychem), že pro něho ženy neznamenaly nic než erotickou zkušenost. Alespoň tuto zkušenost se tedy snažil vyvolat si ve vzpomínce. Zastavil se namátkou u ženy (beze jména), kterou označil jako „doktorku". Jak to bylo, když se s ní poprvé miloval? Vybavil se mu jeho tehdejší byt. Vstoupili a ona hned hledala telefon; potom se někomu neznámému v Rubensově přítomnosti omlouvala, že je zaneprázdněna nečekanou povinností a nemůže přijít. Smáli se tomu a pak se milovali. Zvláštní je, že ten smích dodnes slyší a z toho milování si nezachoval nic. Kde se dělo? Na koberci? v posteli? na gauči? Jaká při tom byla? A kolikrát se potom ještě setkali? Třikrát nebo třicetkrát? A jak se stalo, že se s ní přestal stýkat? Pamatuje si alespoň na jediný úryvek z jejich rozhovorů, které přece musily zaplnit prostor nejméně dvaceti, ale možná také sta hodin? Matně si vzpomínal, že mu často vyprávěla o svém snoubenci (obsah těch informací ovšem zapomněl). Podivná věc: nezůstalo mu po ní v paměti nic, než že měla snoubence. Akt lásky byl pro něho méně důležitý než ta lichotivá a hloupá podrobnost, že kvůli němu klamala někoho jiného.

Se závistí myslil na Casanovu. Ne na jeho erotické výkony, jichž jsou konec konců schopni mnozí muži, ale na jeho nesrovnatelnou paměť. Asi sto třicet žen vytržených ze zapomnění, s jejich jmény, s jejich tvářemi, s jejich gesty, s jejich výroky! Casanova: utopie paměti. Jak je ve srovnání s tím Rubensova bilance ubohá! Kdysi na začátku své dospělosti, když se zřekl malířství, utěšoval se, že poznání života pro něho znamená víc než boj o moc. Život jeho kolegů honících se za úspěchem mu připadal stejně agresivní jako monotónní a prázdný. Věřil, že erotická dobrodružství ho povedou přímo do středu života, plného a skutečného, bohatého a tajemného, okouzlujícího a konkrétního, který toužil obejmout. A najednou vidí, že se mýlil: navzdory všem milostným dobrodružstvím je jeho znalost lidí přesně stejná, jako když měl patnáct let. Celou dobu v sobě hýčkal jistotu, že má za sebou bohatý život; ale slova „bohatý život" byla jen abstraktním tvrzením; když se snažil odhalit, co ta bohatost obsahuje konkrétního, našel jen poušť, po níž se prochází vítr.

Ručička na orloji mu dala na vědomí, že bude od nynějška posedlý jen minulostí. Ale jak má být posedlý minulostí ten, kdo v ní vidí jen poušť, po níž vítr žene pár útržků vzpomínek? Znamená to, že bude posedlý těmi pár útržky? Ano. Člověk může být posedlý i pár útržky. Ostatně nepřehánějme: i když si nepamatoval nic pořádného o mladé doktorce, jiné ženy mu vyvstávaly před očima s naléhavou intenzitou.

Když říkám, že mu vyvstávaly, jak si představit to vyvstávání? Rubens si uvědomil zvláštní věc: paměť nefilmuje, paměť fotografuje. To, co si uchoval z každé z nich, bylo v nejlepším případě pár mentálních fotografií. Neviděl před sebou souvislé pohyby těch žen, ani krátká gesta neviděl v celé jejich plynulé délce, nýbrž jen ve strnulosti jediné vteřiny. Jeho erotická paměť mu dopřála malé album pornografických fotografií, ale žádný pornografický film. A říkám-li album fotografií, je to nadsázka, protože mu zůstalo všeho všudy nějakých sedm, osm fotografií: ty fotografie byly krásné, fascinovaly ho, ale jejich počet byl přece jen truchlivě omezený: sedm osm zlomků vteřiny, na to se mu ve vzpomínkách zredukoval celý jeho erotický život, jemuž se kdysi rozhodl věnovat všechny své síly i nadání.

Vidím Rubense, jak sedí u stolu s hlavou podepřenou v dlani a vypadá jako Rodinův myslitel. Na co myslí? Když už se smířil s tím, že se mu jeho život ztenčil na sexuální zážitky a ty zase jen na sedm nehybných obrazů, na sedm fotografií, chtěl by aspoň doufat, že v nějakém koutu paměti je zapomenuta ještě osmá, devátá, desátá fotografie. Proto sedí opřen s hlavou v dlani. Znovu si vybavuje jednotlivé ženy a snaží se ke každé najít nějakou zapomenutou fotografii.

Přitom zjišťuje jinou zajímavou věc: měl některé milenky zvlášť odvážné v jejich erotických iniciativách a kromě toho i velmi efektní zjevem; a přece mu zanechaly v duši jen velmi málo anebo žádnou vzrušující fotografii. Mnohem víc ho ve vzpomínkách přitahovaly ženy, jejichž erotická iniciativa byla tlumená a zjev nenápadný: ty, které tehdy spíš podceňoval. Jako by paměť (a zapomnění) uskutečňovala radikální přehodnocení všech hodnot; co bylo v jeho erotickém životě chtěné, záměrné, ostentativní, plánované, ztrácelo na ceně, a naopak dobrodružství, k nimž došlo nečekaně, která se neohlašovala jako něco mimořádného, stávala se ve vzpomínce nedocenitelná.

Myslil na ženy, které povýšila jeho paměť: jedna z nich už jistě překročila věk, kdy by ji ještě toužil potkat; jiné žily v podmínkách, které činily setkání krajně obtížné. Ale byla tu loutnistka. Už osm let ji neviděl. Vybavovaly se mu tři mentální fotografie. Na první z nich stála krok před ním, měla ruku před tváří strnulou uprostřed pohybu, jímž se zdála smazávat si své rysy. Druhá fotografie zachytila okamžik, kdy maje ruku na jejím prsu se jí ptal, zda už se jí někdo takto dotýkal, a ona mu řekla tichým hlasem „ne!“ s pohledem upřeným před sebe. A konečně ji viděl (ta fotografie byla nejúchvatnější ze všech) stojící mezi dvěma muži před zrcadlem, dlaně položené na nahá prsa. Bylo zvláštní, že na všech těch třech fotografiích měla její krásná a nepohnutá tvář stejný pohled: upřený dopředu a stranou Rubense.

Vyhledal ihned její telefonní číslo, které znal kdysi nazpaměť. Mluvila s ním, jako by se byli rozloučili včera. Přijel za ní do Paříže (tentokrát nepotřeboval žádnou příležitost, přijel jenom kvůli ní) a setkal se s ní v tom stejném hotelu, kde stála před mnoha lety před zrcadlem mezi dvěma muži a přikrývala si rukama prsa.

18

Loutnistka měla stále stejnou siluetu, stejný půvab pohybů, její rysy neztratily nic ze své ušlechtilosti. Jen něco se změnilo: při pohledu zblízka její pleť už nebyla svěží. Rubensovi to nemohlo uniknout; zvláštní však bylo, že chvíle, kdy si to uvědomoval, byly neobyčejně krátké, trvaly sotva pár vteřin; loutnistka se pak zase rychle vracela do svého obrazu, takového, jaký byl už dávno nakreslen Rubensovou pamětí: *skryla se za svým obrazem.*

Obraz: Rubens ví dávno, co to znamená. Chráněn tělem spolužáka, který seděl v lavici před ním, kreslil tajně karikaturu profesora. Pak zvedl oči od kresby; profesorova tvář byla v ustavičném mimickém pohybu a kresbě se nepodobala. Nicméně, když se profesor vzdálil z jeho zorného pole, neuměl si ho (tehdy a ani dnes) představit jinak než v podobě své karikatury. Profesor se *navždy ztratil za svým obrazem.*

Viděl na výstavě slavného fotografa snímek člověka, jenž se zvedá z chodníku a má zkrvavenou tvář. Nezapomenutelná, záhadná fotografie! Kdo byl ten člověk? Co se mu stalo? Pravděpodobně bezvýznamná pouliční nehoda, říkal si Rubens; klopýtnutí, pád a nikým nepředpokládaná přítomnost fotografa. Nic netuše se ten člověk tehdy zvedl, omyl si v hospodě naproti tvář a odešel domů za ženou. A ve stejné chvíli, opojen svým zrozením, jeho *obraz se od něho oddělil* a odešel přesně na opačnou stranu za vlastním dobrodružstvím, za vlastním osudem.

Člověk se může skrýt za svým obrazem, může se navždy ztratit za svým obrazem, může být zcela oddělen od svého obrazu: člověk není nikdy svým obrazem. Jen díky třem mentálním fotografiím telefonoval Rubens loutnistce po osmi letech, co ji neviděl. Ale kdo je loutnistka sama o sobě, mimo svůj obraz? Ví o tom málo a nechce vědět víc. Představuji si jejich setkání po osmi letech: sedí proti sobě v hale velkého pařížského hotelu.

O čem mluví? O všem možném kromě o životě, který každý z nich vede. Protože kdyby se znali příliš důvěrně, navršila by se mezi nimi hradba zbytečných informací, které by je vzájemně odcizovaly. Vědí o sobě jen jakési nezbytné minimum a jsou skoro hrdi na to, že jeden před druhým skryli svůj život do stínu, aby jejich setkání bylo o to víc zalito světlem a vyděleno z času i ze všech souvislostí.

Dívá se pln něhy na loutnistku a je rád, že i když poněkud zestárla, zůstává stále blízká svému obrazu. S jakýmsi dojatým cynismem si říká: cena fyzicky přítomné loutnistky je v tom, že je stále s to splývat se svým obrazem.

A těší se na to, že za krátkou chvíli propůjčí loutnistka tomu obrazu své živé tělo.

19

Scházeli se zase tak jako kdysi, jednou, dvakrát, třikrát ročně. A zase uběhla léta. Jednoho dne jí volal, aby jí oznámil, že bude za čtrnáct dnů v Paříži. Řekla mu, že nebude mít čas.

„Mohu svou cestu o týden odložit," řekl Rubens.

„To také nebudu mít čas."

„Tak kdy se ti to bude hodit?"

„Teď ne," řekla ve znatelných rozpacích, „teď dlouho ne..."

„Stalo se něco?"

„Ne, nic se nestalo."

Oba byli v rozpacích. Zdálo se, že loutnistka se s ním už nikdy nechce vidět, a je jí nepříjemné mu to říci přímo. Zároveň však ta domněnka byla tak nepravděpodobná (jejich setkání byla vždycky krásná, bez nejmenšího stínu), že jí Rubens kladl další otázky, aby pochopil důvod jejího odmítnutí. Ale protože od samého počátku byl jejich vztah založen na naprosté vzájemné neagresivitě, a vylučoval dokonce i jakékoli naléhání, zakázal si ji dále obtěžovat, byť by to bylo jen otázkami.

Ukončil tedy rozhovor a jenom dodal: „Ale můžu ti ještě zavolat?"

„Samozřejmě. Proč bys nemohl?"

Zavolal jí za měsíc: „Pořád nemáš čas se se mnou vidět?"

„Nezlob se na mě," řekla. „To není nic proti tobě."

Položil jí stejnou otázku jako posledně: „Stalo se něco?"

„Ne, nic se nestalo," řekla.

Odmlčel se. Nevěděl, co říci. „Tím hůř," řekl a melancholicky se přitom usmíval do sluchátka.

„To opravdu není nic proti tobě. To s tebou vůbec nesouvisí. To se týká jen mě."

Měl pocit, že se v těch slovech pro něho otvírá nějaká naděje: „Ale pak je to všechno nesmysl! V tom případě se musíme vidět!"

„Ne," odmítala.

„Kdybych si byl jist, že mě už nechceš vidět, tak neřeknu ani slovo. Ale ty říkáš, že je to kvůli tobě! Co se v tobě děje? Musíme se vidět! Musím s tebou mluvit!"

Ale jen co to vyslovil, řekl si: ach ne, to je jen její ohleduplnost, která mu odmítá říci pravý důvod, až příliš prostý: už o něho nestojí. Je rozpačitá, protože je příliš jemná. Proto ji nesmí přemlouvat. Stal by se jí tak nepříjemný a porušil by tím nepsanou úmluvu, která jim nařizovala, že nebudou nikdy žádat jeden po druhém, co si ten druhý nepřeje.

A proto když znovu řekla „prosím tě, ne...", už nenaléhal.

Položil sluchátko a vzpomněl si najednou na australskou studentku s velikánskými teniskami. Ta byla také odmítnuta z důvodů, kterým nemohla rozumět. Kdyby mu k tomu byla dala příležitost, byl by ji utěšoval stejnými slovy: „To není nic proti tobě. To s tebou vůbec nesouvisí. To se týká jen mě." Pochopil najednou intuicí, že příběh s loutnistkou skončil, a on nikdy nepochopí proč. Stejně jako australská studentka nikdy nepochopí, proč skončil její příběh. Jeho boty budou chodit po světě s o něco větší melancholií než doposud. Stejně jako velké tenisky Australanky.

20

Období atletické němoty, období metafor, období obscénní pravdy, období tiché pošty, mystické období, to všechno bylo daleko za ním. Ručičky oběhly ciferník jeho sexuálního života. Octl se mimo čas ciferníku. Octnout se mimo čas ciferníku neznamená ani konec ani smrt. Na ciferníku evropského malířství už také odbila půlnoc, a přesto malíři pořád malují. Být mimo čas ciferníku znamená pouze, že už se nic nového ani důležitého nestane. Rubens se se ženami stýkal stále, ale už pro něho neměly žádnou důležitost. Nejčastěji vídal mladou ženu G, která se vyznačovala tím, že s oblibou používala v rozhovoru sprostých slov. Mnoho žen jich používalo. Bylo to v duchu doby. Říkaly hovno, sere mě to, šoustat, a dávaly tak najevo, že nepatří ke staré generaci, ke konzervativní výchově, že jsou svobodné, emancipované, moderní. Přesto ve chvíli, kdy se jí dotkl, G obrátila oči v sloup a proměnila se v mlčící světici. Milování s ní bylo vždycky dlouhé, skoro nekonečné, protože dosahovala orgasmu, po kterém lačně toužila, jen s velkým úsilím. Ležela na zádech, měla zavřené oči a pracovala s potem na těle i čele. Tak nějak si Rubens představoval agonii: člověk je v horečkách a netouží, než aby už konečně přišel konec, ale ten ne a ne přijít. Při prvních dvou, třech setkáních se snažil přiblížit konec tím, že jí pošeptal obscénní slovo, ale protože přitom vždycky odvrátila tvář, jako by protestovala, zůstal už napříště mlčenlivý. Zato ona po dvaceti, třiceti minutách milování řekla vždycky (a její hlas zněl Rubensovi nespokojeně a netrpělivě): „Silněji, silněji, ještě, ještě!“ a on právě tehdy vždycky zjistil, že už nemůže dál, že už ji miluje příliš dlouho a v příliš rychlém tempu, než aby mohl ještě zesílit své údery; sklouzl z ní proto a uchýlil se k prostředku, který považoval zároveň za kapitulaci i za technickou virtuozitu hodnou patentu: vsunul do ní ruku a mocně pohyboval prsty zdola nahoru;

vytryskl gejzír, všechno bylo mokré a ona ho objala a zasypala něžnými slovy.

Bylo zarážející, jak asynchronně byly nařízeny jejich intimní hodiny: když on byl s to být něžný, ona mluvila sprostě; když on toužil mluvit sprostě, ona zarputile mlčela; když jemu se chtělo mlčet a spát, ona se náhle stala mnohomluvně něžná.

Byla hezká a o tolik mladší než on! Rubens předpokládal (skromně), že je to jen jeho manuální zručnost, kvůli které k němu G přijde vždycky, když ji povolá. Cítil k ní vděčnost za to, že mu dovoluje, aby během dlouhých chvil mlčení a pocení strávených na jejím těle mohl se zavřenýma očima snít.

21

Rubensovi se dostalo do rukou staré album fotografií amerického prezidenta Johna Kennedyho: samé barevné fotografie, bylo jich nejmíň padesát, a prezident se na všech (bez výjimky, na všech!) smál. Neusmíval se, smál se! Měl otevřená ústa a odhalené zuby. Nebylo na tom nic nezvyklého, takové jsou dnes fotografie, ale snad to, že se Kennedy smál na *všech* fotografiích, že ani na jedné neměl zavřená ústa, Rubense zarazilo. Za několik dní poté se octl ve Florencii. Stál před Michelangelovým Davidem a představoval si, že se ta mramorová tvář směje jako Kennedy. David, ten vzor mužské krásy, vypadal rázem jako imbecil! Přimýšlel od té doby často postavám na slavných obrazech smějící se ústa; byl to zajímavý experiment: grimasa smíchu byla s to zničit každý obraz! Představte si Monu Lisu, jak se její sotva patrný úsměv mění ve smích, který jí odhaluje zuby i dásně!

Přestože nikde nestrávil tolik času jako v obrazárnách, musil čekat na Kennedyho fotografie, aby si uvědomil tuto prostou věc: velcí malíři a sochaři od antiky k Raffaelovi a snad až k Ingresovi se vyhýbali tomu ztvárňovat smích, a dokonce i úsměv. Ovšem, postavy etruských soch se všechny usmívají, ale ten úsměv není mimická reakce na okamžitou situaci, nýbrž trvalý stav tváře vyjadřující věčnou blaženost. Pro antického sochaře i pro malíře pozdějších dob byla krásná tvář myslitelná jen ve své nehybnosti.

Tváře ztrácely svou nehybnost, ústa se otevírala jen tehdy, když chtěl malíř postihnout zlo. Buď zlo bolesti: tváře žen skloněných nad mrtvolu Ježíšovu; otevřená ústa matky na Poussinově *Vraždění neviňátek.* Anebo zlo neřesti: Holbeinův obraz *Adam a Eva.* Eva má odulou tvář a pootevřená ústa, takže jsou vidět zuby, které právě kously do jablka. Adam vedle ní je ještě člověk před hříchem: je krásný, v jeho tváři je klid a ústa má zavřená. Na Correggiově obraze nazvaném *Alegorie neřesti* se všichni usmívají! Aby vyjádřil neřest, musil malíř pohnout nevinným klidem tváře, roztáhnout ústa, zdeformovat rysy úsměvem. Jediná postava se na tom obraze směje: dítě! Ale není to smích štěstí, jak ho předvádějí děti na reklamních fotografiích pro plenky či čokoládu! To dítě se směje, protože je zkažené!

Teprve u Holanďanů se smích stává nevinný: Halsův *Šašek* nebo jeho *Cikánka*. Holandští malíři žánrových obrazů jsou totiž první fotografové. Tváře, které malují, jsou mimo ošklivost a krásu. Když se procházel sálem Holanďanů, Rubens myslil na loutnistku a říkal si: loutnistka není model pro Halse; loutnistka je model malířů, kteří hledali krásu v nepohnuté hladině rysů. Potom do něho vrazilo několik návštěvníků; všechna muzea byla přeplněna davy zevlounů jako kdysi zoologické zahrady; turisté v hladu po atrakcích pozorovali obrazy, jako by to byly šelmy v kleci. Malířství, říkal si Rubens, není v tomto století doma, stejně jako tu není doma loutnistka; loutnistka patří do dávno minulého světa, v němž se krása nesmála.

Ale jak vysvětlit, že velcí malíři vyloučili smích z království krásy? Rubens si říká: bezpochyby je tvář krásná proto, že je v ní patrna přítomnost myšlení, zatímco ve chvíli smíchu člověk nemyslí. Ale je to pravda? Není smích tím bleskem myšlenky, která právě pochopila komické? Ne, říká si Rubens: v té vteřině, kdy pochopil komické, se člověk nesměje; smích následuje až *vzápětí* jako tělesná reakce, jako křeč, v níž už žádné myšlení není. Smích je křeč tváře a v křeči člověk nevládne sám sebou, vládne jím něco, co není ani vůle ani rozum. A to je důvod, proč antický sochař neztvárňoval smích. Člověk, jenž sebou nevládne (člověk mimo rozum, mimo vůli), nemohl být považován za krásného.

Jestliže proti duchu velkých malířů učinila naše doba smích privilegovaným výrazem lidské tváře, znamená to, že absence vůle a rozumu se stala ideálním stavem člověka. Dalo by se namítnout, že křeč, kterou nám ukazují fotografické portréty, je simulovaná, a tedy rozumová a volní: Kennedy, který se směje před objektivem, nereaguje na komickou situaci, ale velmi vědomě otvírá ústa a odhaluje zuby. To však jen dokazuje, že křeč smíchu (stav mimo rozum a mimo vůli) byla dnešními lidmi povýšena na ideální obraz, za kterým se rozhodli skrýt.

Rubens si říká: smích je nejdemokratičtější ze všech výrazů tváře: svými nepohnutými rysy se jeden od druhého odlišujeme, ale v křeči jsme všichni stejní.

Busta Julia Cesara, který se chechtá, je nemyslitelná. Ale američtí prezidenti odcházejí na věčnost skryti za demokratickou křečí smíchu.

22

Byl zase v Římě. V obrazárně se dlouho zdržel v sále s gotickými obrazy. Před jedním z nich zůstal stát fascinován. Bylo to Ukřižování. Co viděl? Viděl na Ježíšově místě ženu, kterou právě křižovali. Jako Kristus měla na sobě jen bílou látku omotanou kolem beder. Opírala se chodidly o dřevěný výstupek, zatímco katové připoutávali její kotníky tlustými provazy k břevnu. Kříž byl vztyčen na vrcholu kopce a bylo ho vidět ze široka a daleka. Kolem něho byly davy vojáků, mužů i žen z lidu, čumilů, kteří se všichni dívali na ženu vystavenou jejich pohledu. Byla to loutnistka. Cítila všechny ty pohledy na svém těle a přikrývala si dlaněmi svá prsa. Po její levici a pravici byly vztyčeny jiné dva kříže a ke každému připoután zločinec. První se k ní naklonil, vzal jí ruku, odtrhl z jejího prsu a roztáhl její paži tak, že se hřbet její ruky dotýkal konce vodorovného ramene kříže. Druhý lotr uchopil druhou ruku a učinil s ní stejný pohyb, takže loutnistka měla obě ruce roztaženy. Její tvář zůstávala stále stejně nehybná. Oči měla upřeny do dálek. Ale Rubens věděl, že se nedívá do dálek, nýbrž do obrovského imaginárního zrcadla, umístěného před ní mezi nebem a zemí. Vidí v něm svůj vlastní obraz, obraz ženy na kříži s rozpjatýma rukama a obnaženými ňadry. Je vystavena davu, nesmírnému, křičícímu, zvířeckému, a dívá se na sebe, vzrušena, spolu s ním.

Rubens nemohl od té podívané odtrhnout oči. A když je odtrhl, řekl si: tato chvíle by měla vstoupit do dějin náboženství pod jménem: *Rubensovo vidění v Římě.* Byl až do večera pod vlivem té mystické chvíle. Už čtyři roky loutnistce nevolal, ale toho dne nebyl s to se ovládnout. Vytočil její číslo hned, jak se vrátil do hotelu. Na druhém konci linky se ozval neznámý ženský hlas.

Řekl nejistě: „Mohl bych mluvit s madame...?“ nazval ji jménem jejího manžela.

„Ano, to jsem já,“ řekl hlas na druhé straně.

Vyslovil křestní jméno loutnistky a ženský hlas mu odpověděl, že žena, kterou volá, zemřela.

„Zemřela?“ ustrnul.

„Ano. Agnes zemřela. Kdo volá?“

„Jsem její přítel.“

„Mohu znát vaše jméno?“

„Ne,“ řekl a zavěsil sluchátko.

23

Když někdo umře na filmovém plátně, ozve se okamžitě elegická hudba, ale když v našich životech umře někdo z těch, které jsme znali, žádnou hudbu není slyšet. Je jen zcela málo smrtí, které jsou s to námi hluboce otřást, dvě tři za život, víc ne. Smrt ženy, která byla jen epizodou, Rubense překvapila a rozesmutněla, nemohla jím však otřást, tím spíš, že ta žena odešla z jeho života už před čtyřmi lety a musil se s tím tehdy smířit.

I když se nestala v jeho životě o nic víc nepřítomná, než byla předtím, přesto se její smrtí všechno změnilo. Pokaždé, když si na ni vzpomněl, musil myslit na to, co se stalo s jejím tělem. Spustili ho v rakvi do země? Anebo ho dali spálit? Vybavil si její nepohnutou tvář pozorující samu sebe velkýma očima v imaginárním zrcadle. Viděl víčka těch očí, jak se pomalu zavírají, a byla to najednou mrtvá tvář. Právě proto, že ta tvář byla tak klidná, přechod ze života do neživota byl plynulý, harmonický, krásný. Ale pak si začal představovat, co se s tváří dělo dál. A to bylo hrozné.

Přišla za ním G. Jako vždycky se dali do dlouhého mlčenlivého milování a jako vždycky se mu v těch předlouhých chvílích vybavila v duchu loutnistka: jako vždycky stála před zrcadlem s nahými prsy a dívala se před sebe nepohnutým pohledem. V té chvíli Rubens pomyslil na to, že už je možná dva tři roky mrtvá; že už jí vlasy spadaly z kůže a oči se propadly. Chtěl se rychle zbavit té představy, protože věděl, že jinak nebude s to se dál milovat. Odháněl z mysli myšlenku na loutnistku, nutil se soustředit na G, na její zrychlený dech, ale myšlenky byly neposlušné a jako naschvál mu podstrkovaly obrazy, které nechtěl vidět. A když už byly ochotny ho poslechnout a neukazovat mu loutnistku v rakvi, ukazovaly mu ji v plamenech a bylo to přesně tak, jak o tom kdysi slyšel vyprávět: hořící tělo (dík nějaké fyzikální síle, které nerozuměl) se vztyčilo, takže loutnistka v peci seděla. A doprostřed té vidiny sedícího a hořícího těla se náhle ozval nespokojený a naléhavý hlas: „Silněji! Silněji! Ještě! Ještě!“ Musil přerušit milování. Omluvil se G, že je ve špatné kondici.

Pak si řekl: ze všeho, co jsem prožil, mi zůstala jen jedna fotografie, jako by v sobě obsahovala to nejintimnější, to nejhlouběji skryté z mého erotického života, jako by obsahovala samu jeho esenci. Snad jsem se v poslední době miloval jen proto, aby ta fotografie v mé mysli ožívala. A teď je ta fotografie v plamenech a krásná nehybná tvář se kroutí, scvrkává, černá a nakonec rozpadá v popel.

G měla přijít o týden později a Rubens se už předem obával představ, které ho budou při milování přepadat. Chtěje vyhnat loutnistku z mysli, sedl si zase ke stolu, hlavu podepřenou v dlani, a hledal v paměti jiné fotografie, které mu zbyly z jeho erotického života a mohly mu nahradit obraz loutnistky. Ještě jich několik našel, a dokonce se šťastně divil, že jsou pořád tak krásné a vzrušující. Ale v hloubi duše si byl jist, že až se bude milovat s G, jeho paměť mu je odmítne ukázat a podsune mu místo nich jako špatný makabrální vtip obraz loutnistky sedící v plamenech. Nemýlil se. Musil se G omluvit uprostřed milování i tentokrát.

Potom si řekl, že neuškodí, když své styky se ženami na čas přeruší. Až na další, jak se říká. Jenomže ta přestávka se prodlužovala týden po týdnu, měsíc po měsíci. Jednoho dne si uvědomil, že žádné „další“ už nebude.

SEDMÝ DÍL / OSLAVA

1

V tělocvičně zrcadla už po mnoho let odrážejí pohyby paží a nohou; před půl rokem na naléhání imagologů vtrhla i do haly plovárny; ze tří stran jsme byli obklopeni zrcadly, čtvrtou stranu tvořilo jedno veliké okenní sklo poskytují výhled na střechy Paříže. Seděli jsme v plavkách u stolu postaveného u kraje bazénu, kde funěli plavci. Mezi námi se tyčila láhev vína, kterou jsem objednal k oslavě výročí.

Avenarius se mne ani nestačil zeptat, co oslavuji, protože byl stržen novým nápadem: „Představ si, že máš volit mezi dvěma možnostmi. Prožít milostnou noc se světoznámou kráskou, třeba s Brigitte Bardotovou nebo s Gretou Garbo, ale pod podmínkou, že se o tom nikdo nedoví. Anebo ji držet důvěrně kolem ramene a procházet se s ní po hlavní ulici svého města, ale pod podmínkou, že s ní nebudeš smět nikdy spát. Chtěl bych znát přesné procento lidí, kteří by volili jednu či druhou možnost. To by vyžadovalo statistickou metodu. Obrátil jsem se proto na několik kanceláří provádějících výzkumy veřejného mínění, ale všechny mě odmítly."

„Nikdy jsem úplně nepochopil, do jaké míry je třeba brát vážně, co děláš."

„Všechno, co dělám, je třeba brát absolutně vážně."

Pokračoval jsem: „Představuju si tě například, jak přednášíš ekologům svůj plán na zničení aut. Nemohl jsi přece počítat s tím, že ho přijmou!"

Udělal jsem po svých slovech pauzu. Avenarius mlčel.

„Anebo sis myslil, že ti budou tleskat?"

„Ne," řekl Avenarius, „nemyslil."

„Proč jsi tedy podával svůj návrh? Abys je demaskoval? Abys jim dokázal, že přes všechnu svou nonkonformistickou gestikulaci jsou ve skutečnosti součástí toho, čemu říkáš Diabolum?"

„Nic není neužitečnějšího,“ řekl Avenarius, „než chtít něco dokazovat pitomcům.“

„Pak zůstává jen jedno vysvětlení: chtěl jsi udělat legraci. Jenomže i v tom případě mi tvé jednání připadá nelogické. Nepočítal jsi přece s tím, že se mezi nimi najde někdo, kdo tě pochopí a bude se smát!“

Avenarius zavrtěl hlavou a řekl s jakýmsi smutkem: „Ne, nepočítal. Diabolum se vyznačuje naprostým nedostatkem smyslu pro humor. Komično, i když stále existuje, se stalo neviditelné. Dělat legraci přestalo mít smysl.“ Potom dodal: „Tenhle svět bere všechno vážně. Dokonce i mě. A to je vrchol.“

„Měl jsem spíš pocit, že nikdo nic nebere vážně! Všichni se chtějí jen bavit.“

„To přijde na stejno. Až bude muset totální osel oznámit ve zprávách vypuknutí atomové války anebo zemětřesení v Paříži, bude se u toho jistě snažit být vtipný. Možná že si už od nynějška pro ty příležitosti hledá nějaký kalambúr. Ale to nemá nic společného se smyslem pro komično. Protože ten, kdo je v tomto případě komický, je člověk, který hledá kalambúr pro oznámení zemětřesení. Jenomže člověk, který hledá kalambúr pro oznámení zemětřesení, bere své hledání naprosto vážně a ani v nejmenším ho nenapadne, že je komický. Humor může existovat jen tam, kde lidé rozeznávají ještě nějakou hranici mezi důležitým a nedůležitým. A tato hranice se dnes stala nerozeznatelná.“

Znám svého přítele dobře, často se bavím tím, že napodobuji jeho způsob řeči a přejímám jeho myšlenky a nápady; ale přitom mi pořád čímsi uniká. Jeho jednání se mi líbí, přitahuje mne, ale nemohu říci, že mu úplně rozumím. Kdysi jsem mu vysvětloval, že podstata toho či onoho člověka se dá vystihnout pouze metaforou. Odhalujícím bleskem metafory. Celou dobu, co Avenaria znám, hledám marně metaforu, která by ho vystihla a dala mi ho pochopit.

„Když to nebylo pro legraci, tak proč jsi tedy podával ten návrh? Proč?“

Dříve než mi mohl odpovědět, přerušilo nás překvapené zvolání: „Profesor Avenarius! Je to možné?“

Od vchodu mířil směrem k nám sličný muž v plavkách mezi padesátkou a šedesátkou. Avenarius se zvedl. Oba vypadali dojati a dlouze si tiskli ruce.

Avenarius nás pak představil. Pochopil jsem, že před sebou vidím Paula.

2

Přisedl si k nám a Avenarius mu na mne ukazoval širokým gestem: „Vy neznáte jeho romány? *Život je jinde*! To musíte číst! Moje žena tvrdí, že je to vynikající!"

Pochopil jsem v náhlém osvícení, že Avenarius nikdy nečetl můj román; když mne před časem nutil, abych mu ho přinesl, bylo to jen proto, že jeho žena trpící nespavostí potřebuje zkonzumovat v posteli kilogramy knih. Přišlo mi to líto.

„Přišel jsem, abych si zchladil ve vodě hlavu," řekl Paul. Pak uviděl na stole víno a na vodu rázem zapomněl. „Co pijete?" Vzal láhev do ruky a prohlížel pozorně vinětu. Pak dodal: „Piju dnes od rána."

Ano, bylo to na něm vidět a překvapilo mne to. Nikdy jsem si ho nepředstavoval jako opilce. Zavolal jsem na číšníka, aby donesl třetí sklenku.

Začali jsme si povídat o všem možném. Avenarius se ještě několikrát zmínil o mých románech, které nečetl, a vyprovokoval tak Paula k poznámce, jejíž nezdvořilost mne skoro ohromila: „Nečtu romány. Paměti mi přinášejí mnohem víc zábavy i poučení. Anebo životopisy. Četl jsem v poslední době knihy o Salingerovi, o Rodinovi, o láskách Franze Kafky. A nádhernou biografii Hemingwayovu. Ach, ten podvodník. Ten lhář. Ten megaloman," smál se radostně Paul: „Ten impotent. Ten sadista. Ten macho. Ten erotoman. Ten mizogyn."

„Když jste jako advokát ochoten obhajovat vrahy, proč se neujmete autorů, kteří se kromě svých knih ničím neprovinili?" zeptal jsem se.

„Protože mi jdou na nervy," řekl Paul vesele a nalil si víno do sklenky, kterou před něho číšník právě postavil.

„Moje žena zbožňuje Mahlera," řekl pak. „Vyprávěla mi, jak se čtrnáct dnů před premiérou své Sedmé symfonie zavřel do hlučného hotelového pokoje a přepracovával celé noci instrumentaci."

„Ano," přisvědčil jsem, „bylo to v Praze v roce 1906. Hotel se jmenoval *U modré hvězdy*."

„Představuju si ho v tom hotelovém pokoji obklopeného notovými papíry," pokračoval Paul nenechávaje se vyrušit. „Byl přesvědčen, že celé jeho dílo bude zkaženo, jestli v druhé větě bude hrát melodii místo hoboje klarinet."

„Je to přesně tak," řekl jsem a myslil na svůj román.

Paul pokračoval: „Chtěl bych, aby se jednou ta symfonie provedla před publikem nejzasvěcenějších odborníků nejdřív s opravami posledních čtrnácti dnů a pak bez oprav. Ručím za to, že by nikdo neuměl rozeznat jednu verzi od druhé. Rozumějte: je jistě obdivuhodné, že motiv hraný v druhé větě houslemi převezme v poslední větě flétna. Všechno je propracováno, promyšleno, procítěno, nic není ponecháno náhodě, ale ta obrovská dokonalost nás přesahuje, přesahuje kapacitu naší paměti, naši schopnost soustředění, takže i posluchač nejfanatičtěji pozorný nepojme z té symfonie víc než jednu setinu a to určitě tu, na které Mahlerovi nejméně záleželo."

Jeho myšlenka, tak očividně správná, ho rozveselovala, zatímco já jsem se stával čím dál smutnější: jestliže můj čtenář přeskočí jednu větu mého románu, nebude mu rozumět, a přece, kde je na světě čtenář, který nepřeskočí žádný řádek? Nejsem já sám největší přeskakovač řádků a stránek?

„Neupírám těm symfoniím jejich dokonalost," pokračoval Paul. „Popírám jen *důležitost* té dokonalosti. Ty arciskvostné symfonie nejsou než katedrály neužitečného. Jsou člověku nepřístupné. Jsou nelidské. Zveličovali jsme jejich význam. Cítili jsme se před nimi méněcenní. Evropa zredukovala Evropu na padesát geniálních děl, kterým nikdy nerozuměla. Představte si tu pobuřující nerovnost: miliony Evropanů, kteří nic neznamenají, proti padesáti jménům, která reprezentují vše! Třídní nerovnost je bezvýznamné nedopatření proti této urážlivé metafyzické nerovnosti, která jedny proměňuje v zrnka písku a do druhých promítá smysl bytí!"

Láhev byla prázdná. Zavolal jsem na číšníka, aby donesl další. Tím se stalo, že Paul ztratil nit.

„Mluvil jste o životopisech," napověděl jsem mu.

„Aha," vzpomněl si.

„Radoval jste se, že můžete konečně číst intimní korespondenci mrtvých."

„Já vím, já vím," říkal Paul, jako by chtěl předejít námitkám protistrany: „Ujišťuji vás, že hrabat se někomu v jeho intimní korespondenci, vyslýchat jeho bývalé milenky, přemlouvat doktory, aby zradili lékařské tajemství, je špína. Autoři životopisů jsou lůza a nikdy bych si s nimi nemohl sednout k jednomu stolu jako s vámi. Robespierre by si tak nesedl ke stolu s chátrou, která loupila a měla kolektivní orgasmus, když hltala očima popravy. Ale věděl, že bez ní to nejde. Lůza je nástrojem spravedlivé revoluční nenávisti."

„Co je na nenávisti k Hemingwayovi revolučního?" řekl jsem.

„Nemluvím o nenávisti k Hemingwayovi! Mluvím o jeho *díle*! Mluvím o *jejich* díle! Bylo už třeba jednou říci nahlas, že číst *o* Hemingwayovi je tisíckrát zábavnější i poučnější než číst Hemingwaye. Bylo třeba ukázat, že Hemingwayovo dílo je jen zašifrovaný Hemingwayův život a že ten život byl stejně ubohý a bezvýznamný jako život nás všech. Bylo třeba rozstříhat na kousky Mahlerovu symfonii a použít ji jako hudebního podmalování pro reklamu na toaletní papír. Bylo už třeba jednou skončit s terorem nesmrtelných. Svrhnout arogantní moc Devátých symfonií a Faustů!"

Opit vlastními slovy vstal a zvedl do výše sklenku: „Připíjím na konec starých časů!"

3

V zrcadlech, která se vzájemně odrážela, byl Paul sedmadvacetkrát zmnožen a lidé od vedlejšího stolu se zvědavě dívali na jeho vzpaženou ruku se sklenkou. I dva tlouštíci vystupující z malého bazénu s podvodní masáží se zastavili a nespouštěli zrak ze sedmadvaceti Paulových paží ustrnulých ve vzduchu. Nejdřív jsem myslil, že tak znehybněl, aby dodal dramatického patosu svým slovům, ale pak jsem si všiml dámy v plavkách, která právě vstoupila do sálu, čtyřicátnice s hezkou tváří, pěkně formovanýma, i když trochu krátkýma nohama a expresívní, i když poněkud velkou zadnicí, která jako tlustá šipka ukazovala k zemi. Podle té šipky jsem ji okamžitě poznal.

Nejdřív nás neviděla a kráčela přímo k bazénu. Naše oči však na ni byly upřeny s takovou silou, že k nám nakonec přitáhly její pohled. Zčervenala. Když žena zčervená, je to krásné; její tělo jí v té chvíli nepatří; neovládá ho; je mu dána napospas; ach, co je krásnějšího než pohled na ženu znásilňovanou vlastním tělem! Začal jsem chápat Avenariovu slabost pro Lauru. Stočil jsem na něho pohled: jeho tvář zůstala dokonale nepohnutá. To sebeovládání se mi zdálo zrazovat ho ještě víc, než Lauru zrazovalo její začervenání.

Opanovala se, společensky se usmála a přistoupila k našemu stolu. Zvedli jsme se a Paul nás představoval své ženě. Pozoroval jsem pořád Avenaria. Věděl, že Laura je Paulova žena? Myslil jsem, že ne. Jak jsem ho znal, vyspal se s ní jednou a od té doby ji neviděl. Ale nevěděl jsem to s určitostí a nebyl jsem si jist vlastně vůbec ničím. Když podával Lauře ruku, uklonil se, jako by ji viděl poprvé v životě. Laura se rozloučila (až příliš rychle, řekl jsem si) a skočila do bazénu.

Z Paula opadla náhle všechna euforie. „Jsem rád, že jste ji poznali,“ řekl melancholicky. „Je to, jak se říká, žena mého života. Měl bych si blahopřát. Život je krátký a většina lidí ženu svého života nikdy nenajde."

Číšník přinesl novou láhev, otvíral ji před námi, doléval všechny sklenky, takže Paul ztratil znovu nit.

„Mluvil jste o ženě svého života," napověděl jsem mu, když se číšník vzdálil.

„Ano," řekl. „Mám s ní tříměsíční dcerušku. Z prvního manželství mám také dceru. Před rokem mi odešla z domu. Bez rozloučení. Byl jsem nešťastný, protože ji mám rád. Dlouho jsem od ní neměl žádné zprávy. Přede dvěma dny se vrátila, protože ji její milenec pustil k vodě. Předtím jí udělal dítě, dcerušku. Přátelé, mám vnučku! Jsem teď obklopen čtyřmi ženami!" Představa čtyř žen jako by do něho vlila energii: „To je důvod, proč dnes od rána piju! Piju na shledání! Piju na zdraví své dcery a své vnučky!"

Pod námi v bazénu plavala Laura ještě se dvěma jinými plavci a Paul se usmíval. Byl to zvláštní unavený úsměv, který způsoboval, že mi ho bylo líto. Zdálo se mi, že náhle zestárl. Jeho mohutná šedivá kštice se najednou podobala účesu staré dámy. Jako by chtěl vůlí čelit návalu slabosti, povstal znovu se sklenicí v ruce.

Mezitím se ozývaly zdola údery paží o hladinu. S hlavou nad vodou Laura plavala kraul, neobratně, ale o to náruživěji a s jakýmsi vztekem.

Zdálo se mi, že každý z těch úderů dopadá Paulovi na hlavu jako další rok života: jeho tvář stárla viditelně před našima očima. Už měla sedmdesát a vzápětí osmdesát let a on stál a napřahoval sklenku vpřed, jako by chtěl zastavit tu lavinu roků, která se na něho řítila: „Vzpomínám si na jednu slavnou větu z mládí," říkal hlasem, který náhle ztratil na zvučnosti: *„žena je budoucností muže.* Kdo to vlastně řekl? Už nevím. Lenin? Kennedy? Ne, ne. Nějaký básník."

„Aragon," napověděl jsem mu.

Avenarius řekl nepřívětivě: „Co to znamená, že žena je budoucností muže? Že se muži promění v ženy? Nerozumím té blbé větě!"

„To není blbá věta! To je básnická věta!“ bránil se Paul.

„Literatura zanikne a hloupé básnické věty zůstanou bloudit světem?“ řekl jsem.

Paul mne nebral na vědomí. Uviděl právě svůj obraz sedmadvacetkrát zmnožený v zrcadlech a nemohl od něho odtrhnout zrak. Obracel se střídavě ke všem svým tvářím v zrcadlech a mluvil slabým vysokým hlasem staré dámy: „Žena je budoucností muže. To znamená, že svět, který byl kdysi vytvořen k obrazu muže, se nyní bude připodobňovat obrazu ženy. Čím bude techničtější a mechanizovanější, kovovější a studenější, tím více bude mít potřebí onoho tepla, které mu může dát jen žena. Budeme-li chtít zachránit svět, musíme se přizpůsobit ženě, dát se vést ženou, nechat se proniknout tím *Ewigweibliche*, tím věčně ženským!“

Jako by ho byla ta prorocká slova zcela vyčerpala, Paul byl najednou o dalších deset let starší, byl to úplně slaboučký a vysílený stařeček mezi sto dvaceti a sto padesáti lety. Nebyl ani s to udržet sklenku. Sesul se na židli. Pak řekl upřímně a smutně: „Vrátila se bez ohlášení. A nenávidí Lauru. A Laura nenávidí ji. Mateřství jim oběma přidalo na bojovnosti. Už se zase ozývá z jedné místnosti Mahler a z druhé rock. Už zase chtějí, abych volil, už zase mi dávají ultimata. Daly se do boje. A když se ženy dají do boje, tak se nezastaví.“ Pak se k nám důvěrně naklonil: „Přátelé, neberte mě vážně. To, co vám teď řeknu, není pravda.“ Ztišil hlas, jako by nám sděloval velké tajemství: „Bylo ohromné štěstí, že války dělali až dosud jen muži. Kdyby je byly vedly ženy, byly by ve své krutosti tak důsledné, že by dnes na zeměkouli nezůstal jediný člověk.“ A jako by chtěl, abychom okamžitě zapomněli, co řekl, praštil pěstí do stolu a zvýšil hlas: „Přátelé, já si přeju, aby hudba neexistovala. Já si přeju, aby byl Mahlerův otec překvapil syna při masturbaci a dal mu takovou přes ucho, až by malý Gustav na celý život ohluchl a nikdy nerozeznal buben od houslí. A přeju si, aby ze všech elektrických kytar byl vyveden proud a zapjat do židlí, na které vlastnoručně přivážu kytaristy.“ Pak dodal úplně tiše: „Přátelé, já bych chtěl být ještě desetkrát opilejší, než jsem.“

4

Seděl zhroucen u stolu a bylo to tak smutné, že jsme se na to nemohli dívat. Vstali jsme, přistoupili k němu a plácali ho po zádech. A tak jak jsme ho plácali, vidíme najednou, že jeho žena vyskočila z vody a míří kolem nás ven z haly. Tvářila se, jako bychom neexistovali.

Tolik se na Paula hněvala, že se na něho nechtěla ani podívat? Anebo ji uvedlo do rozpaků nenadálé setkání s Avenariem? Ať tomu bylo jakkoli, krok, kterým šla kolem nás, měl v sobě cosi tak mocného a přitažlivého, že jsme Paula přestali plácat a všichni tři se za ní dívali.

Když už byla u houpacích dveří, které vedly z haly k šatnám, stalo se něco neočekávaného: obrátila náhle hlavu směrem k našemu stolu a vyhodila do vzduchu paži pohybem tak lehkým, tak půvabným, tak plavným, že se nám zdálo, že se od jejích prstů odrazil do výšky zlatý míč a zůstal tkvět nade dveřmi.

Paul měl náhle úsměv na tváři a chytil Avenaria pevně za ruku: „Viděl jste? Viděl jste to gesto?“

„Ano,“ řekl Avenarius a díval se jako já a jako Paul k zlatému míči zářícímu pod stropem jako vzpomínka na Lauru.

Bylo mi zcela jasné, že gesto nebylo určeno opilému manželovi. To nebylo zautomatizované gesto každodenního loučení, to bylo gesto výjimečné a plné významů. Mohlo být určeno jen Avenariovi.

Paul ovšem nic netušil. Jako zázrakem z něho opadávala léta, byl to už zase sličný padesátník pyšný na šedivou kštici. Díval se pořád ke dveřím, nad nimiž svítil zlatý míč, a říkal: „Ach, Laura! To je celá ona! Ach, to gesto! To je Laura!“ A potom vyprávěl dojatým hlasem: „Poprvé na mě tak zamávala, když jsem ji doprovodil k porodnici. Prodělala předtím dvě operace, aby mohla mít dítě. Měli jsme z porodu strach. Aby mě ušetřila rozrušení, zakázala mi, abych s ní šel dovnitř. Stál jsem u auta a ona kráčela sama k vratům, a když už byla na prahu, otočila náhle hlavu, přesně tak jako před chvílí, a zamávala mi. Když jsem se vrátil domů, bylo mi hrozně smutno, stýskalo se mi po ní, a abych si ji zpřítomnil, snažil jsem se napodobit sám pro sebe to krásné gesto, kterým mě okouzlila. Kdyby mě byl tehdy někdo viděl, musil by se smát. Postavil jsem se zády k zrcadlu, vyhodil jsem paži do výše a usmíval se při tom na sebe přes rameno v zrcadle. Udělal jsem to asi třicetkrát nebo padesátkrát a myslil na ni. Byl jsem zároveň Laurou, která mě zdraví, a zároveň sám sebou, který se dívá, jak mě Laura zdraví. Ale zvláštní byla jedna věc: to gesto se ke mně nehodilo. Byl jsem v tom pohybu nenapravitelně neobratný a směšný."

Vstal a postavil se k nám zády. Pak vyhodil ruku do výše a díval se na nás přes rameno. Ano, měl pravdu: byl komický. Smáli jsme se. Náš smích ho povzbudil, aby to gesto opakoval ještě několikrát. Byl čím dál víc k smíchu.

Pak řekl: „Víte, to není mužské gesto, to je gesto ženy. Žena nás tím gestem vybízí: pojď, následuj mě, a vy nevíte, kam vás zve, a ona to také neví, ale zve vás s přesvědčením, že stojí za to jít tam, kam vás zve. Proto vám říkám: buď bude žena budoucností muže, anebo lidstvo zahyne, protože jen žena je s to chovat v sobě ničím neopodstatněnou naději a zvát nás do pochybné budoucnosti, v kterou bychom, nebýt žen, už dávno přestali věřit. Celý život jsem byl ochoten jít za jejich hlasem, i když ten hlas je bláznivý, a já jsem všechno jen ne blázen. Ale není nic krásnějšího, než když ten, kdo není blázen, jde do neznáma veden bláznivým hlasem!" A znovu řekl slavnostně několik německých slov: „*Das Ewigweibliche zieht uns hinan*! To věčně ženské nás táhne výš!"

Goethův verš jako pyšná bílá husa plácal křídly pod klenbou plovárny a Paul odrážen ve třech plochách zrcadel odcházel k houpacím dveřím, nad kterými zářil stále zlatý míč. Poprvé jsem ho viděl upřímně veselého. Udělal pár kroků, otočil k nám hlavu přes rameno a vyhodil paži do vzduchu. Smál se. Ještě jednou se otočil, ještě jednou zamával. Pak nám předvedl ještě naposledy tu neobratnou mužskou napodobeninu krásného ženského gesta a zmizel ve dveřích.

5

Řekl jsem: „Mluvil moc pěkně o tom gestu. Ale myslím, že se mýlil. Laura nikoho nelákala do budoucnosti, ale chtěla ti dát na vědomí, že je tu a že je tu pro tebe.“

Avenarius mlčel a jeho tvář nic neprozrazovala.

Řekl jsem mu vyčítavě: „Není ti ho líto?“

„Je,“ řekl Avenarius. „Mám ho upřímně rád. Je inteligentní. Je vtipný. Je komplikovaný. Je smutný. A hlavně: pomohl mi! Nezapomeň na to!“ Potom se ke mně naklonil, jako by nechtěl nechat bez odpovědi mou nevyřčenou výčitku: „Vyprávěl jsem ti o svém návrhu položit publiku otázku: kdo by chtěl s Ritou Hayworthovou tajně spát a kdo by se s ní raději veřejně ukazoval. Výsledek je ovšem znám předem: všichni, včetně toho nejuboženějšího ubožáka, by tvrdili, že s ní chtějí spát. Protože všichni chtějí vypadat sami před sebou, před svými ženami, a dokonce i před plešatým úředníkem sondáže jako hedonisté. Jenomže to je jejich sebeklam. Jejich komedie. Dnes už hedonisté neexistují.“ Poslední slova řekl s velkým důrazem a pak s úsměvem dodal: „Kromě mě.“ A pokračoval: „Ať by tvrdili cokoli, kdyby se jim naskytla možnost skutečně volit, všichni, říkám ti, všichni by dali přednost jít s ní po náměstí. Protože všem záleží na obdivu a ne na rozkoši. Na zdání a ne na skutečnosti. Skutečnost už pro nikoho nic neznamená. Pro nikoho. Pro mého advokáta neznamená vůbec nic.“ Pak řekl s jakousi něhou: „A proto ti mohu slavnostně slíbit, že mu nebude ublíženo. Parohy, které nese, zůstanou neviditelné. Budou mít barvu azuru za krásného počasí, budou šedé, když bude pršet.“ Pak ještě dodal: „Ostatně člověka, o kterém víme, že znásilňuje ženy s nožem v ruce, nebude žádný muž podezírat, že je milencem jeho ženy. Ty dva obrazy nejdou dohromady.“

„Počkej,“ řekl jsem. „On si *opravdu* myslí, že jsi chtěl znásilňovat ženy?“

„Vždyť jsem ti to říkal."
„Myslel jsem, že žertuješ."
„Přece bych nevyzradil své tajemství!" Pak dodal: „Ostatně, i kdybych mu řekl pravdu, nevěřil by mi. A kdyby mi i uvěřil, přestal by se okamžitě zajímat o můj případ. Měl jsem pro něho cenu jen jako násilník. Pojal ke mně tu nepochopitelnou lásku, kterou velcí advokáti umějí chovat k velkým zločincům."
„Ale jak jsi tedy všechno vysvětlil?"
„Nic jsem nevysvětloval. Propustili mě pro nedostatek důkazů."
„Jak to, nedostatek důkazů! A co nůž?"
„Nezapírám, že to bylo tvrdé," řekl Avenarius a pochopil jsem, že už se nic nedovím.
Chvíli jsem mlčel a pak jsem řekl: „Ty bys nebyl za žádnou cenu přiznal pneumatiky?"
Zavrtěl hlavou.
Zmocnilo se mne zvláštní dojetí: „Tys byl ochoten se nechat zavřít jako násilník, jen abys nezradil hru..."
A v té chvíli jsem ho pochopil: jestliže nemůžeme přiznat důležitost světu, který se považuje za důležitý, jestliže uvnitř toho světa náš smích nenajde žádnou ozvěnu, zbývá nám jediné: vzít svět jako celek a učinit ho předmětem naší hry; udělat si z něj hračku. Avenarius si hraje a jediná důležitá věc ve světě bez důležitosti je pro něho hra. Ale on ví, že tou hrou nikoho nerozesměje. Když přednášel ekologům svůj návrh, nechtěl nikoho bavit. Chtěl bavit jen sám sebe.
Řekl jsem: „Hraješ si se světem jako melancholické dítě, které nemá bratříčka."
Ano, to je metafora pro Avenaria! Hledám ji od té doby, co ho znám! Konečně!
Avenarius se usmíval jako melancholické dítě. Pak řekl: „Bratříčka nemám, ale mám tebe."
Vstal, já jsem vstal též a zdálo se, že po posledních Avenariových slovech nám nezbude než se obejmout. Ale pak jsme si uvědomili, že jsme jen v plavkách, a lekli jsme se důvěrného dotyku našich nahých břich. V rozpacích jsme se zasmáli a ode-

šli jsme do šaten, kde z amplionu křičel vysoký ženský hlas doprovázený kytarami, takže už nás netěšilo pokračovat v rozhovoru. Vstoupili jsme pak do výtahu. Avenarius jel do suterénu, kde byl zaparkován jeho mercedes, a já jsem ho opustil v přízemí. Z pěti plakátů vyvěšených v hale se na mne smálo pět různých tváří se stejně vyceněnými zuby. Měl jsem strach, že mne kousnou, a rychle jsem vyšel na ulici.

Vozovka byla ucpána auty, která nepřetržitě troubila. Motocykly vjížděly na chodníky a proplétaly se mezi chodci. Myslil jsem na Agnes. Jsou to přesně dva roky, co jsem si ji poprvé představil, když jsem nahoře v klubu na lehátku čekal na Avenaria. To byl důvod, proč jsem dnes objednal láhev. Dopsal jsem román a chtěl jsem to oslavit na stejném místě, kde se narodila jeho první myšlenka.

Auta troubila a bylo slyšet křik rozhněvaných lidí. V takové situaci toužila kdysi Agnes koupit si pomněnku, jeden jediný kvítek pomněnky; toužila ho držet před očima jako poslední sotva viditelnou stopu krásy.

Dopsáno v prosinci 1988 v Reykjavíku

ĎÁBEL VEDE BÁL

Co je to velký román? Živoucí organismus, který potřebuje všechen čas ke svému pomalému chodu, ale který vás zároveň nenechá ani minutu lhostejným; celek na tři západy dokonale uzavřený, ale v němž se přesto každý detail hlásí o slovo. Kniha pro všechny (co bude dál? co se stane s postavou?), i pro ty nejvybranější (jak autor komponuje příběh? jaké jsou jeho tajné úmysly?). To všechno platí o Nesmrtelnosti, bezpochyby nejpromyšlenějším, ale též nejodvážnějším románu Milana Kundery. Dovolil si ten přepych odvahy, i když se už mohl klidně spolehnout na setrvačnost solidně etablované slávy. Jenomže to se právě hned tak nepodaří, chytit ho do pasti vlastního obrazu. Ještě jednou všem unikl. Bezpochyby ho špatně hlídali. Zatracený akrobat! Uprostřed Paříže! S prázdnýma rukama, s prázdnými kapsami. Jen s psacím strojem. A to ještě trvá na tom, abychom ho četli od první do poslední řádky. Což se stalo. Resumé: je to chef-d'oeuvre. Špatně skrývaná žárlivost nakladatelského a žurnalistického světa? Možná, ale tak už to chodí.

První dobrá zpráva je tedy tato: Milan Kundera nemá nejmenší úmysl spokojit se s tím, aby byl Milanem Kunderou, a právě podepsal jménem Milana Kundery zázračný a ďábelský „francouzský" román. Jako by Kafka, vrátiv se mezi nás, poslal k čertu všechna klišé i všechny diplomní práce, co o něm byly napsány, aby nás uchvátil nejprostšími a nejbezprostřednějšími slovy. Děj se odehrává se stejnou přirozeností na ultramoderním Montparnassu, jako se kdysi odehrával v Praze. Anebo si představte, že by Proust, odmítnuv být Proustem narkotizovaným tunou komentářů, se opovážil, zde, přede všemi, v plné dnešní aktualitě, být prostě Marcelem Proustem. Jaká nepatřičnost! Jaké rozpaky ve večerních televizních zprávách! V Nesmrtelnosti dva dávno mrtví, kteří si dovolují vyslovit svůj názor o tom, co z nich udělala marnost dnešního světa změněného ve spektákl, jsou Goethe a Hemingway. Jsou na onom světě a klábosí spolu o enormní a zlomyslné hlouposti, jíž jsou ustavičným terčem. Myslí si o nás své a nejsou vůbec smutni. Ale vraťme se.

Na začátku románu vidíme vypravěče odpočívat v gymnastickém klubu vybaveném bazénem a zrcadly, vévodícím Paříži. Pozoruje dámu mezi šedesáti a pětašedesáti lety, která právě končí svou lekci plavání. Scéna je trapná a komická. Dáma odchází, otočí se a zamává na rozloučenou plavčíkovi, který se jí pošklebuje. To gesto je prchavé, půvabné, mladé, dojemné, oslňující. Celá kniha se k němu bude vracet jako k vedoucí linii procházející tímto mnohonásobným příběhem (je to tedy román o variacích tělesných pohybů). To gesto probudí obrazotvornost, z níž se narodí hlavní aktéři: Agnes a její sestra Laura, jejich otec, maniak diskrétnosti; Paul, manžel první sestry, který se později ožení s druhou (studie postupného rozkladu dvojic).

Jiný zdroj inspirace: rozhlas; vypravěč ho poslouchá ráno v polospánku: nepřetržitý a zmatený proud, vývar z nervózních hlasů nových pánů světa. Jsou tu tedy jednak mrtví, více méně slavní a zároveň naprosto bezbranní, a potom jsou tu živí, dokonale dezorientovaní a čím dál víc podřízení irealitě, kterou pro ně fabrikuje moderní svět. Mnoho lidí, málo gest, říká Kundera. Nebo ještě: lidí mnoho, myšlenek málo. Životy jsou jakoby dopředu nahrané pod pohledem Boha-fotografa, který na sebe vzal podobu permanentní indiskrétnosti. Někteří, je jich čím dál míň, trpí v hloubi duše tím prázdným a prostituujícím se předváděním všech přede všemi (Agnes, její otec); jiní k tomu všeobecnému zmatku sami ještě přispívají jakýmsi sebevražedným exhibicionismem (Laura, její milenec Bernard, Paul); konečně někteří, ale jen docela vzácně, kladou bez iluzí odpor.

Obrazy, les images, *se všude proměňují v rozkazy; hlasy reklamních sloganů, to je vláda toho, co Kundera nazývá* imagologií *(všichni to slovo budou opakovat v příštích měsících). Ideologové ztratili moc (což nedávno dějiny potvrdily) ve prospěch imagologů, kteří je s velkým elánem nahradili. Likvidace ideologie (příliš nemotorné, archaické, Hitler, Stalin, Mussolini, Ceaucescu a spol.) je od nynějška doprovázena všeobecným do-*

zorem, který se nám prezentuje jako svoboda, charitativní, vřelá, přátelská a hlavně jednomyslná, neboť je okamžitě schvalována sondážemi veřejného mínění jakožto nedotknutelným prostředkem demokratického vládnutí. Imagologové? Jsou mocnější než politikové, jsou to propagandisté nezadržitelného úniku reality; za nimi jdou v druhém sledu všichni úředníci všech forem informace: zábavné hry, vraždy filmované ve chvíli činu, tanky, varieté, citový sirup, výbuchy smíchu pouštěné z pásku.

Zatímco píšu tyto řádky, veliký plakát naproti mému domu ukazuje řvoucí dítě s široce otevřenými ústy a s nohou v sádře. Nápis: Díky za to, že se pletete do toho, po čem vám nic není. *Kdo by se mohl postavit proti tomuto vznešenému křižáckému tažení za práva dětí zbaběle bitých? Nikdo. Ale to, co je tu důležité, není ani tak spravedlivá věc ochrany dětství, jako pokyn nahlížet do soukromého života druhého člověka, protože proč bych se neměl starat o štěstí svých sousedů i proti jejich vůli? Ta paní o poschodí pode mnou, není snad nešťastná? Není mou svatou povinností, abych zasáhl? A nejsem puzen plést se do toho, po čem mi nic není právě proto, že to, po čem mi něco je, mne otravuje, tíží, jde mi na nervy? Ostatně, tenhle Kunderův román, přišel nám opravdu vhod? Nemíří potměšile k tomu, aby nám bral naději v demokracii a její neodolatelnou budoucnost? Proč nasadil apoteóze lidských práv korunu nekrofilní nesmrtelnosti Panthéonu?*

Umění Kunderovo se dá shrnout, zdá se mi, do dvou základních vlastností: jednak Kundera prolíná rád velkou Historii malými historiemi (evropské události dvou posledních století a všední život v dnešní Paříži) a osvětluje jedním druhé; za druhé: s mimořádnou přirozeností se u něho rodí provokativní myšlenka z konkrétní scény (muž rekapituluje svůj sexuální život a uvědomí si, že z něho zapomněl téměř vše), nebo naopak se nenadálá scéna zrodí z filozofické reflexe. Jeho romány, a tento zejména, jsou jako ubrus, který lze prostírat z obou stran, jsou jako demonstrace z kursu „existenciální matematiky" (nová magická věda). Sleduji tragikomická dobrodružství Agnes, Paula, Laury a zároveň dojemný i komický příběh Goetha a Bettiny von Arnim (aneb: jak se stane velký muž kořistí velké lásky, kterou chová žena sama k sobě; styl: velkým mužům vděčná hysterie). Budu se zamýšlet nad nočními toulkami podivného profesora Avenaria, anarchisty spořádaného vzezření, který propichuje pneumatiky aut kuchyňským nožem, a zároveň rozumět tomu, jak se na začátku 19. století zrodil člověk, jejž Kundera nazývá homo sentimentalis, *chápat romantismus,* „extrakoitální lásku“, „hypertrofii duše“, *narcisistní progresismus, fascinaci nesmrtelnou smrtí, později totalitarismus a nakonec obchod s rozdivočelými obrazy (images), nový analfabetismus, abdikaci rozumu i vůle, frigidní nestoudnost a citové překypění lhostejného srdce — to všechno zabalené do „demokratické křeče smíchu“.*

Ďábel sám vede ten bál, ale nejhorší je, že je to dobrý ďábel, tedy neporazitelný, jehož morbidní vlastností je jen to, že mu i v komičnu totálně chybí jakýkoli smysl pro humor. Bůh, z něhož se stal všudypřítomný kameraman; ďábel a jeho Diabolum; zákaz erotiky i každé mnohoznačnosti; slepá ulička mezi oběma pohlavími, končící pro ženy i pro muže ve vyděšené a brutální depresi (neboť to věčně ženské *ubohého Goetha nás přivádí čím dál víc ke ztrátě krásy i rozkoše); hle, co nás podle tohoto románu, velkolepého, veselého, lstivého a strašného, očekává. Tak Rubens, jedna z nejsilnějších postav románu: proměněn v diváka vlastního sexuálního života, který se stal absurdním, je zaražen tím, že si ze svého fyzického života, jímž byl kdysi tolik zaujat, už na nic nevzpomíná, a stejně tak ohromen, že si jeho partnerka v libidinálním tělocviku ničeho ani nevšimla. Všude porážka touhy a euforický triumf smrti. Jako by se program* computeru, *ohlášený kdysi jasnozřivým a špatně pochopeným filozofem absolutna, stal napříště definitivním: „Na konci historie jen sama smrt bude žít lidský život.“ Můžeme přece jen doufat v probuzení? Ano, například při čtení této knihy.*

Philippe Sollers

Paříž leden 1990

Z francouzštiny přeložila V. H.

POZNÁMKA AUTORA

Když jsem v prosinci 1989 poprvé projednával s nakladatelstvím Atlantis způsob, jak publikovat své knihy, přál jsem si, aby vycházely v takovém pořadí, v jakém vznikaly. Ale už teď jsem nucen udělat výjimku a vydat svůj poslední román, svůj opus 7, mimo pořadí, hned po *Žertu, Směšných láskách* a *Jakubu a jeho pánovi,* a to zároveň v Atlantisu a v kanadském nakladatelství Sixty-Eight Publishers. Toto nakladatelství vedené Zdenou a Josefem Škvoreckými uzavírá totiž po dvaadvaceti letech svou činnost. Vydal jsem u Škvoreckých až dosud všech šest svých knih prózy a chtěl bych (Škvorečtí též), aby tam nechyběla ta sedmá. Řekl jsem to už někde před mnoha lety: nikdo neudělal pro českou literaturu za doby ruské okupace víc než Škvorečtí, když vzápětí po invazi založili v Kanadě nakladatelství. Díky jim mohla zakazovaná literatura dále existovat v tištěné podobě, sehrát ve své době svou roli v českém prostředí, ale též být překládána, zařazována do světových univerzitních knihoven a studována. Zdena, která je sama velice nadaná autorka, obětovala pro nakladatelství všechny síly. Obětovala tedy vlastní spisování pro spisování druhých, což je vzhledem k příslovečné egocentričnosti spisovatele jako lidského druhu případ zcela ojedinělý. Chci jí i Josefovi při této příležitosti ještě jednou říci svůj dík.

K *Nesmrtelnosti: Kniha smíchu a zapomnění,* kterou jsem dokončil v roce 1976, byla knihou stesku po Čechách. Ale když jsem v prosinci 1982 dopsal *Nesnesitelnou lehkost bytí*, měl jsem silný pocit, že se něco definitivně uzavřelo: že se k látce ze současné české historie už nikdy nevrátím. V roce 1978 jsem byl zbaven československého občanství, což znamenalo, že lidem v Čechách byl zakázán jakýkoli styk se mnou a že se přede mnou nepropustně uzavřely české hranice. Nepochyboval jsem o tom, že je to navždy. V roce 1981 jsem dostal francouzskou národnost, „nationalité française" (Středoevropan by řekl: francouzské státní občanství, „citoyenneté", ale francouzské pojetí národa je jiné: kdo je občanem francouzského státu, je Francouz); událo se to na veřejné slavnosti a já jsem byl pln dojaté vděčnosti k zemi, která se mi dávala jako má nová vlast. Stával jsem se čím dál posedlejší francouzštinou: přeložil jsem do ní svou hru *Jakub a jeho pán*, připravoval jsem knihu francouzsky psaných esejů. V poznámkových sešitech přibývala pozorování Francie, mizely vzpomínky na Čechy. Když mi v roce 1984 umřela v Brně (v tehdy tak nekonečně dalekém Brně) maminka, byla tím přestřižena poslední nit, která mne ještě vázala k bývalé vlasti pravidelnou korespondencí. (V listopadu roku 1989 mne zaplavil pocit nesmírné radosti nad koncem okupace — ale též melancholie: pro mne ta změna přišla příliš pozdě; příliš pozdě, než abych byl s to — a chtěl — ještě jednou převrátit život, ještě jednou vyměnit domov.)

Nevidím žádný přeryv mezi *Nesmrtelností* a předchozími romány. Vysvětloval jsem vždycky, že tématem mých románů není kritika společnosti. *Život je jinde* je situován do roku 1948, do doby zešílevšího stalinismu. Ale mou ambicí nebylo kritizovat režim! Kritizovat ho v roce 1969, kdy jsem román dopisoval, by bylo nošení dříví do lesa. Téma románu je existenciální: je to téma lyrismu. Revoluční lyrismus komunistického teroru mne zajímal, protože vrhal netušené demaskující světlo na odvěký lyrický sklon člověka. Stejně tak tématem *Nesmrtelnosti* není moderní svět, Diabolum, jak mu říká Avenarius, anebo „société du spectacle", společnost proměněná ve spektákl, jak ho nazývají jiní. Odevždycky se totiž člověk vystavuje, předvádí, nabízí ke spektáklu. Odedávna v sobě nese sémě „société du spectacle", která jen promítá do velkých společenských rozměrů věčný intimní existenciální problém obrazu člověka v očích těch druhých, problém, který sleduji od své první knížky.

Motivy *Nesmrtelnosti* jsem si shromažďoval v poznámkách brzy poté, co jsem se ubytoval ve Francii. Do vlastního psaní jsem se pustil v létě roku 1987. V prosinci 1988 považuji román za dokončený. Od ledna 1989 spolupracuji intenzívně se svou překladatelkou Evou Bloch; práce se ukáže obtížnější, než jsem tušil (jelikož ovládám francouzštinu mnohem více než dřív, donekonečna upřesňuji každou formulaci). Překlad je dokončen během září 1989; sám ještě měním text až do poslední prosincové korektury. Francouzská verze *Nesmrtelnosti* vychází u Gallimarda v lednu 1990. O dva měsíce později vycházejí v Miláně a v Madridu překlady italský a španělský, jejichž text jsem rovněž z dálky pozorně sledoval. Po prvním nákladu, který je rychle rozebrán, má francouzská *Nesmrtelnost* ještě téhož roku čtrnáct dotisků: pro každý dělám nové a nové změny, dohromady (jak pro zajímavost zjišťuji v archivu u Gallimarda) je jich sto sedm. Část z nich se týká jen francouzštiny, ale velká část znamená i zásah do originálního textu. A protože se mezitím (v roce 1990) *Nesmrtelnost* překládá do mnoha dalších jazyků, jsem nucen všechny opravy postupně posílat překladatelům, čímž jim nepříjemně komplikuji práci. Scházím se ještě v Paříži se Susannou Roth, abychom pracovali na německém překladu, a pak (neméně dlouze) s Petrem Kussim, který překládá román do angličtiny. Teprve ke konci roku 1990 mám pocit, že je *Nesmrtelnost* konečně se vším všudy za mnou. Z tohoto popisu práce pochopí český čtenář zvláštnost mé situace: psal jsem svůj román (v nejlepší pohodě) rok a půl; jeho překladům jsem věnoval (v únavě, bez pohody) dva roky.

Když mne nakladatelství Atlantis před rokem žádalo, abych co nejrychleji dodal český rukopis, moje odpověď se mu musila zdát absurdní: český rukopis neexistuje! Řeknu to přesněji: byl v takovém stavu, že si vyžadoval nejméně měsíc k tomu, abych ho dal do pořádku. Bylo třeba přečíst ho pomalu větu po větě a vtělit do textu všechny změny a opravy, které jsem udělal při práci na různých překladech. Jenomže kde vzít ten měsíc? A kde vzít k té práci chuť? Byl už jsem svým románem tak unaven, že jsem se na něj nemohl ani podívat. A tak jsem se donutil znovu si k němu sednout až teď, po dalším roce.

Přehnaná posedlost překlady? Nemohu říci. Když Carlos Fuentes napíše román, ví, že osmdesát procent jeho publika ho bude číst v originále, ve španělštině; může nad překlady klidně mávnout rukou. Ale po ruské invazi tvořili čeští čtenáři jednu setinu, v osmdesátých letech dokonce ne víc než jednu tisícinu mého publika. Bylo to zvrácené a smutné, ale musil jsem se s tím smířit: moje knihy žily svůj život jakožto překlady; jakožto překlady byly čteny, kritizovány, souzeny, přijímány nebo odmítány. Nemohl jsem se o překlad nestarat. Zejména o francouzský. Kolem roku 1985 jsem se dal do podrobné revize všech francouzských překladů a věnoval jí tolik energie, kolik by mne stálo napsání dvou nových knih. Záleželo mi totiž mimořádně na tom, abych alespoň za jednou cizojazyčnou verzí svých románů mohl absolutně stát, abych ji mohl považovat ve všem všudy za svou; měl jsem proto pocit vítězství, když jsem mohl od roku 1987 otisknout do všech svých knih vydaných u Gallimarda poznámku, že francouzský překlad má „la même valeur d'authenticité que le texte tchèque", stejnou hodnotu autenticity jako český text.

Mohu si naříkat, ale nic na tom nezměním: moje romány se dnes vracejí do Čech nikoli jako součást živé české literatury, ale jako dvacet let zbloudilá ozvěna zbyvší po nemilované a neodvolatelně zmizelé době. Ať mne nikdo nepodezírá, že přeceňuji roli, kterou mohou hrát v mé někdejší vlasti dnes, deset, dvacet, ba i třicet let po svém vzniku. Nejsem si vůbec jist, stojí-li ještě za to je křísit k životu. Má-li se to však přece (aspoň na chvíli) stát, je to pro mne ospravedlněno tím, že uvedu jejich českou podobu do definitivního pořádku. Pro nakladatelství i pro mne z toho plynou potíže, které jsem zprvu nedocenil. Počínaje knihou *Život je jinde* existují mé romány ve třech verzích. Je tu především rukopis, z něhož vznikala většina překladů. Za druhé tištěné vydání u Škvoreckých, které se v různých drobnostech liší od rukopisu: jednak proto, že jsem dělal ještě v korekturách sem tam drobné změny, jednak proto, že Škvorečtí neměli korektory a já sám jsem se ukázal jako velmi nepozorný čtenář korektur; v torontském vydání je proto mnoho chyb (nikdy jsem své knihy po sobě nečetl a chyby jsem odhalil jen namátkou: v *Knize smíchu a zapomnění* jsou například chybně označeny názvy jednotlivých dílů a chybí poslední odstavce čtvrtého dílu; v knize *Život je jinde* je mnoho vynechaných vět; a tak dál). Za třetí je tu francouzská verze; když jsem ji po roce 1985 revidoval, udělal jsem při té příležitosti mnoho drobných oprav, škrtů a zásahů, které jsem nikdy neměl příležitost přenést do českého znění. Teprve až srovnám ty tři verze a připravím z nich verzi definitivní (což si vyžádá drobnohlednou, soustředěnou práci), bude existovat v Čechách autorizované vydání mých románů. Do té doby jedinou autorizovanou verzi celého cyklu mých sedmi románů tvoří verze francouzská.

Z tohoto hlediska není vlastně špatné, že *Nesmrtelnost* vychází česky už nyní. Kdyby se totiž mou vinou (vinou nedostávajícího se času a sil) zpozdilo vydávání ostatních románů, tento může dát českému čtenáři nejjasnější představu o tom, čeho jsem jako romanopisec chtěl docílit. Chci tím říci, že se mi v *Nesmrtelnosti* podařilo důsledněji než jinde uskutečnit určitou románovou poetiku, kterou jsem (nejdřív spontánně, pak čím dál vědoměji) sledoval už od *Žertu*.

Co jsem sledoval: učinit myšlení (meditaci, úvahu) přirozenou součástí románu a vytvořit zároveň takový způsob uvažování, který je specificky románový (to jest nikoli abstraktní, ale spjatý se situacemi postav; nikoli apodiktický, teoretický, vážný, nýbrž ironický, provokativní, tázavý, eventuálně komický); rozšířit radikálně čas románu, tak aby byl s to uchopit „čas Evropy" v konfrontaci různých historických dob (už v *Žertu* o té podvědomé snaze svědčí například exkurze do minulosti lidové hudby); odejmout románu tíživý imperativ pravděpodobnosti, dát mu hravost, tak aby čtenář mohl sice před sebou vidět postavy „jako živé" (neumím si představit román bez postav, které se čtenáři vrývají do vědomí, a byl jsem právě proto vždycky v opozici k tendencím takzvaného „nového románu"), ale aby přitom nezapomínal, že jejich „živost" je jen zdáním, kouzlem, uměním, součástí hry, románové hry, a aby se z té hry uměl radovat.

Jsou romanopisci, kteří postupují od detailu k celku, od jedné části k druhé, nechávajíce se sami překvapovat rozvíjejícím se příběhem, jak poutník jdoucí do neznáma. A pak jsou ti, kteří opracovávají román jako sochař sochu, to jest hned od počátku jako celek, střídavě ze všech stran (když přibude motiv v poslední části, musí se něco změnit i na začátku atd.); patřím mezi ty druhé. Představa celkové architektury je u mne součástí prvního nápadu, z něhož se román rodí; není racionálním výpočtem, ale nutkavou představou. Stejně jako se při práci autorovi vnucují takřka proti jeho vůli některá stejná existenciální témata nebo některé typy postav, tak zůstává za všemi architekturami mých románů určitý společný pratvar; s výjimkou *Valčíku na rozloučenou,* který vychází z jiného formálního archetypu, je to kompozice složená ze sedmi dílů, z nichž každý tíhne k maximální samostatnosti a odlišenosti; rovněž tak tíhnou k co největší autonomii i kapitoly, z nichž jsou jednotlivé díly složeny. Odtud typografické důsledky: obsah je otištěn v čele knihy (aby čtenář měl od počátku představu o celkovém plánu románu — jako cestovatel, který se nejdřív zběžně obeznámí s mapou města, jež zítra navštíví); každá kapitola začíná na nové stránce (aby byl čtenář nucen se zastavit na konci kapitoly, jako se zastavujeme na konci básně).

Jednotlivé díly jsou odlišeny tempem a způsobem vyprávění. Co se týče tempa: je pomalý čas Sternův nebo Joyceův: osmnáct hodin Blooma vyprávěných na tisíci stranách. Anebo naopak celý život vyprávěný v šesti odstavcích kratičké Hemingwayovy povídky. To není otázka formální virtuozity. Různé tempo odhaluje různou problematiku světa: ukáže *mikroskopický* obraz vteřiny jednotlivcova života anebo *teleskopický* obraz kolektivního příběhu dějin. Od *Žertu* jsem tíhl k tomu, aby se v každém dílu orloj vyprávění otáčel jinou rychlostí. V *Nesmrtelnosti* je střídání temp dovedeno nejdál: šestnáct hodin na padesáti stranách prvního dílu (*Tvář*), dvě stě let na čtyřiceti stranách čtvrtého dílu (*Homo sentimentalis*), asi hodina na patnácti stranách sedmého dílu (*Oslava)* atd.

Každý díl je též vyprávěn jiným způsobem: *Tvář*: vyprávění dodržující kauzální kontinuitu kapitol. *Nesmrtelnost*: historická biografie s esejistickými digresemi. *Boj*: vyprávění s lehce porušenou kauzální kontinuitou kapitol a s esejistickými digresemi. *Homo sentimentalis:* románový esej. *Náhoda*: tříhlasá polyfonie (z hlediska formálního je to nejzajímavější díl, protože zde román radikálně uniká jakékoli iluzi pravděpodobnosti, aby se stal nezastřeně hrou imaginace; tři „hlasy": 1) poslední den Agnes vracející se v noci autem do Paříže; 2) setkání profesora Avenaria s autorem, který právě píše pátý díl románu a vypráví svému příteli o své ženské hrdince; 3) příběh mladé sebevražedkyně, který autor zaslechl v třetím dílu z rádia a nechá teď vstoupit do románu: dívka se skrčí na silnici a chce se dát rozdrtit přijíždějícími auty; Agnes, aby se jí vyhnula, skončí v příkopu a zemře). *Ciferník*: monografické diskontinuitní vyprávění (to jest vyprávění, kde mezi koncem jedné kapitoly a začátkem příští je porušena kauzální souvislost). *Oslava*: souvislý popis jedné scény.

Oč méně román spočívá na přísné jednotě děje, o to víc je spojen jinými jednotami: kromě jednoty společných postav zejména jednotou *témat*, která procházejí všemi díly; v *Nesmrtelnosti* základní dvě témata: 1) vztah člověka a jeho obrazu a 2) homo sentimentalis; k nim se přidružuje mnoho vedlejších témat, z nichž většina je označena názvy jednotlivých dílů. Román je spjat i opakujícími se *motivy*: například motivem brýlí puštěných na zem, motivem mužské ruky položené na dívčí prs, motivem čtyř různých gest, která přecházejí od postavy k postavě. Atd.

Tato románová poetika klade mimořádné nároky na pozornost četby a čtenářovu paměť, protože jednotlivé motivy, myšlenky a situace si odpovídají a vzájemně se objasňují přes vzdálenost mnoha stran, kapitol či dílů: Tak například v šesté části čtenář postupně odhaluje v neznámé loutnistce Agnes. Loutnistka nosí černé brýle, stejně jako je nosila Agnes v třetím dílu, a má stejný způsob chůze, jak ji popsal autor Avenariovi v pátém dílu: hlava lehce skloněná, břicho lehce vystrčené. Během jejich posledního telefonického rozhovoru oznámí loutnistka Rubensovi, že se s ním už nechce setkat. Toto nevysvětlitelné odmítnutí lze pochopit, jen když si vzpomeneme, že v třetím dílu, tedy o nějakých dvě stě stran dříve, se Agnes milovala s neznámým milencem dívajíc se při tom do zrcadla; polekána tělesnými příznaky svého stárnutí rozhodla se tehdy, že udělá konec za svým milostným dobrodružstvím. Rozumíte teď povzdechu autora v sedmém dílu: „Jestliže můj čtenář přeskočí jednu větu mého románu, nebude mu rozumět, a přece, kde je na světě čtenář, který nepřeskočí žádný řádek? Nejsem já sám největší přeskakovač řádků a stránek?“

Nechť mi čtenář odpustí tento (byť velmi zestručněný) technický výklad. Odmítám zásadně vysvětlovat své romány, odpovídat na otázku „co chtěl autor říci“, neboť všechno, co chtěl říci, řekl v románu, a jestli něco neřekl, tak proto, že to říci nechtěl. Na druhé straně se však vždycky a rád dám svést k tomu, abych mluvil o své *poetice*. Je to možná dědictví mé hudební minulosti. Patří totiž k základní zkušenosti hudebníků, že se skladba poslouchá o to snadněji a s požitkem o to větším, oč důvěrněji je posluchač obeznámen s její formální strukturou. Často se vracím ke knize *Technique de mon langage musical*, v níž Olivier Messiaen vysvětluje své rytmy a harmonie. Od té doby, co jsem se takto obeznámil s jeho praktickou teorií skladby, vyznám se lépe v jeho hudbě, mám ji raději. Ale platí totéž pro čtenáře románů? Nezbaví romanopisec své dílo magie, odhalí-li jeho metodu? Co je to však „magie“ uměleckého díla? Nezaměňujme ji s magií estrádních kouzelníků, kteří drží v tajnosti svůj trik, aby nás ohromili. Magie umění, to je krása formy a forma není švindl, nýbrž průhlednost a jasnost, vysvětlitelnost a pochopitelnost, a to i v případě forem tak komplikovaných, jako je hudba Messiaenova, dodekafonie Schönbergova nebo skladby Xenakisovy. Hudba je radostí z formy a netvoří v tomto směru mezi uměními žádnou výjimku; naopak právě v tomto směru je paradigmatem, vzorem pro všechna umění.

Přeložena z češtiny vyšla *Nesmrtelnost* francouzsky, italsky, španělsky, katalánsky, norsky, holandsky, hebrejsky, dánsky, finsky, anglicky (ve dvou odlišných vydáních: v Americe a v Anglii), chorvatsky, slovinsky. Přeložena z francouzštiny: turecky, portugalsky, v brazilské portugalštině, řecky, islandsky, korejsky, švédsky, čínsky, japonsky. Do indického jazyka malaylam byla přeložena z angličtiny. V Anglii se jí dostalo ceny deníku *The Independent.* O knize vyšlo v Čechách (na základě francouzského či italského překladu) několik vynikajících rozborů. Jestliže pro toto vydání v Atlantisu vybírám jako doslov text Philippa Sollerse otištěný v *Nouvel Observateur* (Sollers ho pro účel českého vydání přehlédl), přiznám se, že je to z málem sentimentálních důvodů. Když jsem vydal v roce 1963 *První sešit směšných lásek* (knížka, kterou začala moje dráha prozaika), uveřejnil jsem na záložce krátký text, v němž jsem se snažil definovat svou estetickou orientaci: „Přesnost myšlenky mne strhuje víc než přesnost popisu; mám rád neskrývaný intelekt, ať už se projevuje reflexí, analýzou, ironií či hravostí kombinace," a narážeje na autory, kteří byli právě tehdy uvedeni do Čech, dodal jsem, že Philippe Sollers je mi proto bližší než „nouveau roman", Thomas Mann a Robert Musil bližší než moderní americká literatura. To bylo před devětadvaceti lety. Sollers. Nevěděl tehdy o mně *vůbec* nic a já o něm *skoro* nic. Když jsem četl v Paříži v lednu 1990 jeho článek, zase mne přepadl ten podivný pocit (mívám ho stále častěji), že se za mnou uzavírají kruhy.

Ajoupa-Bouillon, Martinik, prosinec 1992

ATLANTIS

M I L A N K U N D E R A

NESMRTELNOST

Doslov Philippe Sollers
Obálka, vazba a grafická úprava Boris Mysliveček
K vydání připravila Nora Obrtelová
Vydalo nakladatelství Atlantis v Brně roku 1993
jako svou 62. publikaci
Odpovědná redaktorka Jitka Uhdeová
Technická redaktorka Janina Vrátníčková
Sazbu písmem Times připravil Michal Uhde
Vytiskla tiskárna Signet, spol. s r. o.,
Merhautova 117, 613 00 Brno
Počet stran 352
Tematická skupina 13 / 33
Vydání první
18-010-93